JN079118

ラテンアメリカ
地球規模課題の実践

畑惠子・浦部浩之──編

新評論

はしがき

これまでラテンアメリカの政治・経済・社会に関する書籍といえば、貧困、格差、社会的疎外、政治的不安定、麻薬、暴力など、社会の「諸問題」に焦点が当てられがちであった。また、新自由主義(ネオリベラリズム)がもたらすこの地域の「諸問題」から日本が何を学べるかという課題設定のもとで出されたユニークな書籍もあるが、社会の「暗い部分」を分析の中心軸としていたことに変わりはない。もちろんラテンアメリカ関連の多くの既刊書にみられるこうした視点は、この地域をより深く理解するためには必要不可欠なものであり、その学術的貢献には非常に大きなものがあった。

しかし一方で、ラテンアメリカの国々や人々がこうした「諸問題」の解決に真摯かつ果敢に挑戦してきた具体的な姿については、まとまった書籍の形で焦点化されることはなかった。この面については、もっとポジティブな眼差しで描かれ、評価されてもよいのではないか。たとえばラテンアメリカは世界でいち早く、「非核兵器地帯」の創設を達成した地域である。核兵器の廃絶が世界的な課題となる中、この取り組みは今も世界に範を示し続けているといえる。また人権問題についても、民主化後のラテンアメリカはいわゆる真実和解委員会の活動を通じ、「処罰と和解」の追求において雛形となる先駆的事例を提供してきたし、貧困問題や環境問題への取り組みについても、問題の根深さを基準点とするならば、この地域におけるその改善のスピードには目を瞠るものがある。さらには、相次ぐ女性大統領の誕生や政界におけるジェンダーバランス、新興国としての新たな「南」の連帯の構築などの点でも、世界に負けない実績があると言ってよいだろう。

本書では、世界全体が共通して抱えているさまざまなグローバル課題に、ラテンアメリカがいかに真摯かつ果敢に挑戦してきたか、その生き生きとした姿を描き出していく。もちろんこうした「前向きな取り組み」と「問題の不在・解決」とは同義ではないため、残存する諸課題についても冷静に指摘しておかなければならない。しかし、ラテンアメリカ社会が抱える「諸問題」を単に静態的に指摘・計測するのではなく、その「諸問題」に立ち向かうダイナミズムに焦点を当てることは、グローバル課題を視野に議論を深めていくためにはきわめて重要な作業であるように思われる。本書は、ラテンアメリカをめぐる既存の分析や研究にやや欠けていた点を補いつつ、世界全体に広がるグローバル課題の奔流をおさえ、かつその中でのラテンアメリカの立ち位置や役割を理解するという複眼的な視座を、読者とともに共有することを目的としている。

本書の刊行を思いたった理由は二つある。一つは、主にマスコミなどを通して日本で発信され、再生産されるラテンアメリカ地域のイメージが、一面的かつ表面的すぎるのではないかということである。かつてこの地域がしばしば政治混乱や経済危機に陥っていたのは事実である。しかし、そうした苦悩があったからこそ、この地域を生まれ変わらせようとする人々の努力が芽生え、国際社会の流れとローカルな場での改革を連動させた実践が、さまざまな領域ではっきりと目に見えるようになってきた。しかし、残念なことにラテンアメリカのそのような一面が日本で紹介されることはほとんどなかった。もう一つの理由は、日本ではいまだ、範とすべきは欧米であり、欧米と並ぶ「先進国日本」は途上国・新興国と呼ばれる国々にモデルを提示し支援する立場にある、という考え方が強いと感じられることである。今日、全世界が共通して直面している「諸問題」は、非先進国、非西欧社会でより極端な形で表出することが多いのは事実であるが、そうした社会は今や、国際的な支援をただ待っているだけの受動的な存在ではない。ゆえに、そうした地域の中でもとくに、近年さまざまな改革実践を続けてきたラテンアメリカ地域の取り組み事例を知ることは、日本社会のありようそのものを見直し、日本の役割を問い直すことにもつながるのではないかと思っている。

今、世界はコロナ禍の真っただ中にある。この危機はあらためて、「グローバル化された世界」という現実を私たちに突き付けた。しかも、感染症の拡大という一つの地球規模の現象が、貧困・格差・暴力・対立・差別などさまざまな問題へと負の連鎖をもたらし、一連の問題に向き合ってきた地球市民的取り組みを阻み、各国が国内対応だけで手一杯となって国際協調の気運を大きく後退させている。

まさにこのようなときであればこそ、本書で取り上げたテーマは、ラテンアメリカという地域の枠を超え、これまで以上に、私たちの足もとの問題として、そして地球全体の問題として、とらえられうるはずである。本書では現代の「地球規模の課題」である一三のテーマを章として取り上げ、また感染症、ジェンダー平等、移民に関してはコラムで焦点化した。このほかにも、本書の企画段階では、安全・治安、巨大都市化、食料・水、自然災害といったテーマの重要性についても議論したが、紙幅との関係で割愛せざるをえなかったことを付記しておきたい。

最後に、コロナ禍で生活が一変し、授業のオンライン化などによって多忙を極めながら、本書の趣旨に賛同し、寄稿してくださった執筆者の方々、きめ細やかなご助言と忍耐強い励ましをし続けてくださった新評論編集長の山田洋氏に謝意を表したい。

二〇二〇年一二月

編者

ラテンアメリカ　地球規模課題の実践／目次

環境保全・エネルギー

被害者家族の連帯

国際的な地域間協力

第12章　域内協力を軸とするラテンアメリカの南南協力と南南外交……子安昭子　287

政治体制と経済発展

ラテンアメリカ　地球規模課題の実践

ラテンアメリカ・カリブ33か国地図

（　）内は非独立地域

序章

地球規模課題とラテンアメリカ

畑惠子・浦部浩之

一　ラテンアメリカとは

ラテンアメリカという地域の概念

本書が主題としている「ラテンアメリカ」という地域が、具体的にどの国々からなり、どの地理的範囲を指すのかをまず説明しておこう。

南北アメリカには計三五の独立国がある。そのうち、北米大陸の大部分をカナダと米国（アメリカ合衆国）が占め、それよりも南にメキシコをはじめとする三三か国が存在する。これに加え、この地理的範囲にはいくつかの非独立地域もある（巻頭の地図、および次頁**表1**参照）。このメキシコ以南の地域全体のことが「ラテンアメリカ」あるいは「中南米」と呼ばれている。

ただ、ここに含まれる三三か国のすべてを一括りに「ラテンアメリカ諸国」と呼ぶのは本来、適切ではない。主に一九世紀の初頭にスペイン、ポルトガル、フランスといったラテン系の旧宗主国から独立した国々と、第二次世界大戦後にイギリス、オランダから独立した非ラテン系のカリブ諸国との間では、歴史的、政治的、文化的な違い

表1　ラテンアメリカ・カリブ地域の構成

	地理的区分	旧宗主国	構成国
ラテンアメリカ地域*	北米大陸部	スペイン	メキシコ
	中米地峡部	スペイン	エルサルバドル、グアテマラ、コスタリカ、ニカラグア、パナマ**、ホンジュラス
	南米大陸部***	スペイン	アルゼンチン、ウルグアイ、エクアドル、コロンビア、チリ、パラグアイ、ベネズエラ、ペルー、ボリビア
		ポルトガル	ブラジル
	カリブ海島嶼部	スペイン	キューバ、ドミニカ共和国
		フランス	ハイチ****
カリブ地域	カリブ海島嶼部	イギリス	アンティグア・バーブーダ、グレナダ、ジャマイカ、セントクリストファー・ネービス、セントビンセント・グレナディーン諸島、セントルシア、ドミニカ国、トリニダード・トバゴ、バハマ、バルバドス
	中米地峡部	イギリス	ベリーズ
	南米大陸部	イギリス	ガイアナ
		オランダ	スリナム
	カリブ海島嶼部（非独立地域）	イギリス領	アンギラ、ケイマン諸島、タークス・カイコス諸島、英領バージン諸島、バミューダ諸島*****、モントセラート
		オランダ領	アルバ、オランダ本国のカリブ領域（サバ、シントユースタティウス、ボネール）、シントマールテン
		フランス領	グアドループ、サンバルテルミー、サンマルタン、マルティニーク
		米国領	米領バージン諸島、プエルトリコ
	南米大陸部（非独立地域）	フランス領	仏領ギアナ

＊ハイチを除くスペイン・ポルトガル語圏の19か国はイベロアメリカ、ハイチ、ブラジルを除くスペイン語圏の18か国はイスパノアメリカとも呼ばれる。

＊＊パナマは1903年にコロンビアから分離独立した。他方、それ以外の５か国は19世紀初頭の独立当初、中米連邦共和国という一つの国として出発した。このため中米諸国という場合、パナマを除いた５か国を指すこととパナマを含めた６か国を指すことがある。

＊＊＊エクアドル、コロンビア、チリ、ベネズエラ、ペルー、ボリビアの６か国はアンデス諸国として区分される。ただし文化的特徴に重きを置く場合、ベネズエラとチリはアンデス諸国とは見なされない場合もある。アルゼンチン、ウルグアイ、チリ、パラグアイ、ブラジルの５か国は、いずれも20世紀後半に親米軍事政権が成立したこと、また経済関係が緊密であることなどのために、しばしば南米南部諸国として区分される。

＊＊＊＊ハイチは人口構成の点でアフリカ系が多数を占めるなど、カリブ地域諸国と共通する特徴も持っている。

＊＊＊＊＊バミューダ諸島は北大西洋上に位置しているが、カリブ地域諸国と似た文化的特徴を多く持ち、カリブ共同体の準加盟地域となっている。

（出所）編者作成。

があまりにも大きいからである。実際、「ラテンアメリカ人」（スペイン語で言えば「ラティノアメリカーノス」）としてのアイデンティティを持つ人々には、けっしてジャマイカをはじめとする非ラテン系の国々に対する同胞意識はない。メキシコ以南の三三か国全体のことは、「ラテンアメリカ・カリブ諸国」と呼ぶのがもっとも理に適っている。

では、具体的にラテンアメリカとカリブに含まれるのは、それぞれどの国々なのか。前者に含まれるのは、スペイン語圏の一八か国、ポルトガル語を公用語とするブラジル、そしてフランス語を公用語とするハイチの計二〇にのぼるラテン文化の流れを汲む国々である。本書が主要な対象としているのは、これらの国々である。多くのラテンアメリカ諸国は、今から約二〇〇年前の一九世紀初頭に独立を達成した。その担い手となったのは、現地生まれ現地育ちの、欧州系白人エリート層である。[1] なお、キューバは一九世紀を通じてスペインの植民地下にあったが、カリブ海域での覇権拡大を目論む米国の介入をきっかけに、一九〇二年、当初は米国の属国のような形で独立した。パナマはコロンビアの一地方であったが、運河の建設と権益確保を狙う米国が干渉し、一九〇三年にコロンビアから分離独立されることになった。

さて、これら二〇か国に含まれないその他の一三か国は、一九六二年のジャマイカとトリニダード・トバゴを皮切りに八〇年代までに独立した旧イギリス領の一二か国、および旧オランダ領の一か国（スリナム）である。黒人奴隷の子孫、あるいは植民地期に導入されたインド系やジャワ系などの労働者の子孫が国家の成員の中心となっているのは、ラテンアメリカ諸国とは大きく異なる特徴である。これらの国々はカリブ共同体（ＣＡＲＩＣＯＭ）を発足させたり、一部の国では共通通貨（東カリブドル）を使用したりするなど、歴史的・文化的一体感が強くある。

1　なおハイチだけは、フランス革命の影響を受けて蜂起した黒人奴隷が一八〇四年に独立を勝ち取ったという、スペイン・ポルトガル系諸国とは異なる歴史を持っている。ハイチは今日、スペイン語系の国であるドミニカ共和国とカリブのイスパニョーラ島を東西で分け合っているが、一九世紀前半は島全体がハイチによって統一されていた。

さまざまな呼称とアイデンティティ

「中南米」という呼称は、「北米」ではない米州地域、すなわちメキシコ以南の地域全体を指す概念としてよく用いられている。日本の外務省もここに含まれる三三か国を中南米として括っている。しかし、北米大陸に位置するメキシコは北米ではないのかという疑問が生じる。実際、一九九四年に締結された米国、メキシコ、カナダ三か国間の通商協定も「北米自由貿易協定」（NAFTA）と名づけられていた（なおNAFTAは二〇二〇年、新しい「米国・メキシコ・カナダ協定」［USMCA］に改編された）。では、メキシコは「中米」に含まれるのかというと、そうしたとらえ方もまた一般的でない。というのは、いわゆる中米五か国と称されるグアテマラ、エルサルバドル、ホンジュラス、ニカラグア、コスタリカは、一九世紀初頭、当初は「中米連邦共和国」という一つの国として独立したとの経緯があるからである。コスタリカに隣接するパナマは、面積の点でこれら五か国と同じような規模を持つが、すでに述べたような異なる歴史があるため、一般に狭い意味での中米諸国とは見なされない。一九八〇年代に中米紛争の解決を目指して開催された中米諸国首脳会議が、いわゆる中米五か国の間で開催されたということも想起されてよいであろう。もっとも、地域共同体としての中米統合機構（SICA）には、今日では中米五か国に加えてパナマ、旧イギリス領のベリーズ、そしてカリブ海に位置するドミニカ共和国も加盟している。中米というのは多義的な概念である。

話を「ラテンアメリカ」と「中南米」に戻そう。この二つの地域概念は、これまでの説明からわかる通り、本質的にまったく異なっている。前者に属する国は歴史的・文化的観点から分類されるラテン系の二〇か国であり、後者に属する国は地理的・空間的観点から分類されるメキシコ以南の三三か国すべてなのである。ただ、カリブ諸国に当たる一三か国がいずれもきわめて小規模で、このメキシコ以南の空間において、前者の二〇か国が人口では九八・七％（二〇一六年）、面積でも九七・九％という圧倒的部分を占めており、結果的に「ラテンアメリカ」と「中南米」は地図上ではほぼ同一の範囲を指している。そのために、カリブ諸国もラテンアメリカとして一括りにされることになりがちなのである。

中南米のスペイン・ポルトガル語圏の国々を表す呼称としては、他に「イベロアメリカ」や「イスパノアメリカ」というものがある。とくにスペインでは通常、これら二つの呼称が用いられ、「ラテンアメリカ」という呼称の使用は稀である。一九九一年、スペイン、ポルトガル、そして中南米のスペイン・ポルトガル語圏の国々が集結したイベロアメリカ首脳会議という枠組みが誕生した。背景には、スペインとポルトガルが八六年に欧州共同体（EC）加盟を果たし、そのECが欧州連合（EU）へと向かおうとする冷戦終結後の新しい時代潮流の中で、とくにスペインが欧州とラテンアメリカ諸国とを結びつける主導的な役割を担おうとしたことがある（翌九二年が、コロンブスによるアメリカ到達五〇〇周年であるということも背景にあった）。なお、「イベロアメリカ」はイベリア半島、すなわちスペインとポルトガルの位置する半島の文化的流れを汲むアメリカという意味である。ただし、これらラテンアメリカの国々のみならずイベリア半島の国々も合わせ、その全体がイベロアメリカと見なされることもある。[2]他方、「イスパノアメリカ」はスペイン語圏アメリカという意味合いを持つ呼称である。すなわちここには旧ポルトガル領のブラジルは含まれない。なお、この地域概念はスペインによる植民地化の歴史との密接な関連があり、したがってその版図となったカリフォルニア、テキサスなどの米国の南西部地域を含めてとらえられることもある。

ラテンアメリカの人々が非常に嫌がるのは、世界の人々が、米国のことを単に「アメリカ」と呼んでいることである。ラテンアメリカの人々には、自分たちもアメリカの民であるという意識が強い。このような地域の歴史と人々の意識に鑑みて、本書ではアメリカ合衆国を「アメリカ」ではなく「米国」と表記する。

本書ではまた、米州機構（OAS）や米州人権条約など、「米州」という地域呼称がしばしば登場する。これは

2　スペイン王立アカデミーは「イベロアメリカ」という語の第一の定義としてイベリア系アメリカ諸国一九か国を、第二の定義としてこれらの国々にスペイン、ポルトガルを加えた二一か国を指すとしている。イベロアメリカ首脳会議事務局（SEGIB）は、この二一か国にアンドラを加えた計二二の加盟国をイベロアメリカ諸国としている（本書第12章参照）。

米国とカナダを含む南北アメリカ全体を指す概念である。ただし米州を冠するさまざまな国際機関や条約に、域内にある三五か国のすべてが参加しているとは限らない。近年では、アメリカの複数形の「アメリカス」という表現も、南北アメリカ全体を指す呼称としてよく用いられるようになっている。

二　現代ラテンアメリカの政治・経済・社会状況

民主化とその後の課題

ラテンアメリカは一九六〇年代から八〇年代にかけて、一部の国を除き地域全体が軍政一色に染まっていた。クーデタによる政権打倒というのはそれ以前の時代にもしばしばあったが、この時期の政体は、組織としての軍、あるいは軍の力を背景とした独裁者が長期に政権を維持したという点で、過去とは大きく異なっていた。これには冷戦が大きく絡んでいた。つまり、ラテンアメリカの軍は低開発が防衛能力を阻害するとともに反政府の武装闘争を助長するとの論理から、自ら政権を掌握して国を発展に導こうと考え、そうした軍事政権を、キューバ革命（五九年）の波及を恐れた米国が経済的・軍事的に強く支援したのである。なお、メキシコなどの四か国では文民政権が続いたが、メキシコは一党優位体制のもとに、またコロンビアやベネズエラでは二大政党が公職を分け合う談合政治のもとにあり（なおコロンビアではそこから排除された政治勢力が長期間、武力闘争を展開した）、定期的な選挙もいささか形式的であった。

しかし一九七〇年代の末から民政移管の動きが生まれ、八〇年代に入るとその流れが加速化することになる。後述の通り、この時代、地域全体が「失われた一〇年」とも呼ばれる未曽有の経済危機に陥り、政治に深入りすることの危さを認識した軍が、自ら民政移管選挙へのレールを敷いて政治から撤退したのである。冷戦が終焉に向かう中、米国が次第に支援の手を緩めていったことも大きかった。東西代理戦争と化していた中米紛争も、九〇年代初頭までに収束していった。

こうして一九九〇年のチリを最後に、ラテンアメリカから軍事政権が消え、九〇年代は「民主主義」の時代となった。ただ、民主主義といっても、その実態は定期的に実施される選挙によって代表を選出するだけの手続き的・形式的な民主主義にとどまることが少なくなかった。いくつかの国では、ひとたび選出された後はあたかも全権を委任されたかのごとく統治する大統領も現れた。他方、民主化による自由な空気に触れた市民はしばしば、民主主義を「生活水準の引き上げという願いを叶えてくれる政治」と同義のものとしてとらえ、あるときは強い改革姿勢とリーダー像を示す大統領に熱狂し、またあるときは生活への不満を訴えて街頭に繰り出して大統領を権力の座から引きずり降ろそうとした。一言でいえば、ラテンアメリカの民主主義はいぜん脆さを孕んでいたのである。

そうした中で、民主主義体制を地域全体で協調的に擁護しようとする動きが一九九〇年代以降に強まったのは、一つの大きな前進であった。ＯＡＳやメルコスル（南米南部共同市場）では、民主主義が中断される事態が発生した場合には当該国にその回復を求め、それが実現しない場合は加盟資格を停止するとの手順が制度的に定められた。もっともその主眼はあくまで、体制としての民主主義を維持するということにあった。真に重要なのは、民主主義の質を高めることにあったが、現実には、大統領の権限を強めるための強引な法制度や法解釈の変更、あるいは政治家の不正や汚職などが後を絶たないばかりか、公正な選挙の実現に危うさが残る事態すら生じている。民主主義の価値を尊重する政治文化を育み、権力や権利に見合った自らの責任に誠実である姿勢が、政治と市民社会の双方の側に求められている。

ところで民主化後のラテンアメリカは、非常に大きな軍政時代の負の遺産を背負うことになった。「汚い戦争」といわれる軍政下での国家による激しい弾圧、および敵対勢力による人権無視の武力抗争は、人々の間に大きな亀裂と対立、そして心の傷を残しており、それへの対処は、新生文民政権にとって自らの存在意義にも関わる重要課題であった。しかし、軍は政治から撤退する前、軍政下での人権侵害の罪を不問にする「恩赦法」を周到に用意していた。家族や知人が殺害されたり行方不明になったりした人々は当然、その撤廃を求めたが、政治力を保持する軍と向き合いつつ、暗い過去を明らかにし、責任者を処罰し、そして補償と和解を進めることは、きわめて困難な挑戦であった。なお、長期にわたる紛争の後、二〇一六年に和平合意に至ったコロンビアでは、同様の試みはまだ始まったばかりである。処罰と和解のあり方をめぐっては、世論も大きく割れている。人権問題解決の道のりは長く、真相究明、処罰、補償そして和解を成し遂げようとする「移行期正義」と呼ばれるこのプロセスは、各国で今でも継続されている。

このような軍政期の人権侵害に関して真相究明と告発を先頭に立って実践し、政府をつき動かしていったのは市民社会組織である。また、民政下ではこの種の人権団体だけでなく数多くの市民社会組織が結成され、環境保護、先住民・女性・性的マイノリティなど、これまで差別されてきた人々への平等な権利の保障などを求める多様な領域での運動が展開されるようになった。こうした市民社会組織は自立性を持つ一方で、国内の組織間の水平的な協力関係、さらには国境を越えたグローバルな協力関係を構築し、社会的な発信を強めている。そうした多様な声に真摯に応えることも、今日の政府には強く求められている。

経済の市場化と貧困

一九八〇年代初頭、ラテンアメリカは「失われた一〇年」と呼ばれる未曽有の経済危機に陥り、八〇年代の年平均国内総生産（ＧＤＰ）成長率は一・八％、一人当たりの成長率はマイナス〇・九％にまで低下した（西島・小池編、四頁）。それは軍政期の対外債務が返済不能なまでに膨らんだ「債務危機」に端を発するものであった。経済政策の破綻は軍政終焉の一つの要因でもあったが、そのつけは新生文民政権が払わなければならなかった。その解決策として米国をはじめとする債権国や国際通貨基金（ＩＭＦ）、世銀などの国際金融界から提示されたのが、「ワシントン・コンセンサス」と呼ばれる新自由主義（ネオリベラリズム）[3]政策への転換であった。経済再建が喫緊の課題となった各国は、他の選択肢がない中で、債務救済と抱き合わせで提案された、財政赤字の削減、税制改革、貿易や投資の自由化、金利の自由化、国営企業の民営化、規制緩和といった改革案を受け入れた。それは従来の国家主導の経済政策から、民間主導で市場の競争原理にもとづき効率性を重視する政策への一八〇度の転換を意味するものであった。

他方、一九八〇年代の経済危機下で、貧困や格差の問題はさらに悪化していた。いつの時代にもこの地域は貧困や格差という問題から免れたことはなかったが、緊縮政策による教育、医療、福祉などの社会支出の大幅な削減、そして景気の悪化は、人々の生活を直撃し、九〇年にはハイチを除くラテンアメリカ一九か国で、極貧人口は人口全体の二〇%に、極貧を含む貧困人口は約半数にものぼった。また新自由主義改革により、国営企業の民営化や閉鎖、公務員の削減、民間企業の倒産などでフォーマルセクターでの雇用機会が減少した結果、九〇年代の労働市場では新規参入者の六八・五%が不安定なインフォーマルセクター[4]に吸収されることになった（CEPAL, pp.14, 96）。一連の改革の結果、マクロ経済は九〇年代に回復基調に戻ったが、優勝劣敗の市場競争の中で貧困層や社会的弱者は取り残され、格差はむしろ拡大した。二〇〇〇年代に入ると、一向に豊かにならない生活への不満が大きな政治的うねりとなり、所得の再分配を掲げる左派政権が各国で相次いで誕生し、反米感情とも結びついた左傾化現象が地域を席巻することになる。

ただ、二〇〇〇年代半ばの資源価格の高騰にも支えられて新しい時代を切り拓いたかに見えた左派政権も、資源価格の低下に足元をすくわれ、またいくつかの国では汚職の問題も露呈し、一〇年代の半ば以降、多くの国で右派政権にとって代わられることとなった。とはいえ、右派政権もまた、下層大衆のみならず、高等教育や社会保障な

3　新自由主義（ネオリベラリズム）とは、市場原理や個人の自由を重視し、政府による経済や社会福祉への介入を最小限にとどめること（いわゆる「小さな政府」）が経済に活力を生み成長を促すとする考え方で、一九七〇年代以降、世界に急速に広まった。

4　インフォーマルセクターとは公的な社会保障制度、労働法による保護などから除外された経済部門で、五人以下の企業、家事労働、自営業、無償家族労働からなる。

どへの不満を抱く中間層の要求に応えきれておらず、街頭での市民の抗議行動は激しさを増している。貧困や格差を是正するための改革は、政権の党派性にかかわらず取り組まれなければならない焦眉の課題となっている。

根深い貧困問題への対応策として、一九八〇年代に生まれ、九〇年代後半から広く採用されていったのが、子どもの就学や母子健康のための受診などを条件に貧困世帯に現金を給付する、いわゆる条件付き現金給付プログラムである。次世代を担う子どもたちに教育と健康を保障することによって貧困の世代間連鎖を断ち切ろうとする新しい理念に立ったこのプログラムの効果もあって、ラテンアメリカ諸国の初等教育（小学校課程）の普及は大きく改善された。現在、地域の教育政策の力点は中等教育（中学・高校課程）に移りつつある。ラテンアメリカ一九か国中、義務教育が小学校課程のみなのは一か国（ニカラグア）、中学課程までとするのが六か国で、他の一二か国では高校までが義務教育化されている（López, et al. eds., pp.13-16）。このような姿勢からも、ラテンアメリカ諸国の貧困や教育への取り組みの真剣さがうかがえよう。

国際社会の中のラテンアメリカ

民主主義社会におけるさまざまな課題への取り組みは、国内のローカルな場での実践である場合が多いが、ラテンアメリカ諸国は自らが直面している諸課題が世界共通であることを意識しながら、解決に向けた努力を地道に継続しているように見える。それは、この地域には国際社会の一員としての強い自覚が連綿と続き、それにもとづく独自の立場からの、世界の範となるような、また先進的な実践や提言を行ってきた歴史があるからである。

一九四五年に国連が創設されたとき、原加盟国は五一か国であった。そのうちの二〇か国を占めたラテンアメリカ諸国は、一大勢力として戦後の国際秩序の構築に大きく関わってきた。米国の影響を強く受ける地域であることは否定できないが、自立した立ち位置からの発信も目立っていた。たとえば、六〇年代に南北対立が露になり始めたとき、ラテンアメリカ諸国は国連貿易開発会議（ＵＮＣＴＡＤ）の舞台で先進国とは異なる開発のあり方を提案し、七二年の「国家間の経済権利義務憲章」や七四年の「新国際経済秩序」（ＮＩＥＯ）の採択への道を拓いた。また、米ソ対立の中で起きた六二年のキューバ危機で核戦争の脅威が現実のものとなると、ラテンアメリカの一四か国は六七年に世界初の非核兵器地帯条約となる「トラテロルコ条約」に署名し、翌年それは発効した。それから半世紀後の二〇一七年に国連で「核兵器禁止条約」[5]が採択され、二〇年一〇月に五〇か国による批准という要件を満たして同条約は翌二一年に発効する運びとなっているが、批准国として名を連ねているラテンアメリカ・カリブ諸国はすでに二一にのぼっている。さらにメキシコが七五年に国連の「第一回世界女性会議」の、またブラジルが九二年に「国連環境開発会議」（地球環境サミット）のホスト国となるなど、他のさまざまな領域においても、この地域の国々は国際的な取り組みにおいて主導的な役割を果たそうとしてきた。

活動の場は国家間関係だけでなく、市民社会運動の領域にも及んでいる。世界の市民社会組織が集まり、市民の立場からグローバル化によってもたらされる諸問題を議論する「世界社会フォーラム」の発足・運営には、ブラジルの市民社会組織が大きく関わってきた（二〇〇一年の第一回から第三回、および第五回フォーラムはブラジル・ポルトアレグレ市で開催されている）。このフォーラムは、新自由主義に立脚してグローバル化を推進する「世界経済フォーラム」（その年次総会は「ダボス会議」として知られる）に対抗し、「もう一つの世界は可能だ」を合言葉に、新自由主義の世界的な潮流に市民の視点から異議申し立てをする場となっている。

一九七〇年代から八〇年代にかけて、軍政期のラテンアメリカ諸国による国際的な発信力は必ずしも強くなかった。しかし、二一世紀のラテンアメリカ諸国には、平和、民主主義、権利の平等といった普遍的な価値を強く意識しながら、時に国際的な議論をリードしながら、世界全体が直面している諸課題に真剣に向き合おうとする姿を見て取ることができるのである。

5　非核兵器地帯化にも関わりを持つ条約として、一九六一年に南極条約、六七年に宇宙条約が発効しているが、可住空間における非核兵器地帯条約としてはトラテロルコ条約が初めてであった。

三　地球規模課題とは

地球共同体と人間の安全保障

地球規模課題とは何か。それについての明確な定義があるわけではない。国連は「グローバル・イシュー概観」と題するウェブページにおいて、国連がこれまで取り組んできた、またこれからも取り組んでいくべき、「いかなる国も単独行動によって解決できない、国境を越えた課題」として、アフリカ、高齢化、エイズ、原子力エネルギー、持続可能な開発目標（ＳＤＧｓ）のためのビッグデータ、子ども、気候変動、脱植民地化、民主主義、貧困の終焉、食料、ジェンダー平等、健康、人権、国際法と司法、移民、海と海洋法、平和と安全、人口、難民、水、青年の二二項目を挙げている（United Nations）。また、日本の外務省は、「グローバル化の進む中、［中略］貧困や紛争、人権の抑圧、感染症や環境問題など、一国のみの問題ではなく国際社会全体に関わるものとして協力して取り組むべき脅威・課題も少なくない」と指摘している（外務省）。こうした考え方を総合すると、地球規模課題とは「世界の平和と人々の安寧の実現を妨げている、世界中の国々や地域が共通に直面し、その解決には国際社会の協力が不可欠である諸課題」とまとめることができよう。

地球規模課題を考える上で重要なのは、地球を一つの共同体としてとらえる視点と、「人間の安全保障」と呼ばれる概念であろう。一九六〇年代に、有限な地球資源の有効な配分に注意を喚起する「宇宙船地球号」という言葉が生まれた。六八年に創設された民間のシンクタンクであるローマ・クラブは、資源の枯渇、核兵器の脅威、人口爆発、環境破壊などを全人類の問題として位置づけ、「地球的に考え、地球的に行動する」ことの重要性を広めていった。七二年には環境問題を包括的に取り上げた初の国際会議である国連人間環境会議が開催されたが、そこでのスローガンも「かけがえのない地球」であった。

他方、「人間の安全保障」とは、国連開発計画（ＵＮＤＰ）の『人間開発報告書 一九九四年』で明確化された概念である。第二次世界大戦後の冷戦期にあっては、安全保障の主軸は自国の主権と領土、そして国民を防衛するという軍事的側面に置かれていた。それに対し、この新しい概念は、安全保障の主軸を「欠乏と恐怖からの自由」という、一人ひとりの人間の側面に置こうとするものである。報告書の中では、六つの脅威として過度の人口増加、経済的機会の不平等、過度な国際人口移動、環境悪化、麻薬の製造と取引、国際テロが指摘され、人々の生存にとって重要な七つの安全保障として経済、食料、健康、環境、個人、地域社会、政治の安全保障が挙げられている。人間の安全保障の根底には、安全・開発・人権の間の相互関係が重視され、人々が人間らしい生き方を保障されるために、世界が一丸となって立ち向かわねばならないという考え方がある。そしてそれらは、二〇〇〇年の国連ミレニアム宣言とミレニアム開発目標（ＭＤＧｓ）、さらには一五年に採択された持続可能な開発目標（ＳＤＧｓ）という国際目標に継承されてゆく。

ＭＤＧｓとＳＤＧｓ

二一世紀を目前に控えた二〇〇〇年九月、国連はミレニアム・サミットを開催し、八つの章と三二の主要目標で構成される世界共通の開発目標としての国連ミレニアム宣言を採択した。そこでは、グローバリゼーションが世界に大きな機会を提供する一方、その恩恵やコストはきわめて不均等に配分されているということに注意を喚起しつつ、世界レベルの政策や手段が必要であると呼びかけられ、①平和、安全および軍縮、②開発および貧困撲滅、③共有の環境の保護、④人権、⑤民主主義およびよい統治、⑥弱者の保護、⑦アフリカの特別なニーズへの対応、⑧国連の強化が主要な行動目標として掲げられている。

この宣言にもとづき、一九三の国連加盟国すべてと二三の国連機関が、二〇一五年までの開発目標として具体的に定めた共通枠組みがＭＤＧｓである。そこでは八つの目標（ゴール）、すなわち①極度の貧困と飢餓の撲滅、②

初等教育の完全普及、③ジェンダー平等の推進と女性の地位向上、④幼児死亡率の削減、⑤妊産婦の健康の改善、⑥ＨＩＶ／ＡＩＤＳ、マラリアその他の疾病の蔓延防止、⑦環境の持続可能性の確保、⑧開発のためのグローバル・パートナーシップの推進が掲げられ、二一のターゲット（具体的取り組み）が設定された。

最終年の二〇一五年に刊行された「ＭＤＧｓレポート」は、「グローバルな、地域的な、ナショナルな、そしてローカルな努力によって、ＭＤＧｓは何百万人もの生命を助け、それ以上に人々の状況を改善した」と総括しながらも、最貧層や脆弱な人口が取り残され、ジェンダーや貧富の格差が続き、気候変動と環境破壊が貧困層を苦しめていることを指摘している。ＭＤＧｓは、一言でいえば、いくつかの成果を上げつつも、目標を達成するには至らなかった。たとえば極度の貧困人口を一九九〇年比で半減させるとの目標（目標1のターゲット1Ａ）は達成できたが、すべての子どもが男女の区別なく初等教育の全課程を修了できるようにするとの目標（目標2のターゲット2Ａ）は達成できなかった。

ラテンアメリカ・カリブ地域に関しては、もともとこの地域が、開発途上地域の中では社会開発が進んでいたこともあり[6]、ＭＤＧｓの到達度においても開発途上の九地域の中で上位にあった。極度の貧困率の半減、初等教育の完全普及（九四％を実現）、幼児死亡率の三分の二の削減、安全な水の提供（人口の九五％をカバー）などで目標を達成した。なかでもジェンダー平等の実績は顕著で、中等教育就学率では女子が男子よりも高く（世界で唯一）、議会への女性参加では先進国平均を一ポイント上回っていた。しかし、大きな森林焼失により南米で環境が悪化したことや、ラテンアメリカ諸国に比してカリブ諸国の達成度が低く、両地域間に格差があることも明らかになった（United Nations, 2015a, pp.4-9, 14-58 / United Nations, 2015b）。

ＭＤＧｓを引き継ぐ形で、二〇一五年から三〇年までの新たな開発目標として定められたＳＤＧｓでは、「地球上の誰ひとり取り残さない」を合言葉に、一七の目標（本書第12章**表4**参照）と一六九のターゲット項目が掲げられている。一七の目標は、貧困と飢餓の撲滅、健康・福祉と質の高い教育の提供、人と国の間の不平等是正とジェンダー平等、安全な水と衛生、クリーンエネルギーの開発、環境・資源の保全、経済成長と雇用、産業と技術革新など多岐にわたっている。開発途上国における開発を主たる目標としていたMDGsとは異なり、SDGsでは、先進国を含めた、まさに全地球的な課題に関する目標が、明確かつ具体的に定められている。

ただし、MDGsやSDGsがすべての地球規模課題を網羅しているわけではない。たとえば目標16のターゲット1ではすべての場所であらゆる形態の暴力および暴力による死亡率を大幅に減少させるとされているが、核兵器や大量破壊兵器の開発や取引などに関しては軍事安全保障問題としての別の課題設定が必要である。人工知能（AI）技術の開発や生命倫理に関わる諸問題（たとえば臓器移植、生殖技術、安楽死ほか）など、人類にとっての新たな課題も次々に現れている。感染症対策はMDGs以来、世界全体の主要な目標であり続けているが、二〇二〇年に発生した新型コロナウイルスへの対応に関しては、どの国も国内対応すらままならない状況に追い込まれる中、ワクチン開発の利権が絡んだナショナリズムも台頭し、国際協調に変調を来している。SDGsの目標7で掲げられているクリーンエネルギーの開発と普及のためには、大規模な再生可能エネルギー施設やバイオエタノール（トウモロコシやサトウキビなどを原料とする燃料）の利用が一つの有効な手段とされているが、果たしてそうした施設の拡充や農地の拡大が、目標15で掲げられている陸域生態系や生物多様性の保護と両立するのか、知恵を絞る必要がある。生物多様性の保護（多様な遺伝資源の保護）は、医薬品開発とも大きな関わりがある。アマゾンをはじめとする豊かな森林地帯を持ち、バイオエタノール原料の主要な生産地の一つであるラテンアメリカには、SDGs達成に向けての固有かつ最前線に立つべき課題がある。

6　たとえば、UNDPの『人間開発報告書　二〇〇二年』によれば、二〇〇〇年のラテンアメリカ・カリブ地域の人間開発指数（HDI。出生時平均余命、識字率と就学年数、GDPや購買力をもとに算出）は〇・七六七で開発途上地域の中でももっとも高く、中・東欧・CIS諸国の〇・七八三と並んでいた。ちなみに開発途上地域の平均は〇・六五四、経済協力開発機構（OECD）諸国の平均は〇・九〇五であった（国連開発計画、一八四頁）。

四　本書の構成

最後に本書の各章について簡単に紹介しておきたい。これまでに述べてきた通り、ラテンアメリカは、そして世界は、複雑で多様な課題に直面している。本書の目的は、これまであまり知られることがなかった、ラテンアメリカの国々や人々による地球規模の課題に対する取り組みを多角的かつ包括的に取り上げ、その生き生きとした実像を読者と共有することにある。本書を構成している一三の章のテーマは、一見、日本社会に暮らす私たちには無縁のように感じられるかもしれない。だが、視角を広げたり、少しずらしたりすれば、重なり合う部分が浮かび上がり、日本の進むべき道を探るきっかけにもなるかもしれないと本書の執筆者一同は考えている。

第1—3章では、地球および人類の未来のあり方に関わるテーマを取り上げている。第1章では、ラテンアメリカ地域の世界への最大の貢献の一つともいえる核軍縮・核兵器廃絶に関して、一九六七年のトラテロルコ条約採択以降の域内の歩みと、非核化の先進地域という自覚に支えられた「核なき世界」の構築に向けての政治行動が分析される。第2章では「地球規模で考え、行動する」必要性を世界に認識させる契機となった環境問題に関して、開発主義と環境保護主義の間の力学と環境社会運動の活動、さらに国際社会での気候変動交渉や再生可能エネルギー政策への積極的関与を考察している。第3章では「世界社会フォーラム」と社会運動の国際的連帯に焦点が当てられる。新自由主義にもとづく効率の追求が人間らしい生き方を難しくしている現代において、市民運動の連帯は世界に別の選択肢を提示するという意味で、人類の未来に関わる重要な動きとしてとらえられよう。

第4—8章は、多様性・人権・平等などが尊重される社会を目指す実践事例である。第4章では、現在の国際社会を二分する性的少数者の権利の平等をめぐるこの地域の動向に目を向けて、葛藤・対立しながらも人権意識の高まりとともに多様性に寛容な社会の構築へと向かう新しい姿を描いている。第5章では「先住民問題」が論じられる。中米やアンデス諸国には先住民が人口の半数を占める国もあり、先住民の生存には環境、開発、貧困、差別、暴力などの諸問題が集約されている。第6章は、経済的格差に制約されない平等な教育、民族・文化的多様性を尊重した教育の実践についての考察である。貧困の解消と格差の是正はラテンアメリカ諸国にとって最優先課題の一つであり、教育はその解決の要となる。第7章では、「条件付き現金給付」を中心とした貧困削減プログラムが貧困層への教育機会の提供に成果を上げてきたこと、ただしそれだけでは安定雇用につながらないとの課題が残されていることについて検証している。第8章では貧困・麻薬問題に取り組むカトリック教会の活動が取り上げられる。宗教と社会の関係は、世界のカトリック人口の四割を擁するこの地域ならではのトピックであるが、世俗化が進む一方で宗教に新たな役割も求められている今日、宗教の社会的活動を分析するこの章は、普遍的な視座を提供してくれているといえよう。

第9―12章は、軍政下で発生した人権侵害に関わる正義と和解の追求、激しい国内紛争の後の和平の構築、組織犯罪に立ち向かう女性の活動といった、人権と命を守るための政府や市民社会の実践事例である。世界各地でさまざまな対立や国内紛争が起きている（むしろ拡大している）現代世界に照らしたとき、ラテンアメリカの地道な実践が持つ意味は小さくない。第9章では南米・中米諸国における軍政下での人権侵害（中米での犠牲者は先住民に集中した）と、民政下での「移行期正義」のプロセスが検証される。第10章ではコロンビアの反政府武装勢力「コロンビア革命軍」（ＦＡＲＣ）と政府とが和平合意に至るまでの過程を分析し、半世紀にもわたる武力闘争が粘り強い対話によって終結したことが説明される。第11章では、麻薬組織による暴力犯罪に向き合う被害者家族の女性たちの姿が描かれる。それは、行政や警察などに頼ることができない状況下で、生命を危険にさらしながらの活動である。

最後の二つの章は、南の国々の連帯や協力、経済発展と民主主義の維持といった、政治・経済・国際関係の領域でのラテンアメリカ地域の将来像にも関わる論考である。第12章では南南関係におけるこの地域の役割が論じられる。一九六〇年代から地域協力や南南協力の分野で先鞭をつけたラテンアメリカ諸国は、近年ではＢＲＩＣＳに代表されるような新興国間の協力や、先進国や国際機関が資金・運用面で寄与する途上国間の協力（三角協力）において、世界を牽引する存在となっていることが説明される。第13章では、民主主義と資本主義（市場経済）の関係という大きな枠組みの中で、これまでラテンアメリカ諸国がなぜ民主主義体制を維持できなかったのか、なぜ最近になって民主主義を維持しながら「先進国」になるかもしれない国（たとえばチリ）が現れたのか、という問いが、先行研究や地域の経験にもとづいて考察されている。

以上の通り、本書が主題としているのは、ラテンアメリカという固有の地域性と社会的文脈の中での、地球規模課題に立ち向かう実践事例である。だが、繰り返しになるが、すべてのテーマが、日本を含め、現代のいかなる社会にもつながっている。本書での考察が、単なるラテンアメリカ理解にとどまるのではなく、日本に暮らす私たちにとっても一つの羅針盤になるのではないかと思っている。

最後に本書における表記統一について、二点を指摘しておきたい。一つは、人名表記である。ラテンアメリカでは、名、姓それぞれが複数から構成されるのが一般的であり、名と姓が混同されることもある。それを避けるために、名と姓の間は「・」で、複数ある名、あるいは姓（複合姓）の間は「＝」でつなぐこととした。たとえば、現メキシコ大統領アンドレス＝マヌエル・ロペス＝オブラドールの場合には、アンドレス＝マヌエルが名、ロペス＝オブラドールが姓となる。もう一点、本書は専門書ではないため、引用注の表記は最小限にとどめ、（著者名、参照頁数）と記すのを原則とした。同一著者の参考文献が複数ある場合のみ出版年を付し、文献全体を参照している場合には、頁数を記載していない。引用注に関しては、各章末の参考文献を参照いただきたい。

参考文献

外務省「ＯＤＡと地球規模の課題」（mofa.go.jp／最終閲覧日二〇二〇年一〇月三〇日）

国連開発計画（ＵＮＤＰ）『人間開発報告書 二〇〇二年』(jp.undp.org)
西島章次・小池洋一編［二〇一一］『現代ラテンアメリカ経済論』ミネルヴァ書房。
CEPAL (Comisión Económica para América Latina) [2001] *Panorama social de América Latina 2000-2001*, octubre.
López, Nestor, et al. eds. [2017] "Youth and Changing Realities: Rethinking Secondary Education in Latin America", UNESCO.
United Nations "Global Issues Overview" (un.org)
United Nations [2015a] *Millennium Development Goals 2015*, New York.
United Nations [2015b] "Millennium Development Goals 2015, Regional Backgrounder, Latin America and the Caribbean", DPI/2594/5E.

日本語文献案内

内橋克人・佐野誠ほか共同編集代表［二〇〇五、〇九、一〇］『「失われた一〇年」を超えて―ラテン・アメリカの教訓』全三巻、新評論。新自由主義政策の実験場ともいえるラテンアメリカにおける生じた諸問題と、それに立ち向かう地域社会や地域企業の取り組みを通して、日本へのメッセージを読み取ろうとする試み。

菊池努・畑惠子編［二〇一二］『世界政治叢書六：ラテンアメリカ・オセアニア』ミネルヴァ書房。急激なグローバル化の中で、ラテンアメリカ地域の政治・経済・安全保障および国際関係、域内関係がどのように変化してきたのかを理解するために有用な一冊。

高橋哲也・山影進編［二〇〇八］『人間の安全保障』東京大学出版会。序章では、人間の安全保障という考え方がどのように形成され、国際社会がそれをどのようにとらえてきたのか簡潔にまとめられている。

第1章

核軍縮・核兵器廃絶

非核兵器地帯の創設と世界の軍縮への貢献

浦部浩之

ラテンアメリカ諸国がこれまでに世界の核軍縮で果たしてきた役割は大きい。1967年には域内への核兵器の配備を全面的に禁止するトラテロルコ条約を採択し、世界初の非核兵器地帯の創設を実現した。2017年に採択された核兵器禁止条約の策定過程においても、主導的な役割を担ってきた。ただそうした一方で、ブラジルとアルゼンチンが核開発競争を繰り広げ、密かに核兵器の製造を試みた過去もあり、核軍縮への道のりはけっして平坦ではなかった。北東アジアの地政学的情勢や「核の傘」を抱える私たちにとって「核なき世界」の理想の実現は気の遠くなる先のことのようにも思えるが、だからこそ、ラテンアメリカは核軍縮に向けてどのように歩んできたのかを、本章で確認していきたい。

写真：トラテロルコ条約の設立に尽力し、1982年にノーベル平和賞を受賞したメキシコの外交官アルフォンソ・ガルシア＝ロブレスの像（メキシコ・ラパス市、2020年2月、撮影：筆者）

はじめに

二〇一九年一一月、三八年ぶりに日本を訪れたローマ教皇は被爆地広島での演説で、「戦争目的で核兵器を使用することのみならず、核兵器を保有することも倫理に反する」と世界に訴えかけた。これに先立つ長崎での演説では、「世界は手に負えない分裂の中にある」とし、「相互不信が兵器の使用を制限する国際枠組みを崩壊させている」との見方を示して、「核兵器禁止条約を含む核軍縮と核不拡散に関する国際的な法的原則に則って、飽くことなく、迅速に行動すべきである」と呼びかけた。

核兵器の全廃と根絶を目的とする「核兵器禁止条約」は、二〇一七年七月に採択され、いまその発効を迎えようとしている（二〇年一〇月、五〇か国による批准という発効要件を満たし、二一年一月に発効予定）。ただ、日本政府は、『外交青書 二〇一八』にも記されている通り、「核兵器禁止条約が目指す核兵器廃絶という目標を共有するとしつつも「日米同盟の下で核兵器を有する米国の抑止力を維持することが必要」（外務省、一五七頁）との立場にあり、一六年一〇月に開催された国連総会第一委員会における条約交渉入りの決議には反対し、その後ほどなく条約プロセスそのものから離脱して、一七年七月の採択決議には参加もしていない。

対照的にラテンアメリカ・カリブ諸国は、核兵器禁止条約の締結に熱心に取り組んできた。二〇一六年一〇月の交渉入り決議は三四か国によって提案されたのであるが、そのうち一四か国はメキシコやブラジルをはじめとするこの地域の国々で占められていた（その他はアフリカが八か国、欧州、アジア、オセアニアがそれぞれ四か国）。とくにメキシコはオーストリアとともに、核兵器の非人道性に関する議論を主導するという大きな役割を担ってきた（日本の『外交青書』でも主導国としてこの二か国の名が挙げられている）。二〇年一〇月の時点で批准書の寄託を完了している五〇か国のうち二一か国がこの地域の国で占められていることにも、核兵器廃絶の気運づくりへの熱意が表れているといえよう。

ラテンアメリカは「核なき世界」の実現という課題への取り組みの点で、世界の中で最も先進的な地域である。世界で最初に非核兵器地帯の創設が実現したのはラテンアメリカであった。この地域における核武装の放棄（核兵器の生産・保有・使用の全面的禁止）を約定するトラテロルコ条約（ラテンアメリカ・カリブ核兵器禁止条約）が発効したのは一九六八年にまでさかのぼり、その歴史はアフリカのペリンダバ条約と中央アジア非核兵器地帯条約（いずれも二〇〇九年発効）、東南アジアのバンコク条約（一九九七年発効）はもちろん、世界第二号である南太平洋のラロトンガ条約（八六年発効）と比べてもかなり古い。

もっともトラテロルコ条約はその発効後、長きにわたり、いささか不完全な状態にあった。域内の二大国であるアルゼンチンとブラジルが、相互不信と核開発への野心のために、一九九四年に至るまで四半世紀にわたり批准書の寄託を見合わせていたのである。またキューバも対米戦略上、長年にわたって条約からは距離を置いており、国際情勢の変化を見極めて条約の批准に踏み切ったのは二〇〇二年のことであった。こうした紆余曲折を経て、ラテンアメリカは堂々たる非核兵器地帯にはなった。しかし近年、核技術が先進国に独占されることへの反発が再び現れている。ブラジルが国際原子力機関（ＩＡＥＡ）理事会におけるイランの核問題に関する決議で欧米諸国とは一線を画する投票行動（棄権）を取ったこと、また一度は放棄していたはずの攻撃型原子力潜水艦の導入計画に再び着手しようとしていることなどはその代表的事例である。

以下ではラテンアメリカがいかに非核兵器地帯の創設に取り組み、それを達成したかを振り返り、その意義を読み解いていきたい。その上で、この地域における核技術利用の新しい局面について分析したい。

一　トラテロルコ条約と核開発競争

ラテンアメリカにおける核開発の始まり

ラテンアメリカにおける核開発は一九四九年、アルゼンチンが核融合研究に秘密裡に着手したのが最初であるとされている。ソ連が世界で二番目の原爆実験に成功したのと同じ年のことであり（一番目の実験は四五年の米国）、その歴史はかなり古いといえる。翌五〇年には国家原子力委員会（ＣＮＥＡ）が創設され、これ以降アルゼンチンは国家政策としての核技術の研究を本格化させていった。他方、ブラジルもそれに追随するかのように五一年、国家学術審議会（ＣＮＰｑ）を創設し、西ドイツ（当時）に核技術供与の協力を求める交渉を開始した。後に虚偽であることが判明するのであるが、同年、アルゼンチンが核融合に成功したと発表して世界に衝撃を与えており、この出来事はブラジルに核開発を急がせる大きな誘因となった。なお、両国の核開発はアルゼンチンではペロン、ブラジルではヴァルガスという二人のポピュリスト大統領のもとで始まったことに共通点がある。当時ラテンアメリカで強まりをみせていたポピュリズムは、先進国依存からの脱却と国家の自立・発展を目指したことを政治的特徴としており、核技術の獲得もそうした目標と表裏一体の関係にあった。

こうして核開発が両国で進行していく中、一九六二年一〇月、世界を震撼させる「キューバ危機」が発生した。東西冷戦下、ソ連によるキューバへの核ミサイル配備計画が発覚し、米国がカリブ海の海上封鎖で対抗したため、両国間の緊張が核戦争寸前まで達したという危機である。この出来事はラテンアメリカ諸国が核兵器を現実的脅威として深刻に受け止める大きなきっかけとなり、翌月、ブラジル、チリ、エクアドル、ボリビアの四か国は第一七回国連総会で「ラテンアメリカ非核化に向けた交渉の開始を求める決議案」を提出することになった。そして翌六三年四月にはこの四か国とメキシコの大統領が共同でラテンアメリカ非核化に関する多国間条約の制定を呼びかける「宣言」を発表し、同年の第一八回国連総会でブラジルなど一〇か国によって「ラテンアメリカ非核化のための諸措置の研究と核兵器保有国の全面的協力を求める決議案」が提出され、同案は圧倒的多数の賛成で採択された[1]。これを受けて関係各国による地域の非核化に向けた条約草案づくりが開始され、約二年に及ぶ作業の末、トラテロルコ条約は六七年二月、署名のために開放された。先にふれた通り、アルゼンチンやブラジルが条約への完全加入には慎重姿勢を示すことにはなるが、一一か国による批准という条約発効条件が満たされた六八年四月、同条約は発効した。そしてその後も順次、締約国が条約に批准していった。

トラテロルコ条約の署名式が行われたメキシコ外務省（当時）の建物。現在はメキシコ国立自治大学となっているメキシコシティ・トラテロルコにあるこの建物で1967年、トラテロルコ条約が署名された（2020年３月、撮影：筆者）

メキシコ外務省外交資料館（メキシコシティのトラテロルコ広場に隣接）に展示されているトラテロルコ条約の文書（2020年３月、撮影：筆者）

トラテロルコ条約とその不完全な出発

トラテロルコ条約は正式名称を「ラテンアメリカ・カリブ核兵器禁止条約」といい、域内にある全独立国（三三か国）が締約している。当初は「ラテンアメリカ核兵器禁止条約」と称されていたが、条約成立後にカリブ地域に非ラテン系の八つの独立国が誕生し加盟国に加わって

1　ソ連とその同盟国であるワルシャワ条約機構諸国、およびフランスに加え、ベネズエラとキューバはこの決議案に棄権したが、他のラテンアメリカ諸国はすべて賛成した。

図1　トラテロルコ条約で規定されている非核兵器地帯の範囲

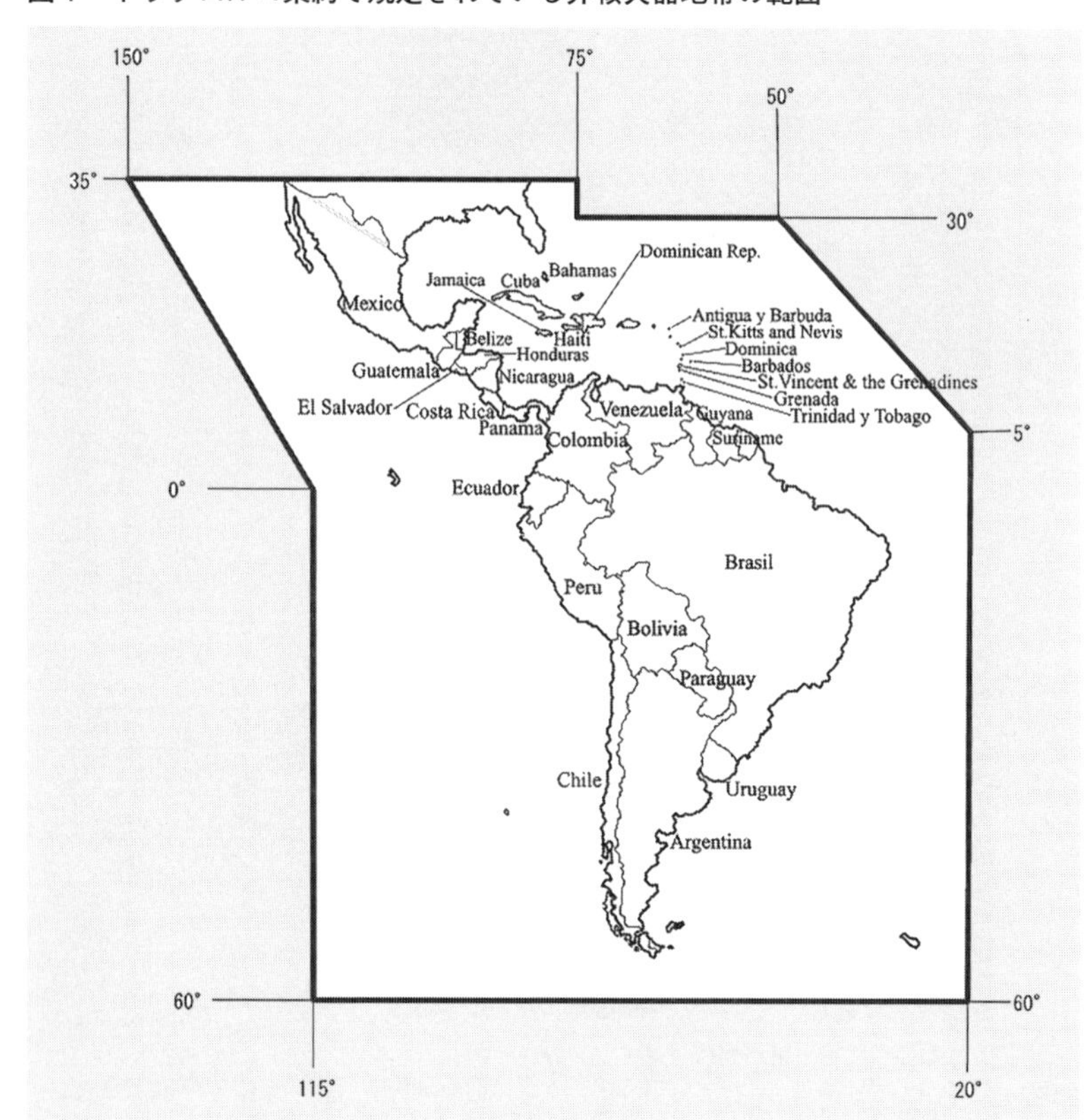

（出所）トラテロルコ条約機構ホームページ（http://www.opanal.org/）。

いったため、一九九〇年に現在の名称に変更された。なお通称で用いられているトラテロルコとは条約の署名式（六七年）が行われたメキシコ外務省が所在するメキシコシティ内の地区名である。全体で三一条からなるこの条約の中心理念は、ラテンアメリカ諸国による核エネルギーの平和利用の権利は認めつつ、核兵器の実験・使用・製造・生産・取得・受領・貯蔵・設置・配備・保有を全面的に禁止するというものである。その適用地域は**図1**の通り、広大に定められた。また条約上の義務の履行を確保するためにラテンアメリカ・カリブ核兵器禁止機構（トラテロルコ条約機構：ＯＰＡＮＡＬ）がメキシコシティに設立され、ＩＡＥＡと協定を締結して自国の核活動に対する保障措置（必要と判断される場合の特別査察を含む）が適用されることとなった[2]。

ただ、世界に先駆けたこの革新的な条約も、その始まりは決して順調なものではなかった。まずアルゼンチンが条約の成立した一九六七年、条約への署名は行ったものの、批准を見合わせた。核開発を域内で最も先行して進めていた同国は、六〇年代の初頭に原子力発電の実用研究をする段階に達し、条約成立時には原子力発電所第一号機の着工（六八年六月）を目前に控えており、自国の核技術利用が束縛されることになりかねない非核化構想に警戒心を抱いていたのである。また核兵器保有国であるイギリスとの間でフォークランド（マルビナス）諸島（アルゼンチン本土から約五〇〇キロ沖合にあり、イギリスによって実効支配されている島々）の領有をめぐる紛争を抱えていたことも、批准への大きな足枷となった。こうした状況下で非核兵器地帯創設の推進派であったはずのブラジルも、六七年に条約に署名、六八年に批准はしながらも、条約の履行に対するアルゼンチンの出方を見極めることが不可欠との判断から、すべての締約国の批准が実現されるまでは条約が自国に対して未発効であるとする趣旨の宣言を批准書に付すという条件付きの加入にとどめた（なお、こうした権利の行使は条約第二八条において認められていた）。また、アルゼンチンとの長い国境線を有し当時はいくつかの係争地点を抱えていたチリも七年間にわたり批准を見合わせ、七四年に批准した際にもブラジルと同様の宣言を付すこととなった。なおキューバは、米国

2　なおトラテロルコ条約には、適用地域内に属領を有する四か国（イギリス、オランダ、米国、フランス）には域内での非核化を求める「附属議定書Ⅰ」が、また核兵器保有国五か国には非核武装化された締約国に対する核攻撃もその威嚇も行わないとの保証を求める「附属議定書Ⅱ」が設けられている。前者は一九七九年までに、後者は九二年までにすべての当事国による批准が完了している。非核兵器地帯条約は地域に属する国々の非核化の面に焦点が集まりがちであるが、真の非核兵器地帯の実現のためには核兵器保有国に核攻撃やその威嚇を行わないことを保証させることが不可欠な要素となっている。ちなみにこうした保証のことを「消極的安全保証」（Negative Security Assurance）という。武力の行使を含む支援を行うことで友好国の安全を保証する積極的安全保証に対置する概念である。

との対立を理由として、条約への署名そのものを見合わせた。

二　アルゼンチンとブラジルの核開発競争の展開

トラテロルコ条約加入をめぐって相互不信を露わにしたブラジルとアルゼンチンの両国はその後、相手国を睨んだ熾烈な核開発競争を繰り広げていくことになる。まず原子力発電の分野では、アルゼンチンが一九六八年にブエノスアイレス北方のリマで建設を開始した一号機（アトゥーチャI号機）が六年の歳月をかけて七四年に完成し、ラテンアメリカ第一号となる運転の開始に成功した。また同年にはコルドバの南方にあるエンバルセで二つ目の原子力発電所の建設に着手し、その運転も八四年に開始した。アルゼンチンは原子力発電の国産化を強く指向し、技術方式としては重水炉を採用した。国内に天然ウランが豊富に存在し、この技術方式ではその利用が可能であり、また濃縮ウランの製造技術が米国に独占されている当時の状況下で、それを利用しなければならない軽水炉を忌避したというのがその理由であった。その上で、並行して濃縮ウランの製造研究に取り組むことも怠らなかった。八三年にはブエノスアイレス南方約一〇〇〇キロにあるピルカニェウの施設でウラン濃縮に成功するが、これは核兵器の開発にも直結する技術であるため、国際社会を驚かせるとともにブラジルを焦らせることにもなった。

他方、ブラジルはアルゼンチンに約三年遅れ、一九七一年にリオデジャネイロ郊外にあるアングラドスレイスで最初の原子力発電所（アングラI号機）の建設に着手した。ブラジルは開発を急ぐ必要性に迫られていたため、アルゼンチンとは対照的に先進国からの核燃料サイクル（ウラン濃縮から使用済み核燃料の再処理に至る一連の過程）の技術移転を進めるとの方針を取った。ただ、七四年のインドによる核実験成功に衝撃を受けた米国が国内企業にブラジルの原発計画への協力禁止の措置を講じたため、協定先の西ドイツへの変更を余儀なくされ、また建設地の地盤などに関して新たに判明した技術的な問題、そして財政の問題なども加わったために開発は難航し、第一号機の初臨界の達成は八二年、営業運転の開始は八五年にまでずれ込んだ。七六年に着工された第二号機（アングラⅡ号機）の運転開始は、ずっと時間を経て二〇〇一年のことであった。

両国の原子力利用にからみ、国際社会で大きな懸念として取り沙汰されたのが、両国が核兵器を開発しているとの疑惑である。核技術は軍事的な関心や能力と密接な関係にある。すでにふれた通り両国では文民のポピュリズム政権下で核技術の研究が開始されたが、当初からその中心的な役割は軍によって担われていた。そして、まさにキューバ危機からトラテロルコ条約成立までの間に、両国ではともに政権が軍の手に移っており（ブラジルでは一九六四年三月、アルゼンチンでは六六年六月に軍事クーデタが発生）、その後の核開発への軍の関与はいっそう深まっていた。

両国の軍事政権が核開発に熱中した理由としては、仮想敵である隣国への対抗もさることながら、軍事面・科学技術面での先進国依存から脱却し、対外行動の自律性を確保し、地域大国として指導的地位に立つとともに第三世界の大国として先進国にも伍していこうという政治的・外交的野心があった。核技術を軍事転用しないとの国際的確約を行うことを回避し、軍事と民生の区分をあえて曖昧にしてその能力をちらつかせることに、安全保障面での戦略的効果もあった。もちろん、経済成長にともなうエネルギー需要の増大への対応として原子力発電の利用が考えられていたというのも核開発の大きな動機であった。とりわけ一九七三年の石油危機によるエネルギー需給の逼迫は、核技術能力向上への願望をさらに強めることになった。アルゼンチンが六八年のペルーを皮切りに、八〇年代にかけてラテンアメリカ域内の一一か国と原子力技術協定を結んでいることは（Bernal C., p.98）、地域における技術大国を目指す意思の表れである。

三 核不拡散レジームへの反発と第三世界主義

核開発黎明期のアルゼンチン、ブラジルには、核兵器保有国による核技術独占への強い不満があったということも指摘されなければならない。周知の通り、一九四五年に世界で最初に核実験に成功し、それを兵器として戦争に使用したのは米国である。その後、四九年にソ連、五二年にイギリス、六〇年にフランス、六四年に中国が核実験を相次いで成功させたことで、これら五か国以外に核クラブ（核兵器保有国家群）入りする国が誕生することへの懸念（N番目国問題）が世界で強まった。こうした軍備管理の要請から六八年に採択されることになったのが、先発五か国以外の国による核兵器の保有を禁止する核拡散防止条約（ＮＰＴ）である。同時にこの条約では、核兵器保有国には「誠実に核軍縮交渉を行うこと」が義務づけられた。また核技術を平和目的で利用する権利についてはすべての締約国に対して認められ、原子力発電を行う国に対しては、ウラン燃焼で生じるプルトニウムが軍事目的に転用されていないことについてＩＡＥＡが査察するとの保障措置を履行することが義務づけられた。ＮＰＴは七〇年に発効し、当初は二五年の期限付きで導入されることとなった（なお、期限切れ前の九五年に延長会議が開催され、無期限延長が決まった）。

しかしこうした核不拡散レジーム（体制）を、インドやパキスタン、そしてアルゼンチンやブラジルなどといった「南」の大国は、主要五か国による不平等な核技術の独占として強く非難し、ＮＰＴへの参加を拒否した。そしてこれらの国は秘密裡に、あるいは公然と、核兵器開発に取り組んでいった。もちろんN番目国問題に関する懸念を抱く多くの国々が、これら不参加国への警戒を強めていくことになる。一九七四年のインドの核実験成功後、米国が国内企業によるブラジルへの原子力技術の供与を禁止したという先述の出来事も、こうした懸念の延長線上にあった。

興味深いことに、こうした国際情勢が互いに仮想敵国視していたアルゼンチンとブラジルの両軍事政権の間に利害の一致と歩み寄りを生むことになる。一九八〇年、フィゲイレド大統領がブラジル大統領による四五年ぶりとなるアルゼンチン訪問を行い、アルゼンチンのビデラ大統領との間で経済統合協議と合わせて原発政策についても話し合い、「原子力の平和利用のための開発協力協定」を締結することになるのである。協定中に「核不拡散レジームの圧力に対して両国が協調して対処する」との文言が明記されたことには、ＮＰＴ体制に対する両国の不満が如実に示されていた。

もっともこの両者の協調はその後、必ずしも順調に進んだわけではない。一九八二年四月にアルゼンチンがフォークランド（マルビナス）諸島の奪還を目指してイギリスに先制攻撃するという好戦的姿勢を取ったこと（結局はイギリスに敗北）、また先述の通り八三年にアルゼンチンが独自に濃縮ウランの製造に成功したことは、ブラジルの警戒心を緩めることにはならなかったのである。ただ他方で、八二年八月にメキシコで発生したモラトリアム（対外債務支払いの停止）を引き金としてラテンアメリカ全体が未曽有の経済危機に陥り（いわゆる「失われた一〇年」）、両国の財政も破綻状態に追いやられ、原発計画を含む核開発計画そのものも著しく停滞することになった。そしてこの経済危機は軍事政権の正統性と存在意義をはなはだ弱めることにもなり、八三年一二月にアルゼンチンで、八五年四月にはブラジルで民政移管が実現した。

四　核政策の転換と非核兵器地帯の完成

アルゼンチン・ブラジル関係と核政策の転換

内政面では経済の再建と民主主義の定着を、外交面では金融支援調達のための国際社会との関係改善を進めなければならなかった両国の新生文民政権は、政策を大きく転換し、経済と安全保障面での二国間協調と信頼醸成に踏み出すことになった。アルゼンチンのアルフォンシン、ブラジルのサルネイ両大統領は一九八五年一一月、国境のイグアスで最初の会談を行い、両国間の経済統合の推進を約する「イグアス宣言」に署名するとともに（ちなみにこれが出発点となり、九五年にメルコスル［南米南部共同市場］が発足することになる）、原子力政策をめぐる二国間協調や国際協調、そして科学技術協力を扱う常設委員会の設置などを盛り込んだ「原子力政策に関する共同宣言」を発表した。以降、両大統領は八八年までに五回の会談を繰り返し、その都度、アルゼンチン側がウラン濃縮の成功で波紋を広げたピルカニェウの施設にサルネイ大統領を招待したり、ブラジル側がそれに応えてイペロの核技術研究施設にアルフォンシン大統領を招待したりするなど、信頼醸成への努力を積み重ねていくことになった。

そして一連のプロセスは次の政権期にさらに強められていった。一九八九年七月にアルゼンチンでメネム、九〇年五月にブラジルでコロルが大統領に就任すると、同年一一月、二人はイグアスで会談し、「原子力政策に関する共同宣言」を発出して、両国が核兵器の生産・実験を禁止することをついに誓約することになる。それとともに両大統領は、トラテロルコ条約への完全加入を目指すことを初めて表明した。また、「核物質共通計量管理システム」（ＳＣＣＣ）と称する、核査察の実施のためのデータ整理と情報交換のシステムを制定することが合意され、あらゆる原子力関連施設と核物質のリストを両国が交換することになった（第一回目の交換は九一年一月に実施）。そして翌九一年の七月には、メキシコのグアダラハラで、平和目的の核爆発と軍事目的の核爆発との区別が技術的に明確になされない限りあらゆる核爆発を禁止するとの「核エネルギー平和利用協定」が締結され、二国間の相互査察を実施する機関として「ブラジル・アルゼンチン核物質計量管理機関」（ＡＢＡＣＣ）が創設された。これにもとづき同年一二月、両国とＡＢＡＣＣ、ＩＡＥＡとの間で「四者協定」が締結され、ＮＰＴが非核国に要求しているのと同等の包括的保障措置（フルスコープ保障措置）を実施することになった[3]。こうしてトラテロルコ条約とＮＰＴの批准のための前提条件が揃い、両国の相互不信の歴史には明確な終止符が打たれることになったのである。

アルゼンチンは一九九四年一月、四半世紀にわたり署名のままでとどめていたトラテロルコ条約に批准、これを受けて同年五月には、自国に対しては未発効であると宣言していたブラジルとチリも条約に完全加入した。また核不拡散レジームに関してもアルゼンチンとブラジルは政策を全面的に転換させ、まずアルゼンチンがＮＰＴ再検討・延長会議（九五年五月。期間二五年で成立していたＮＰＴを無期限延長することを検討する会議）を直前に控えた同年二月、ＮＰＴの批准に踏み切った。一方のブラジルは、内政の停滞（汚職を理由とするコロル大統領への弾劾裁判やその後の辞任など）によって国内手続きが遅滞したため同会議を節目としてのＮＰＴ批准には間に合わなかったものの、ＮＰＴ加入は既定路線にあると国際社会では広く受け止められていた（実際、新大統領に就任したカルドーゾは九七年六月にＮＰＴ加入の方針を正式に表明）。九八年五月、インドとパキスタンが核実験を行い、世界に大きな衝撃を与えたが、それへの対応を協議するＧ８緊急外相会議（同年六月）に、ブラジルは核兵器の放棄に前向きな他の三か国（すなわちアルゼンチン、九三年に核計画と核爆弾の放棄を宣言した南アフリカ共和国［南ア］、ロシアへの核関連物質の移管と非核化を実行したウクライナ）とともに特別に招待された。そしてその翌月、カルドーゾ大統領はブラジル訪問中のアナン国連事務総長が見守る中、ついにＮＰＴに批准することとなった。

キューバの政策転換とトラテロルコ条約の完成

冷戦時代は東側陣営に加わり核不拡散レジームに対して固有の立場を貫いていたキューバは、ソ連解体（一九九一年）による国際情勢の変化を受け、九五年三月、トラテロルコ条約への署名に踏み切ることになった。もっとも対米関係が険悪なままだったこともあって条約への批准は見合わせ、また再検討・延長会議を控えていたＮＰＴに関しても、核兵器保有国と非保有国との不平等性というかねてからの主張を繰り返して国際社会からの加入要求には応えなかった。国家としての自律性を確保しつつ、ラテンアメリカ諸国には協調的な姿勢を示して過度な孤立を回避しようとしたといえる。

キューバはソ連・ロシアからの援助が途絶えて深刻な経済危機に陥るとともに、軍事的な後ろ盾も失って弱体化していた。しかし二〇〇〇年、ロシアで「強い国家への復権」を掲げるプーチン大統領が就任すると、ソ連時代から一一年間も途絶えていたロシア元首のキューバ訪問が同年中に実現し、キューバへの経済・軍事援助が本格的に

3　なお汚職問題によるコロル大統領失脚でブラジル内政が停滞し、四者協定の発効は九四年三月にずれ込んだ。

再開されることになった。この首脳会談において、キューバが原発計画を完全に放棄するとの重要な決定がなされることになる。キューバはソ連との間に締結した協定（一九七六年）にもとづき、八三年にシエンフエゴスの近郊でフラグァ原子力発電所の建設に着手していた。しかしソ連からの資金と技術の援助が停止されたために九二年に工事が中断されており、この宙に浮いていた計画が最終的に取りやめられることになったのである。背景にはベネズエラで反米姿勢を鮮明にするチャベス政権が発足し（九九年）、一大産油国である同国からの有利な条件での石油調達に目処が立ったということもあった。

以上の経緯を経てキューバは二〇〇二年九月の国連総会でトラテロルコ条約とNPTへの加盟を表明し、すぐさま翌月には批准を完了した。キューバと米国の関係は〇一年一月の米国の政権交代（ブッシュ共和党政権の誕生）によって悪化し、しかも同年の「九・一一テロ」発生後にキューバは米国から「テロ支援国家」と名指しされて、国際社会で厳しい立場に追い込まれていた。キューバはかねてより大量破壊兵器の開発や保有の意思はないと繰り返し表明していたものの、その姿勢をいっそう明確にし、かつラテンアメリカ諸国との連帯を維持強化することが有利と判断し、両条約への参加に踏み切ったものと思われる。ともかく、これをもってトラテロルコ条約への全締約国による完全加入が達成され、ラテンアメリカに世界初の非核兵器地帯が完全な形で誕生することとなったのである。

五　非核兵器地帯を達成できた理由

核兵器のない平和地帯を創設したラテンアメリカ諸国の努力と偉業は称賛に値する。アルゼンチンとブラジルが核技術利用の相互査察メカニズムを構築した一九九一年九月には、両国にチリを加えた三か国によって生物兵器と化学兵器という二つ大量破壊兵器についてもその保有・開発・生産・移転の放棄を約定する「メンドサ宣言」が発出された。また同年一二月にはアンデス共同体からも、同様の内容を持つ「カルタヘナ宣言」が発出された。なお国際社会は当時、九三年に採択されることになる化学兵器禁止条約の作成に取り組んでいるところであった。そして九八年七月には、メルコスル首脳会議において、加盟四か国（アルゼンチン、ブラジル、ウルグアイ、パラグアイ）にボリビアとチリを加えた六か国の間で、核兵器、大量破壊兵器、地雷を廃絶し、安保協力と信頼醸成を増進し、核技術を平和的に利用することを誓約した「（南米南部）平和地帯」を創設するとの首脳宣言が発出された。

世界の他の諸地域と比べれば、ラテンアメリカが平和地帯や非核兵器地帯を創出するための潜在的な条件に恵まれていたというのは事実である。主にスペインとポルトガルというイベリア半島の二国の植民地として出発したラテンアメリカ諸国は、共通の言語や文化、歴史的体験を有し、強い同胞意識で結ばれていた。二〇世紀中にこの地域で発生した国家間の大規模な戦争といえば一九三二年から三八年にかけてボリビア・パラグアイ間で発生したチャコ戦争のわずか一件しかないという事実は、この地域の特徴をよく示すものである（なお、七〇―八〇年代には東西代理戦争化した激しい中米紛争が発生し、またいくつかの国で政府軍とゲリラとの間に凄惨な内戦が発生した通り、その意味では決して平和な大陸とはいえなかったことを付記しておく）。

ただ、国家間戦争が不在であった一方で、資源や領土をめぐる軋轢は一九八〇年代まで絶えなかった。各国は隣国を仮想敵国として睨んだ国防政策を堅持し、軍事力を競い合っていた。隣国同士の首脳の往来もきわめて低調であり、アルゼンチンとブラジルの例についてはすでに見た通りである。もっとも、経済成長と国家発展を希求する「南」の国として、財政を過度に軍事に投入することは大きな足枷にほかならなかった。近隣国への警戒を解けないために結局は空文化したが、六〇年の米州機構（ＯＡＳ）外相会議で「不要な兵器購入を避けて経済社会発展に必要な資金を確保していく」との決議が出されたこと、また六七年の米州首脳の会合で「国家安全保障にとって必要最低限の水準まで軍事支出を引き下げる」との共同宣言が出されたことにはそれが端的に示されている。トラテロルコ条約にもじつは、条約締結の理由を列記している前文に、核兵器の存在が「経済的・社会的発展に必要な限られた資源の戦争目的への不当な転用」につながるということが明記されているのである。

一九八〇年代の後半以降、アルゼンチンとブラジル両国が協調政策に転じたのも、決して高邁な理想に促されたというわけでなく、きわめて深刻な経済危機から脱するための窮余の策であったということはあらためて確認しておいてよいであろう。もっともその副産物は大きかった。経済再建の道標としての経済統合の推進は、その基盤としての信頼醸成を不可欠なものとした。経済危機が軍の政権放棄を余儀なくさせ、冷戦終結後の世界的な民主主義の気運の高まりが文民統制強化を支えたという幸運も重なった。ブラジルのコロル大統領は九〇年、歴代政権が強く否定していた軍による核兵器開発計画を初めて公式に認め、その中止を命じた。そして中央アマゾンにある空軍基地で秘密裡に建設されていた地下核実験用の地中縦坑を石灰で閉じ、その場面を報道機関に公開してみせた。またカルドーゾ大統領も九六年、「新国防計画」を策定し、国際平和への責任を負うことやアルゼンチンとの武力衝突のシナリオを完全放棄することを国内外に明示した。すでにブラジルでは民政移管後に制定された「八八年憲法」の第二一条に「すべての核活動は国会承認を経て平和目的のためにのみ認められる」と明記されていた。トラテロルコ条約やＮＰＴへの完全加入といった外交政策の転換以外にも、民政移管後の各政権は憲法に込められた決意をさまざまな行動によって示していった。

六　二一世紀の新たな状況

ただ二一世紀に入り、ラテンアメリカ諸国においては核技術をめぐる新しい状況が生まれている。新興国と呼ばれるまでになった各国は、経済成長にともなうエネルギー需要の増大にいかに対処するかを迫られている。二〇一八年時点で、アルゼンチンでは三基、ブラジルとメキシコではそれぞれ二基の原子炉が稼働している。これら三国のエネルギー構成において、原子力が占める割合はそれぞれ五％強、三％、四％にすぎない。しかしそれゆえに、エネルギー源の多角化という点で、そして議論は分かれるが地球温暖化対策の点でも、これらの国にとって原子力発電の潜在的価値と可能性は大きいとみなされている。アルゼンチンでは〇六年、一九八一年に一度は着工していながら長らく中断していたアトゥーチャⅡ号機の建設再開（二〇一四年に三基目の原子炉として商業運転を開始）と一九八〇年代に中止されていたピルカニェウの施設でのウラン濃縮活動の再開が発表された。ブラジルでもフランスの協力のもとで二〇〇七年、アングラⅢ号機の建設が二三年ぶりに再開されることになった（一八年に稼働予定であったが、贈収賄事件に絡む大手建設会社への捜査の影響で工事が遅延しており、まだ完成には至っていない）。メキシコでは長期的なエネルギー計画にもとづいて、原子力発電に関しては既存二基の改修と出力増強が予定されており、一七年時点で汽力（火力など）七四％、原子力四％、その他のクリーン電源二二％となっているエネルギー構成比は、三一年には汽力を五四％に下げる一方、原子力は九％、その他のクリーン電源は三七％に増やすことが目指されている（原子力年鑑編集委員会編、三三六―三四一頁）。

アルゼンチンやブラジルにおける核技術の利用が平和目的に限られているというのは、もはや間違いない。両国の間で結ばれた核技術の平和利用に関する追加議定書や共同声明は、二〇〇五年から一三年までの間に五件にも上る（Pozzo, pp.47-48）。米国も〇五年、核保有国五か国に加えて現にウラン濃縮技術を持つドイツ、オランダ、日本、アルゼンチン、ブラジルの五か国にもその利用を認めるとの立場を表明している。

とはいえ、世界有数のウラン濃縮技術を持つ国であれば、それだけその行動にも注目が集まる。その意味で、二〇〇九年九月、ブラジルの当時の副大統領が「長い国境線や沿岸部の石油資源を守るために抑止力として核兵器を持つべきである。パキスタンは核兵器を持っていることで国際的重要性を獲得したのである」と公に述べたことはいささか物議をかもした。いろいろな国で起きている政治家のお決まりの失言といえばそれまでだが、その日が核不拡散・核軍縮に関する国連安全保障理事会（安保理）首脳会合において「核なき世界を目指す」とする「決議一八八七」が全会一致で採択された日であっただけに、この発言は内外のメディアで大きく報道された（浦部、二四頁）。

こうした自国中心主義的で煽情的な人間の思考は、いつでもどこの国にも存在しているのだと考えておかなければならないのであろう。

この発言をめぐって政府の真意を問い質す声が厳しいものになった背景には、次のようなこともあった。つまり、前年（二〇〇八年）の一二月、フランスの技術支援によってブラジルにラテンアメリカでは初めて、核兵器保有国五か国とインドに次いで世界でも七番目となる原子力潜水艦一隻の建造と配備を行うことが、伯仏両国の間で合意されていたのである（当初は二〇年に就役予定とされていたが、計画の遅れから、最近の報道では二〇年代後半になるとされている）。かつて海軍が一七年間にわたり進めていた原子力潜水艦開発計画は、一九九六年に「新国防計画」を進めるカルドーゾ大統領によって終止符が打たれていた（澤田、一九六頁）はずであった。この計画が、左派のルーラ大統領（二〇〇三年就任）のもとで復活させられたのである。

イランの核問題は、二〇〇六年の安保理決議一六九六（イランにウラン濃縮の中止を求める決議。アルゼンチン、ペルー、日本を含む一四か国の賛成、カタールの反対で可決）から数えても、すでに一〇年を超える国際社会の懸案となっている。他方、経済の再成長に自信を深め新興国として国際社会での地位を築こうとするブラジルにとって、核技術を含む先端技術に関する有形無形の管理レジームが欧米先進国に握られることは大きな不満の種である。〇九年一一月、イラン首脳として初のブラジル公式訪問を行ったアフマディネジャド大統領に対し、ルーラ大統領は「平和目的であるならば」との条件を付けつつ、「イランによる核技術利用の権利を完全に尊重する」と述べ、その四日後に採択されたIAEA理事会におけるイランの核問題に関する決議（ウラン濃縮活動の停止や核開発疑惑の解明）に、ブラジルは棄権の立場を取った。そして翌一〇年五月には、ルーラ大統領はトルコのエルドアン首相（当時。一四年から大統領）とともにイランを訪問し、イラン・トルコ間の核燃料交換合意（イラン保有の低濃縮ウランのトルコへの移送とトルコ保有の医療用加工済濃縮ウランのイランへの輸送に関する合意）に立ち会い、三首脳で固く手を握り合って合意の締結を共同発表した。なお、翌六月に安保理ではイランに追加制裁を課す決議一九二九が審議されており、この決議は賛成一二(常任理事国五か国や日本、メキシコなど)、反対二(ブラジルとトルコ)、棄権一(レバノン)で採択されている。

おわりに

繰り返しになるが、ブラジルに核兵器保有の野心があるわけではない。ブラジルはむしろ、非同盟諸国に大きな広がりを持つ急進的な核兵器廃絶案が国際社会全体での広範な支持を得るのは難しいとの現実的判断にもとづき、メキシコ、アイルランド、スウェーデン、南ア、エジプト、ニュージーランドとともに七か国で新アジェンダ連合(NAC)を結成(一九九八年)して、また核兵器保有国に対してNPTの第六条にもとづく核軍縮努力を迫りながら核兵器廃絶に向けた国際世論の形成に役割を果たそうと努めている。

他方、新興国としての政治的・経済的影響力が拡大していく過程で、先進国主導の核技術を含む科学技術の管理レジームへの異議申し立てという新しい第三世界主義が呼び覚まされているのも事実である。ブラジルにそれが強く認められることはこれまでに述べてきた通りである。二〇〇九年にはアルゼンチンとインドの間でも原子力協定が締結され、原子力分野での科学技術と商業的な連携を促進するとの約束が交わされた。なお、インドはNPTの非加盟国であるが、〇八年に日本を含む四五か国からなる「原子力技術の輸出を管理する原子力供給国グループ」(NSG)が全会一致で採択した声明により、インドに対する原子力協力は容認されている。アルゼンチンはまた、ヨルダンへの原子力協力も検討している。二一世紀の第三世界主義は、かつてのような先進国への単なる対抗手段としての政治的連帯を超えて、経済発展や国際秩序構築を具体的に実現しようとするグローバルな「南」の連携に変貌しつつあるともいえる。

ラテンアメリカ諸国は世界でいち早く非核兵器地帯を創設したとの実績があり、核兵器廃絶に向けての高いモラル・オーソリティー（行動に裏打ちされた規範推進の説得力）がある。「核なき世界」の構築に向けての政治行動にも、冒頭に述べたように、日本のような歯切れの悪さはない。ただ他方で、唯一の被爆国でありまた甚大な事故を経験した日本人の視点からすれば、突出した事例であるにしても核武装論が出てくること、あるいは大国主義と核技術力の優位性確保の野心とが結びつくことには一抹の不安を抱かざるをえない。二〇〇五年、トラテロルコ条約機構の呼びかけで第一回非核兵器地帯条約加盟国会議がメキシコシティで開催され、その後は五年ごとの開催が定例化されている。[4] 一四年一月にキューバのハバナで開催された第二回ラテンアメリカ・カリブ諸国共同体（CELAC）首脳会議では、全三三か国からなる同地域から核兵器を廃絶すること、域内に生ずる不和は国際法の原則に従い平和的な対話で解決することなどを謳った、同地域を「平和地帯」とするとの首脳宣言も採択されている。ラテンアメリカ諸国、とりわけ世界有数といってよい核技術を保有するメキシコ、ブラジル、アルゼンチンといった地域大国には、核技術の管理への責任を果たしながら、核軍縮、そして核兵器廃絶に向けての主導力を発揮していくことが期待される。

参考文献

浦部浩之［二〇一〇］「ラテンアメリカにおける核問題─『非核兵器地帯』に新たに起きている『核』論争」『軍縮問題資料』三五二号、一四─二七頁。

外務省［二〇一九］『外交青書 二〇一八』外務省。

原子力年鑑編集委員会編［二〇一九］『原子力年鑑 二〇二〇』日刊工業新聞社。

澤田眞治［一九九九］「核開発から撤退したブラジル─核不拡散の地域的アプローチと社会開発」『世界』六五九号、一九〇─二〇〇頁。

Bernal Castro, José [1992] "Argentine Nuclear Development", in Leventhal, P. and Tanzer, S. eds. *Averting a Latin American Nuclear Arms Race: New Prospects and Challenges for Argentine-Brazil Nuclear Cooperation*, Nuclear Control Institute.

Pozzo, Jorge Carlos [2018] *El desarrollo nuclear de Argentina y Brasil: De la desconfianza inicial a la cooperación sostenida*, Editorial Académica Española.

日本語文献案内

梅林宏道［二〇一一］『非核兵器地帯―核なき世界への道筋』岩波書店。ラテンアメリカの核軍縮や非核兵器地帯化に関する政策を世界全体の流れの中に位置づける上で参考になる文献である。

浦部浩之［二〇〇六］「ラテンアメリカにおける核問題と地域安全保障―核をめぐる対立・協調とトラテロルコ条約」金沢工業大学国際学研究所編『核兵器と国際関係』内外出版、一一一―一三一頁。トラテロルコ条約を中心にラテンアメリカ全体の核問題を包括的にまとめている。

浦部浩之［二〇一〇］「ラテンアメリカにおける核問題―『非核兵器地帯』に新たに起きている『核』論争」『軍縮問題資料』三五二号、一四―二七頁。原発計画や原子力潜水艦計画、「南」の連帯など、二一世紀以降の核をめぐる新たな局面について論じている。

菊池努・畑惠子編［二〇一二］『世界政治叢書六：ラテンアメリカ・オセアニア』ミネルヴァ書房。軍縮や核をめぐる問題の前提となるラテンアメリカの国際関係を、国際関係史や安全保障、地域統合などの重要論点から概観するのに有用な基本文献である。

澤田眞治［一九九四］「アルゼンチンとブラジルにおける核政策―開発競争から協調管理への展開」『広島平和科学』一七号、四一―七八頁。日本で最初にラテンアメリカの核問題について本格的に取り上げた論文であり、両国における核政策の展開が詳細にまとめられている。

4　第四回会議（二〇二〇年）の開催案はアルゼンチン、ブラジル、モンゴル、ニカラグアによって国連総会で提案され（一八年）、賛成一七九、棄権五（米国、イギリス、フランス、ロシア、イスラエル）の圧倒的多数で可決された。ただし新型コロナウィルス問題の世界的拡大により、同会議は延期された。

環境保全・エネルギー

第2章 地球環境政治におけるラテンアメリカの役割

世界に発信する二一世紀の持続可能な開発

舛方周一郎

雄大な自然環境と先駆的な環境保全・エネルギー対策は、現代ラテンアメリカが世界に誇るポジティブな側面である。本章では、環境保護や再生可能エネルギーなど、国際的に注目されるラテンアメリカの持続可能な開発への取り組みがどのように始まり、外交交渉の舞台でイニシアティブを取ってきたのか、その歩みを概観する。とくにラテンアメリカの環境社会運動や先住民運動は、グローバル化のうねりに呼応してトランスナショナルな市民の連帯に寄与してきた。その成果が今日、気候変動対策や森林保全などの国際的な取り組みにも波及している。ラテンアメリカが持つ多面性の考察を通じて、地球環境政治において独自の豊かさを世界に発信する、この地域の生き生きとした姿をとらえ直す。

写真：世界各国の政府高官たちが入場の手続きを行うために、長蛇の列をつくるリオ＋20の会場入口の様子（ブラジル・リオデジャネイロ市、2012年6月、撮影：筆者）

はじめに

二〇一九年八月、世界各国でアマゾン地域における大規模火災の状況が大々的に報じられた。アマゾンの森林破壊や火災、また周辺地域での伐採はそれ以前から長期にわたり起きていた。しかし同年に発生した大規模な火災に関しては、そもそもの要因は、同年一月のブラジルにおける政権交代にともない、既存の政治・政策運営が見直されることで、経済開発を重視しアグロビジネスの大規模開発を誘発したためではないかとして、欧米の先進国や国際環境NGO（非政府組織）などを中心に懸念が表明された。それらの表明と火災現場の映像の拡散が、ブラジル政府への世界的な批判へとつながった。また、こうした批判をさらに高めたのは、ブラジルほかラテンアメリカの状況を取り巻く国際・国内の領域において、環境保全と経済開発が対立し合う環境政治が、一般にも目に見える形で表面化したことにもよる。ただし、各国政府、国際NGOなど、異なる立場の者同士の政治的な信条や確信の違いによる分断が時に客観的な評価や根拠を退けたことで、ラテンアメリカの環境政治の実態を不確かなものとした。

たしかに新自由主義の悪影響が深刻化する現代において、ラテンアメリカでの環境破壊・災害は現実に存在しており、確実に悪化しているものもある（後藤ほか）。しかし、ラテンアメリカにおける環境保全と経済開発の関係については、その一側面を断片的に切り取った情報のみが発信され続けていることが、この地域と私たちとの心理的な距離感を広げているのも事実である。したがって、読者には日々の報道などにて単純化して描かれる「経済開発を重視するあまり、環境政策を軽視するラテンアメリカ」という印象にはとらわれず、冷静な判断をともなう多角的な理解が求められるだろう。たとえば、そうした負のイメージとは対照的に、本章が扱う環境政策やエネルギー対策などに代表される持続可能な開発のモデルは、ラテンアメリカ諸国が世界に独自性を提示している有力な事柄である。

本章の目的は、二〇世紀末から展開されてきた持続可能な開発に、ラテンアメリカがいかに取り組み、国際社会でいかなる独自性を発信してきたかを明らかにすることである。構成は、以下の通りである。第一節では、二一世紀における地球環境政治におけるラテンアメリカの立ち位置を整理する。第二節では、国家とそれ以外の主体により構成される地球環境政治にラテンアメリカの環境社会運動がいかに関わってきたか、その活動と成果を示す。とくに、現代のグローバル化に呼応して、ラテンアメリカの環境社会運動はどのように発展を遂げたのか、こうした発展は地球環境政治の現在の様相にいかなる効果をもたらしているのかという問いに回答を試みる。第三節では、気候変動対策やエネルギー保全などのグローバルな課題に対して、ラテンアメリカ各国がどのような面で先駆的に対応してきたのかを説明する。また同時に、そうした取り組みの背景にある各国政府の狙いや課題についても明らかにする。「おわりに」では、持続可能な社会の構築を目指す地球環境政治においてラテンアメリカが果たしてきた役割を整理し、現代を生きる私たちに「豊かさとは何か」という問いを投げかけてきたラテンアメリカ社会の土壌から学びうるヒントを提示する。

一　地球環境政治とラテンアメリカ

地球環境問題は、主に地球温暖化が原因とされる気候変動のほかにも、酸性雨の発生、オゾン層の破壊、砂漠化、生物多様性の喪失など、地球規模で発生する問題の総称である。ラテンアメリカの近現代史は、この地球規模の環境保護にまつわる政治的な進展に呼応した、地域内外の環境保全の歴史でもある。ラテンアメリカ近現代史の根幹を担った開発主義は、単に経済的な目標の達成のためだけでなく、植民地支配から政治的に独立した後の国民国家の形成や、冷戦構造下での共産主義勢力の拡大にともなう政治危機を克服するために、国家による市場経済と社会への介入や管理を正当化する側面も兼ね備えていた（宮地）。しかし二〇世紀後半以降のラテンアメリカは、開発主義による急激な経済発展を推進した弊害として、産業拠点における大気汚染や都市公害、生物多様性の危機や感染病の蔓延、アマゾン、サバンナ地域における森林破壊や森林火災など、さまざまな環境問題に悩まされてきた。そのため、ラテンアメリカ諸国では経済成長を目指す開発主義を推し進める政治勢力と、都市の環境整備やアマゾン地域などの保全を政府に要求する環境保護主義に重きを置く政治勢力とが、競争あるいは協力する力学が働いてきた。以下では、二〇世紀末と二一世紀初めに区分して、地球環境政治におけるラテンアメリカの関与の足取りを扱う。さらに、「持続可能な開発目標」（ＳＤＧｓ）の策定交渉におけるラテンアメリカ諸国の役割を紹介する。

二〇世紀末

一九七二年、多国間交渉の舞台では、環境問題を中心に研究・政策提言活動を行うローマクラブによる報告書『成長の限界』の発表がきっかけとなり、環境問題は国単位ではなく、国際的な人類共通の課題として取り組む必要があるという、地球規模での環境保護意識が芽生えた。また同年にはストックホルムで国連人間環境会議（ＵＮＣＨＥ）が開催された後に、国連総会の決議により国連環境計画（ＵＮＥＰ）が発足したことで、地球規模の環境問題に締約国が共通のルール・原則・規範のもとで協力し合うとする国際交渉が始まった。この会議においてラテンアメリカ諸国は、中国などの途上国とともに、「先進国中心の環境保護論は途上国の経済開発を阻害する」として、先進国の主張に一貫して反対する姿勢をみせた。一方で、ブラジルとメキシコの両政府は、このストックホルム会議に触発されたことで、開発計画と連動した環境問題への取り組みを開始した。

その後、一九九二年にブラジルのリオデジャネイロで開催された国連環境開発会議（ＵＮＣＥＤ：通称、「リオ」地球環境サミット）を一つの到達点として、地球環境問題が国際社会の主要課題として認知されると、ラテンアメリカ諸国全体の環境政策にも転換が迫られた。ＵＮＣＥＤは参加一七八か国のうち、一一〇か国の国家元首または首脳が出席する大がかりな国際会議であった。ブラジルは途上国で初めて環境問題に関する国際会議の主催国となり、この会議を主導した。ＵＮＣＥＤは、国際機関、政府、社会運動の間の連携を強化して、冷戦終結後の地球環境保護についてグローバル基準を確認する熟議の場となった。また同会議では、持続可能な開発に向けたリオ宣言、行動計画（アジェンダ21）が採択されたほか、国連気候変動枠組条約、生物多様性条約、森林原則といった現在の地球環境ガバナンスの礎となる国際条約が採択されたことでも意義深いものとなった。

とくに気候変動交渉においては、一九九四年に枠組条約が発効し、翌一九九五年の第一回締約国会議（ＣＯＰ１）より条約の具体的な取り組みや目標などについての協議を開始すると、早くも九七年のＣＯＰ３（京都）では法的拘束力を持つ京都議定書が採択された。京都議定書はこれまで規範的な議論にすぎなかった枠組条約の内容とは異なり、各国が二〇〇八年から一二年までの第一約束期間における温室効果ガスの削減量の数値目標を具体的に示すことで、気候変動防止の枠組みを規定した。さらに、〇一年のＣＯＰ７（マラケシュ）で採択されたマラケシュ合意では、排出量取引などの運用規則や遵守制度などの詳細な規定が定められた。そして、これらの細則の決定により、〇五年の京都議定書発効に向けて、国内の批准手続きが開始された。

他方で、ＵＮＣＥＤの終了後、国際社会ではアジェンダ21の実施に向けた具体的な検討が進められていく。一九九二年の第四七回国連総会での決議を踏まえて、九三年に国連経済社会理事会のもとに持続可能な開発委員会（ＣＳＤ）が設立された。ＵＮＣＥＤから五周年を迎えた九七年には、地球環境問題に関する国連環境開発特別総会（ＵＮＧＡＳＳ）が開催された。

二一世紀初め

二一世紀の始まり前後には、途上国の課題に世界の多くの人々の目を向けさせた「ミレニアム開発目標」

（ＭＤＧｓ。二〇〇〇年採択）が提言されるとともに、〇二年八月から九月にはＵＮＣＥＤの一〇周年を記念する「持続可能な開発に関する世界サミット」（通称、ヨハネスブルクサミット）が南アフリカ共和国（南ア）のヨハネスブルクで開催された。ＵＮＣＥＤおよびヨハネスブルクサミットの開催により、地球環境問題の認識は世界中に広がったといえる。とくにラテンアメリカ諸国をはじめとする途上国では、ＵＮＣＥＤの開催が契機となり、国内で環境問題への関心が高まった。以後、地球環境問題への国際的な取り組みは細分化され、現在も個別の環境問題ごとに国際会議を開催し、必要に応じて条約などの国際協定が締結されている。

　こうした複数の国際環境会議の開催を経て、二〇一二年六月二〇日から二二日にかけては、ブラジルのリオデジャネイロにおいて国連持続可能な開発会議（通称、リオ＋20）が開催された。リオ＋20は、一九九二年のＵＮＣＥＤから二〇周年を迎える機会に、ブラジルがＵＮＣＥＤのフォローアップ会議の開催を提案し実現したものである。リオ＋20での成果文書「私たちが望む未来」の採択を経て、二〇一五年九月二五日には国連総会において「私たちの世界を変革する：持続可能な開発のための二〇三〇アジェンダ」が採択された。このアジェンダは二〇三〇年までにＳＤＧｓとして達成すべき、グローバルな一七の目標（ゴール）（本書第12章表4参照）と一六九のターゲット（具体的な取り組み）からなる。今や国際社会の合言葉ともなりつつあるＳＤＧｓは、国際社会が新しい持続可能な開発の時代を迎えたことを意味する。たしかに一九九二年と二〇〇二年のサミットでも、環境と開発は主な議題であった。しかし一九九二年は環境と経済活動に、また二〇〇二年は環境と社会開発にそれぞれ軸足が置かれたため、いずれも環境保全・社会開発・経済開発を一体的に議論する場とはならなかった。これに対してＳＤＧｓの最大の特色は、この三者を包括的に取り扱っている点である。リオ＋20の成果文書もまた環境・社会・経済という三つの要素を統合する重要性が確認される内容となった。

　ところが、こうして誕生したＳＤＧｓのひな形が、ラテンアメリカのコロンビアによって提案されたことはあまり知られていない。そこで、以下ではＳＤＧｓの策定に至るコロンビアを軸としたラテンアメリカの取り組みを振り返ってみよう。

ＳＤＧｓの策定に至るラテンアメリカの取り組み

二〇一〇年、ＭＤＧｓよりも、より持続可能な開発の課題を広くとらえるＳＤＧｓの策定のために、国連はリオ＋20を一二年六月に開催することを決定した。一〇年秋の準備過程では、リオ＋20に各国がどのような期待を抱いているのかを知るために、各国政府に国連の調査団が送られた。

こうした経緯から、コロンビア政府も対応に迫られて、パウラ・カバジェーロを外務省経済社会環境局の新局長に任命した。カバジェーロは、ＳＤＧｓのすべての国への適応を提唱した人物である。ＳＤＧｓのひな形は、持続可能な開発目標を普遍的なものとして設定するというコロンビアの外務副大臣による提案を受け入れる形で発案された。ＳＤＧｓがコロンビア政府から発信された背景には、内戦、誘拐、麻薬の国という悪いイメージがつきまとうコロンビア（本書第10章参照）にとり、国際社会への貢献をアピールしたいとするカバジェーロの考えがあったとされる（ＳＤＧｓ市民社会ネットワーク）。

リオ＋20は当初、ＭＤＧｓの範疇の環境保全のみに限定する流れとなっていた。しかしＳＤＧｓの策定過程においては単に国連加盟一九三か国の国家主体間での議論のみならず、多様な意見を持つ七〇〇以上の派遣団（世界各地の市民で構成されるＮＧＯなど）とともに社会開発や経済開発についても議論する必要があった。そこでカバジェーロは、すぐ後に述べるように、ＳＤＧｓについての自らの考えを示すために、さまざまな国際フォーラムの場を活用した。当時はまだ、開発途上国と先進国が同じ目標と課題に取り組むようなアジェンダは想定されていなかったためである（Dadds, et al., pp.17-19）。

コロンビアがＳＤＧｓのひな形を提案したのは、二〇一一年六月、インドネシアで開催されたリオ＋20の準備会議においてである。このコロンビアの提案を最初に支持したのが同じラテンアメリカのグアテマラだった。しかし一方で、不透明さを残したＭＤＧｓのときの経験から、ＳＤＧｓの提案に対しても支持を拒む国があった。また、国益追求のために生じる国家間のライバル意識も支持を妨げたといわれている。こうして同年一一月、コロンビア政府が首都ボゴタにおいて開催したのが、七〇〇を超える派遣団を招待した非公式会議である。この会議にはニュージーランド、ノルウェー、米国など四〇以上の国の代表も参加し、その後、これらの国はＳＤＧｓの重要な同盟国となった。この会議がＳＤＧｓ推進の転換点となったのである。

　ボゴタでの会議の一か月後、ＳＤＧｓのアイデアを共有していた派遣団たちは、南アで開催されたＣＯＰ17（ダーバン）の会合で再会することになる。気候変動をめぐる一連の会議はＳＤＧｓとは異なるプロセスを歩んできたが、ＣＯＰ17での結果（本章三節参照）はＳＤＧｓの特徴から見て派遣団の間でも共有されていた。

　ＣＯＰ17後の二〇一二年一月、ニューヨークでリオ＋20に向けた成果文書「私たちが望む未来」の草案（ゼロドラフト）がまとめられると、とくにＳＤＧｓの改定案に関してはコロンビア政府が組織したサイドイベントで準備されることとなった。このサイドイベントがＳＤＧｓの存在を広く一般に知らしめる最初の機会となり、一二年六月のリオ＋20における成果文書「私たちが望む未来」が、ＳＤＧｓを組み込む形で採択されるに至ったのである。そこに至るまでの過程では、交渉が進むにつれて、ＳＤＧｓのすべての目標に合意するには多くの困難があり、野心的な目標のままで終わるのではないかとの予想もなされていた。それでもコロンビアは、リオ＋20に向けた辛抱強い交渉過程を経て、改定案を提出することになった（Dadds,et al., pp.17-19）。

　これと並行して、コロンビアのサントス政権は、二〇一二年の新国家開発計画「全国民の繁栄」をＳＤＧｓの概念にもとづいて策定し、新たな開発政策の推進を図ることになった。サントス大統領は一六年のノーベル平和賞受賞者としても知られている。受賞理由とされた内戦終結のための和平交渉への取り組みも、ＳＤＧｓのグローバルな一七の目標（ゴール）の中の「ゴール16」（「平和と公正をすべての人々に」。コロンビアの状況に当てはめれば「平和・民主主義・執行力ある行政機関」）にもとづく。こうしてこのノーベル平和賞の受賞がまた、和平の達成のみならず、ＳＤＧｓ推進への追い風ともなったのである。

ラテンアメリカの一国にすぎないコロンビアが、ＳＤＧｓを生み出し、これをグローバル・アジェンダに押し上げた過程は、たとえ国際競争力に乏しい新興国・途上国であっても、国際的課題の推進に主導的な役割を果たしうることを示す歴史的な事例となったといえる（ＳＤＧｓ市民社会ネットワーク）。

二 地球環境政治に加わるラテンアメリカ環境社会運動

他方、ラテンアメリカにおいて環境保護の国際的な規範となった持続可能な開発の実践を国内政策の理念として掲げるようになるまでには、国家の開発計画を推進する政府と、環境保護や貧困対策などの社会的な公正を要求する環境社会運動との間で、政策的な譲歩、抵抗が数多く繰り広げられてきた。この相互作用の分析は、「社会中心（Society-centric）の視点」と呼ばれる。社会中心の視点は、環境と開発の利害関係を調整する地球環境政治の枠組みの中で、国家を、世界で活動する他の多くの主体の一つにすぎないと考える。また、社会運動、利益団体、科学者集団など国家とは異なる主体を持つ社会集団が自律性を保持し、国家と相互に結びつくつながりを構築する中で、それらの集団が国家の政策に修正・変更を求める効果に注目し、そこに生じる両者の関係を強調する。

グローバルな社会運動とラテンアメリカの関係については、本書第3章に譲る。ここでは社会中心の視点から、地球環境政治に加わるアマゾンの環境運動とアンデスの先住民運動を事例に、ラテンアメリカの環境社会運動とはどのようなものか、また地球環境政治を構成する上で、この二つの運動がどのような役割を果たしているのかを確認する。

アマゾンの環境運動

アマゾンは南米大陸に広がる世界最大面積を誇る熱帯雨林地帯であり、同大陸八か国・一地域（ブラジル、ボリビア、ペルー、コロンビア、エクアドル、ベネズエラ、ガイアナ、スリナム、仏領ギアナ）にまたがっている。このアマゾン熱帯雨林の六〇％以上の領域を占めるブラジル国内では、もともと一九五〇年代初頭から自然区域や自然遺産の保全、野生動物の保護を目的とした自然保全運動が行われていた。しかし七七年から八一年にかけて、環境保護運動の活発化にともない、政府の環境政策には転換が促された。これはブラジルの国内ＮＧＯが、国境という枠を超えて活動するトランスナショナルな人権ＮＧＯや環境ＮＧＯからの支援を受け、また軍事政権下（一九六四―八五年）におけるその他の社会運動とも共闘することで、政府に民主主義体制への移行を求める民主化運動の担い手として成長したためである。なかでも、国内の環境ＮＧＯは、国際的な環境保護活動家やその他の社会運動家と連携して、政府に複数の回路を使って規範圧力を与えることで、最終的には政府と連携関係を作ることに成功し、八五年のブラジル民政移管後は、政府の政策に直接的な要求を突きつけるほどに勢力を拡大させ、政府の政策決定に影響を及ぼしてきた（Hochstetler, et al.）。

ブラジルの環境ＮＧＯはまた、民主化の過程で活性化された環境運動の潮流の中で、気候変動問題とアマゾンの熱帯雨林やサバンナ地域の森林とがどのように関連しているかという観点からも、国内外に議題を提起する役割を果たしてきた。なかでも、独自の動員力、戦略、専門性を持つ複数の専門機関や環境ＮＧＯは、森林と気候変動に関わる国際交渉に監査、参画、同行することで、政府執行部を中心とする政策過程にも働きかけてきた。政府と市民社会に属する団体との対話という面でとくに貢献したのが、アマゾンを舞台に環境保護運動を主導してきたマリーナ・シルバである。シルバは二〇〇三年に環境相に登用されると、環境ＮＧＯの広範囲にわたる意向と政府の施策とのパイプ役を果たしながら、ブラジル国内のアマゾン森林伐採防止活動に尽力した（舛方、二〇一八）。

アマゾンの環境運動におけるブラジルの環境ＮＧＯの戦略や抗議行動のあり方、あるいは政府との共同活動に用いる手法は、トランスナショナルなつながりの中で国内外の他の運動にも派生し学習される効果を生んでいる（小池ほか）。今やアマゾン環境運動におけるトランスナショナルな取り組みは、単にラテンアメリカ域内だけでなく、地球環境政治のもとで世界のさまざまな地域運動の行動様式からも観察できる。

国境を越えるアンデスの先住民運動

アマゾン地域に見られるこうしたトランスナショナルな環境運動は、近年では南米のアンデス地域を中心に活発化する先住民運動とも親和性が高い。先住民族は経済開発や気候変動などが引き起こす環境被害に最も脆弱な立場に置かれているからである（宮地）。たとえば、アンデス諸国の一つで、先住民族が人口の半数以上を占めるボリビアでは、先住民族の復権を掲げるモラレス政権が二〇〇六年に発足したが（モラレスは世界初の先住民出身の大統領）、以来、この国では多くの先住民運動が自分たちの提唱する「パチャママ」（母なる大地）の権利や「よく生きること」（ビビール・ビエン：Vivir bien）という理念にもとづいた、旧来の開発政策に修正や転換を迫るための交渉を政府との間で続けてきた。すべての先住民組織がそうであったわけではないが、たとえば共同体自治の伝統を維持してきた「クジャスユ・アイユ・マルカ全国委員会」（CONAMAQ）は、政権側との距離の近さから経済開発をめぐる政府の決定に先住民族の権利保護を取り込むよう働きかけができたし、先住民組織の連合体である「ボリビア対気候変動プラットフォーム」（PBFCC）は、トランスナショナルな市民の連帯のもとで、気候変動問題の交渉の場では新自由主義やヨーロッパ中心主義を問題視して、古来の伝統文化や民族的帰属意識を維持する立場から自分たちの先住民性を正面から主張してきた（Hicks, et al., pp.87-104）。また一二年のリオ＋20でも、先住民運動は市場経済志向の持続可能な開発に挑戦するボリビア・コチャバンバ市民との合意のもとで、神聖な自然物を資源として利用することを主張し、環境保全には配慮するものの自分たちの居住地を脅かす経済開発には容認的なグリーン経済そのものは批判するという立場を示した。

COP21のサイドイベント会場で他地域の先住民族との連携活動を訴えるボリビアの先住民活動家（パリ、2015年12月、撮影：筆者）

さらに、国内で行われる一連の気候変動交渉に関わる会議の席でも、世界各地で展開する複数の先住民運動組織と対話を重ねて、それらの代表を派遣団として招聘するなど、相互関係づくりに寄与した。二〇一〇年四月、「気候変動と母なる地球の権利に関する世界市民会議」（WPCCC二〇一〇）がコチャバンバで開催された。同会議の目的は、前年に行われたCOP15（コペンハーゲン）における交渉で有効な気候変動対策を打ち出せなかったことを受けて、①気候変動により引き起こされる構造的、組織的な原因の分析、②「母なる地球の権利」宣言へ向けた合意づくり、③京都議定書を踏まえての新しいルールづくり、④気候正義裁判所設立のための行動計画、などを発展させることにあった[1]。

二〇一四年のCOP20（リマ）へ向けた準備段階では、CONAMAQは国連とボリビア政府に対して、気候変動交渉の透明性と意義ある行動を促すために草の根の運動組織との連携を図るよう文章で要求した。そしてCOP20においては、「米州ボリバル同盟」（ALBA。米国が主導する新自由主義的な地域構想に対抗して、ラテンアメリカ・カリブ諸国の相互支援、社会開発を目的とした反新自由主義的な地域経済協力機構）の呼びかけで首脳会議が行われ、翌一五年一二月のCOP21（パリ）に合わせて再びボリビアで社会運動組織を中心とした「気候変動及び生命保護に関する世界市民会議」（CMPCC）を開催することで合意された。同年一〇月に開催の同会議ではボリビアやベネズエラなどALBA加盟国の大統領たちが中心となり、COP21での新たな交渉にCMPCCの見解を反映されるための提言「ティキパヤ宣言」を行った。パリ協定（二〇二〇年以降の温室効果ガスの削減目標値等を決める国際的な枠組み）の採択においてもトランスナショナルな先住民運動の取り組みは、各国の利害調整のみにとどまらなかった。会議においてCMCPPの支持母体であるラテンアメリカの先住民組織は、他地域の先住民族とともに自分たちの権利を主張し、その正当性を国際社会に訴えた。これによって先住民族の意向と国内開発を進める各国政府との実益との調整が行われ、パリ協定の合意案として「気候変動と先住民族の権利」および「途上国の適応政策」の項目が加えられた。ボリビアをはじめとするラテンアメリカの先住民運動は、こうした流れを促進させることにも寄与した。

三 グローバル課題とラテンアメリカ

気候変動

今日の気候変動は、二酸化炭素（CO_2）などの温室効果ガスの大気中濃度が上昇し地球の平均気温が上昇した結果、世界各地の自然サイクルや生態系に望ましくない変化をもたらしていることが問題とされている。大気中に微量に含まれるCO_2やメタンなどは、地表から宇宙空間へ放出される赤外線を吸収してその一部を再び地表に放出し、地表付近の大気を暖める効果を持つ。これを温室効果と呼び、このような効果を及ぼす気体を温室効果ガスと呼ぶ。この温室効果ガスの中でも気候変動の最大の原因となっているのがCO_2である。CO_2は各国の経済活動が依存する石油・石炭など化石燃料の消費によって人為的に発生するため、CO_2排出量の削減は、各国に環境保護と経済開発との両立を求める典型的な問題となっている。

気候変動をめぐる国際交渉は、これまで①「京都議定書の第一約束期間」（二〇〇八年から一二年まで）、②「同

1 モラレス大統領は国連にとって国際憲章や世界人権宣言における「基本的人権」を「地球全体の権利」にも認めるよう「母なる大地の権利」宣言の起草を提案した。さらに気候変動問題は加害者と被害者が存在する国際的な人権問題であり、この不正義と不公正性を正して温暖化を止めなければならないという「気候正義」の実現に向けて、裁判所の設立を求めた。二〇二〇年現在、両方とも実現には至っていないが、それらの考え方は二〇年発効のパリ協定（後出）の基本的な概念にもなっている。

第二約束期間」(一三年以降の交渉期間からパリ協定締結を経て二〇二〇年まで)、③二〇二〇年からの新枠組み開始、という流れの中で展開されてきた。二〇〇九年のCOP15(コペンハーゲン)は、京都議定書の第一約束期間に続く第二約束期間(②)における国際的な枠組みづくりを主な目的とした国際会議であった。そのためCOP15以降の期間は、ポスト京都議定書の枠組みづくりに向けた期間とも呼ばれてきた。

COP15に至る交渉過程では、国家間や企業間での協働を意味する京都議定書に定められたメカニズムのうちのクリーン開発メカニズム(CDM)の導入を積極的に推進してきたブラジルや、国が決定する貢献案(INDC)を途上国側としては最初に提出して早くから国際的な責任を国内に課してきたメキシコを除けば、多くのラテンアメリカ諸国は開発路線を主張する他地域の途上国グループの意向と足並みを揃えて、総じて目立たない対外行動を展開してきた。これには、ラテンアメリカ域内において政府間合意が取れなかったという背景がある。しかし、ラテンアメリカは自然災害の多さなど世界的にみても気候変動の影響に脆弱な地域であり、何らかの早急な対策が必要であるという地域各国の認識の高まりから、そうした不一致を乗り越えて、気候変動問題に共同で対処するための政府レベルでの取り組みや、国際的な政治合意に向けた動きへと変化していった(舛方、二〇一九)。

ポスト京都議定書への取り組みが始まる二〇一〇年は、ラテンアメリカ諸国の気候変動問題への対応において転換点となる年となった。五月にコスタリカ出身の外交官フィゲーレスが国連気候変動枠組条約事務局の事務局長に選出され、一一月から一二月開催のCOP16がメキシコのカンクンで行われたためである。そしてCOP16後に、二〇年以降の国際的枠組みを取り決める交渉が再開されると、他の途上国グループが主張する開発主義の路線と袂を分かちながら、独自の対外政策を打ち出すラテンアメリカ諸国の行動が注目されるようになった。COP16でメキシコは、議長国としての指導力を発揮して、全会一致の合意に漕ぎつけ、前回のCOP15で失いかけた国際社会における多国間協調への信頼を回復させることができたのである。

二〇一一年のCOP17(ダーバン)では、一五年のパリ協定へ向けた交渉は合意に至らず一年の延長となったが、すべての締約国が参加する法的文書の一五年までの合意を目指して、「強化された行動のためのダーバン・プラットフォーム特別作業部会」（ＡＤＰ）が立ち上げられ、新たな交渉プロセスへと入ることができた。このＣＯＰ17でブラジルは、ＥＵとＢＡＳＩＣ（ブラジル、南ア、インド、中国により構成される新興国の気候変動グループ）との間の認識の違いについて調整を試みたり、米国に対して気候変動政策に柔軟に対応するよう説得したりするなど、主要国間における交渉のパイプ役を積極的に努めた。

二〇一四年リマで開催されたＣＯＰ20では、締約国に、議長国ペルーが次の議長国フランスと綿密な調整を行った。また、議長を務めた環境相は指導力を発揮して、締約国に「自国が決定した貢献案（ＩＮＤＣ）を国際社会に提示すること」を課した新草案の採択に貢献した。そしてその後も精力的な外交努力を続けたペルーは、一五年のＣＯＰ21（パリ）では議長国フランスとともに締約国および非国家主体である市民社会組織や企業に対して、気候変動の緩和とその適応に向けた行動を促す「リマ・パリ行動アジェンダ」（ＬＰＡＡ）を共同で打ち出した。こうしたラテンアメリカ諸国による地道な外交努力がパリ協定の合意につながったといえる（Edwards, et al., 2016）。

以上のように、ラテンアメリカ諸国はＣＯＰ15からＣＯＰ21までの一連の締約国会議において一つの核となることで存在感を高めた。ラテンアメリカ・カリブ諸国は総数で三三に達し、一九三か国により構成される国連の議席数で高い割合を占めている。この面でラテンアメリカは、二項対立で語られがちな先進国と途上国とを仲介しうる位置にあった。なお、ＣＯＰ21以降の締約国会議の開催地については、地域的な順番制により二〇一九年のＣＯＰ25の議長国はラテンアメリカ・カリブ地域から選ばれる予定だったが、名乗りを上げたブラジルは国内の財政難を理由に、またチリは開催直前に国内の社会的混乱状況を理由に、ともに開催を断念し、最終的にチリが議長国となりマドリードでの開催となった。

気候変動交渉における各国の取り組みは個々の国内政策の実施にも当然派生する。イギリスの大学、ロンドン・スクール・オブ・エコノミクスがまとめた各国の気候変動関連法に関するデータによれば、二〇一六年時点でラテ

表１　ラテンアメリカ主要５か国の再エネルギー導入目標

ブラジル	チリ	メキシコ	アルゼンチン	コロンビア
2030年までに温室効果ガス排出量を2005年比で43％に	2030年までにカーボンニュートラル*を実現	2050年までに再エネ比率を60％に	2020年までに再エネ比率を20％に	2020年までに再エネ比率を30％に

＊カーボンニュートラルとは、CO_2削減（少量化）の方策の一つで、CO_2排出の抑制（化石燃料の使用を控える）や、排出したCO_2の吸収・固定（樹木・地中などに閉じ込める）によって排出してしまったCO_2を帳消し（オフセット）にすることを目指し、CO_2の収支がオフセットになる状態のことをいう。
（出所）筆者作成。

ンアメリカ・カリブ三三か国すべてが国連気候変動枠組条約と京都議定書に批准し、内一七か国で政府が策定した気候変動対策計画を公表している。ただし、温室効果ガス排出量の削減目標値を具体的に提示する緩和策（mitigation）が国内法の条文で規定されているのは、二〇一九年時点でブラジル、メキシコ、グアテマラ、ペルーの四か国のみである。実際、他のラテンアメリカ・カリブ諸国は国内法の整備面からすると、目標基準の達成度の低さや、対策に講じられた資金が不正に使われ、汚職の温床になっているなどの透明性においてさまざまな問題を抱えたままである。他方で、パリ協定の規定では京都議定書と同様に途上国に対して温室効果ガス量の排出削減目標値を国内法で制度化する義務は課していない。そうした点からすると、四か国における自主的な法制化は、むしろ国際社会に向けられた気候変動対策への意欲を伺わせるものがある。

再生可能エネルギー

国際的な気候変動対策には再生可能エネルギー政策の推進が不可欠である。再生可能エネルギーとは、太陽や地球物理学的・生物学的な源に由来し、利用する以上の速度で自然界によって補充されるエネルギー全般のことを示す。近年、ラテンアメリカ諸国は石油などの天然炭素資源に依存する経済からの脱却を目指し、小水力・風力・バイオマス・太陽光など、この分野を推進する取り組みにおいては国際的な指導力を発揮している。二〇一七年のＣＯＰ23（ボン）においては、多くのラテンアメリカ諸国が、自国のエネルギー政策において再生可能エネルギーへの転換を図り、持続可能な社会を目指す意思を表明した。これにより、域内の再生可能エネルギー政策の動向にも明るい展望が期待されている（**表1**）。

ラテンアメリカ地域で再生可能エネルギー政策に関心が集まる理由の第一は、域内で頻発している環境災害による。本章の冒頭で述べたように、大気汚染、都市公害、生物多様性の喪失、感染症の蔓延、砂漠化、森林破壊や森林火災などが頻発するラテンアメリカでは、地方政府を中心に環境対策に取り組む機運が高まりやすい。第二は、風力・太陽光発電の技術力の向上による。第三は、COP23で提示されたラテンアメリカ諸国のイニシアティブによる。この第二、第三の理由についていえば、エネルギー市場への参入は、域外のエネルギー消費国からの投資を呼び込み、経済的な利益にも結びつく。そのため、ブラジル、メキシコなどのラテンアメリカ主要国のエネルギー供給バランスは、すでに再生可能エネルギーに高い比重を置いている（Bevilacqua）。

太陽光発電の導入により、100%再生可能エネルギーでの稼働を実現したメキシコ州環境局（メキシコ・メテペック、2017年3月、撮影：筆者）

さらに、ラテンアメリカ地域における再生可能エネルギー事業は、チリやコロンビアなど開放経済に向かう太平洋沿岸諸国だけでなく、広大な自然環境を守りながら発展を目指すグアテマラやコスタリカなど中米諸国の開発戦略にも親和的である。こうした事業は、総じて持続可能な開発という展望にまとめられる。エネルギー供給量が少なくて済む小国は、その利点を生かして、水資源や天候などに依存した小水力、太陽光による再生可能エネルギーの供給を進めて、化石燃料から脱却しうる可能性が高い。

ただ、複数のラテンアメリカ諸国が気候変動対策にとくに強い関心を持ち実施する背景には、麻薬組織の暗躍による治安の悪化や度重なる政治家の汚職スキャンダルを前に、国際社会に対して自国のイメージアップを図るという国家的な戦略もある。こうした背景を持つ国を含め、国際規範に対応した一連の環境政治行動は国際社会における自国の地位向上にもつながることから、コスタリカやグアテマラなど国際政治の中では一般に目立たない中米の小国にも活用されている。再生可能エネルギー政策によって「小さな国の大きな影響力」を狙う小国外交は、安全保障や国際経済体制の面で現実主義的な行動を取りがちな大国とは一線を画し、ラテンアメリカ諸国の一つの特徴をなす外交戦略となったのである（Edwards, et al., 2016）。

おわりに

「貧乏な人とは、少ししかものを持っていない人ではなく、無限の欲があり、いくらあっても満足しない人のことだ」。二〇一二年のリオ＋20における大統領演説で有名になった「世界一貧しい大統領」ことウルグアイのホセ・ムヒカ大統領（当時）の言葉は、世界の多くの人々に深い共感を生んだ。ムヒカ自身も、「世界一貧しい大統領」と呼ばれることに対して、「少しのもので満足して生きている自分は質素なだけで、［精神的に］貧しいわけではない」と応えている（［　］は引用者による）。加速度化する新自由主義の世界的な広がりの中で、現代に生きる私たちはいつの間にか経済成長やそこから得た経済的な豊かさ、社会的な成功が個人や集団にとっての最善の目標と信じ込まされてきた。ムヒカの言葉が世界的な共感を得たのは、多くの人がそうした過度な消費経済と競争原理に飲み込まれる中で、行き過ぎた経済成長への希求が必ずしも人々の幸福を生まないことを日々の生活において実感してきたからではないか。人生という限られた時を大切に使おうと呼びかけるムヒカの考え方が、広大な自然環境の中で、地球生命圏の多様性と人々の精神的な豊かさを育んできたラテンアメリカの土壌から生まれたことは特筆に値する。

本章では、持続可能な開発というテーマから国際社会におけるラテンアメリカの生き生きとした姿をとらえ直した。西洋中心の国際政治の中で常に欧米に従属する周辺的な地域として描かれてきたラテンアメリカは、今では異彩を放つ非西洋圏の一角として重要な位置づけを持つ。そこには地球環境政治にもとづくパラダイム転換の世界的なうねりを確認することができるだろう。

ラテンアメリカで発生する各種の問題もまた、もはやラテンアメリカという特異な地域のみでのものとはいえなくなった。自然災害や環境破壊をはじめラテンアメリカのネガティブな側面を象徴する現象は、地球規模のレベルで立ち向かうべき、しかし同時に身近な課題として現代の日本でも顕在化しているためである。この現実を前に、ラテンアメリカに対する私たちの眼差しにも変化が求められる。私たちにとってラテンアメリカは、危険で、可哀そうで、助けるべき対象ではなく、互いに悩みと問題を分かち合い、この国際社会をともに歩んでいく大切な仲間である。そう思えば、ラテンアメリカの持続可能な開発に向けた取り組みは、日本に住む私たちにも、写し鏡として、日々の生活を見直し、より豊かに生きるためのヒントを提示している。

参考文献

ＳＤＧｓ市民社会ネットワーク［二〇一六］『ノーベル平和賞受賞のコロンビア・サントス政権は「持続可能な開発」（ＳＤＧｓ）の生みの親だった』ＨＵＦＦＰＯＳＴ、二〇一六年一〇月一六日の記事（https://www.huffingtonpost.jp/sdgs-japan/sdgs_b_12449426.html　最終閲覧日二〇二〇年九月三〇日）

小池洋一・田村梨花編［二〇一七］『抵抗と創造の森　アマゾン―持続的な開発と民衆の運動』現代企画社。

後藤政子・山崎圭一編［二〇一七］『ラテンアメリカはどこへ行く』ミネルヴァ書房。

舛方周一郎［二〇一八］「ブラジル気候変動政策の形成における政策ネットワークの役割」上智大学グローバル・スタディーズ研究科博士学位論文。

舛方周一郎［二〇一九］「気候変動パリ協定とラテンアメリカ諸国の対外政策決定」『イベロアメリカ研究』第七九巻二号、一―一九頁。

宮地隆廣［二〇一七］「ラテンアメリカの先住民運動」後藤政子・山崎圭一編『ラテンアメリカはどこへ行く』ミネルヴァ書房。
Bevilacqua, Enrique [2017] *Renewable Energy Sources Development in Latin America and the US*, Lambert Academic Publishing.
Dadds, Felix et al. [2017] *Negotiating the Sustainable Development Goals, A transformational Agenda for an Insecure World*, Routledge.
Edwards, Guy et al. [2016] "Small Group, Big Impact: How AILAC help shape the Paris Agreement", *Climate Policy* 17, pp.71-85.
Edwards, Guy and J. Timmons Roberts [2015] *A Fragmented Continent: Latin America and the Global Politics of Climate Change*, Cambridge and London: The MIT Press.
Hicks, Kathryn and Nicole Fabricant [2016] "The Bolivian Climate Justice Movement, Mobilizing Indigeneity in Climate Change Negotiations", *Latin American Perspective* 43(4), July, pp.87-104.
Hochstetler, Kathryn and Margaret E. Keck [2007] *Greening Brazil: Environmental Activism in State and Society*, Durham: Duke University Press.

日本語文献案内

小池洋一・田村梨花編［二〇一七］『抵抗と創造の森　アマゾン―持続的な開発と民衆の運動』現代企画社。大企業や国家による大規模開発がアマゾンに暮らす先住民族や農民の生活にどのような影響を与えてきたか。また持続的な資源利用を求める民衆の抵抗運動がいかに展開されているのかをまとめた論文集。

蟹江憲史［二〇二〇］『ＳＤＧｓ（持続可能な開発目標）』中公新書。ＳＤＧｓの理念・各目標の背景を丁寧に解説している。ＳＤＧｓの達成に向けた政策の現状と課題を分析することで、ポスト・コロナ時代において、広範囲な領域を包含するＳＤＧｓにそれぞれの主体がどう取り組めばよいかを議論している。

佐藤美由紀［二〇一五］『世界で最も貧しい大統領　ホセ・ムヒカの言葉』双葉社。二〇一五年の来日にともない出版された本書はムヒカの名言集。日本人に向けたムヒカのメッセージは豊かさとは何かをあらためて深く考えさせる言葉であふれている。

＊本章は科学研究費助成事業による研究成果の一部である（課題番号２０Ｈ０４４２７）

Column1

感染症との闘い――コロナ禍が突きつけた課題

新木秀和

二〇二〇年最大の問題は新型コロナウイルス（COVID-19）の感染拡大による世界情勢の激変であろう。コロナ禍、コロナ危機と呼ばれ、各国政府による緊急対策や社会調整が不可欠となった。世界保健機関（WHO）が同年三月一一日にパンデミック（世界的大流行）を宣言し、欧米諸国での状況悪化が伝えられると、ラテンアメリカ・カリブ地域の各国政府は警戒感を強めた。しかし、感染拡大のスピードは速く、多くの組織や人々が深刻な打撃を受けた。日本社会も含めた世界中で影響を受けない場所はほとんどなかった。

域内諸国では、世界の多くの国々と類似の対策や措置が実施された。国境閉鎖や外国人の入国禁止などの水際対策、学校閉鎖や社会文化イベントの停止、外出禁止令などの緊急非常措置である。手洗いや消毒、自宅待機などの衛生対策も要請された。ただ、感染抑制と経済活動のはざまで揺れ動く政権が少なくなかった。

二〇二〇年九月現在、ブラジル、メキシコ、ペルーなどが感染者数や死亡者数で世界の上位にある。人の移動や物流の麻痺、貿易や観光の大幅減少に続いて、社会経済の停滞が顕著になりつつあり、その中でとくに低所得者層や失業者、貧困層、国境を越える出稼ぎや移民などが深刻な影響を受けている。保健医療の脆弱性や医療サービスへのアクセスの問題も表面化した。総じて、社会における既存の格差や分断の傾向が強まることが懸念され、社会的に弱い立場にある人々に対する救済措置やセーフガードの拡充などが喫緊の課題となっている。

コロナ禍はまた、ラテンアメリカ・カリブ地域における感染症と社会の関係という古くて新しい問題を再認識させた。一五世紀末のヨーロッパ人到来で先住民人口が激減したのは天然痘や麻疹などの感染症が大きな要因であった。それ以降さまざまな感染症が侵入あるいは拡大した。二〇世紀初頭の米国によるパナマ運河建設工事ではマラリアや黄熱病の対策（それらを媒介する蚊の駆除）が必要だったという史実はよく知られている。一九一八年以降のスペイン・インフルエンザの影響も小さくなかった。二〇世紀を通じて南米ではペストが何度か流行し、九〇年代前半のペルーや二〇一〇年のハイチではコレラの大流行が発生した。さらに、WHOがパンデミックを宣言した他のグローバル感染症では、〇九年のインフルエンザがメキシコや米国からアジアに飛び火し、一六年のリオデジャネイロ・オリンピックに際してブラジルでジカ熱が流行したことも記憶に新しい。感染症は今も脅威であり続けている。

域内では、WHOが「顧みられない熱帯病」（NTD）とする感染症の問題も忘れてはならない。シャーガス病、デング熱、リーシュマニア症、オンコセルカ症、ハンセン病などは貧困層を中心に発生あるいは蔓延して社会問題となってきた。温暖化や人の移動などで流行が地域間で拡大する場合もあり、対策面での国際協力が求められている。

感染症は一旦拡大すると国境を越えて忍び寄ってくる。新型では特効薬はなく予防手段も限られるため、いつ収束するか、どれほどの被害がもたらされるかも予測できない。人々は日常的な病苦や流行病に直面しながら、生存と社会の安定のために懸命に立ち向かってきたのである。

第3章

市民社会・社会運動

草の根から世界を変える

ブラジルの社会運動と世界社会フォーラムにみる国際的連帯

田村梨花

本章では、ブラジルの事例をもとにして、ラテンアメリカ諸国の民主主義の深化に重要な役割を果たしている市民社会組織（CSO）の活動と「世界社会フォーラム」にみる国際的連帯に焦点を当て、新自由主義と市場中心主義に支配された世界を市民の手に取り戻す社会運動について紹介する。日本も、非正規雇用と低所得層の増加、実質賃金の低下、変わらぬ競争化社会など、新自由主義経済によってさまざまな生きづらさがもたらされている。社会構造の変革に必要な政治変化は人々の行動から生まれる。ラテンアメリカの市民社会の取り組みからそれを学び、多様性の尊重、人権の保障、地球環境の次世代への継承を可能とする社会構築のために私たちができることを考えたい。

写真：2018世界社会フォーラム分科会「殺される命、守られるべき命」で公権力の暴力に立ち向かう強い意志を確認する参加者（ブラジル・サルバドール市、2018年３月、撮影：筆者）

はじめに

現在、ほぼすべてのラテンアメリカの国々は、個人の自由と権利を尊重する憲法に支えられた民主主義国家である。しかし、たった三〇数年前までは、その多くが軍事独裁政権下に置かれていた歴史を持っている。

政治の変化はいわずもがな人々の行動から生まれる。ラテンアメリカにおいては、軍事独裁政権による社会的抑圧や経済的貧困といった深刻な社会状況を克服するために、地域における草の根の活動の実践者、すなわち民衆をアクターとする社会運動が民主化に重要な役割を果たしてきた。それらの社会運動は、民政移管後には非政府組織（ＮＧＯ）、非営利組織（ＮＰＯ）としての特徴を持つ市民社会組織（ＣＳＯ）となり、多くの社会問題を解決し、現在も民主主義を実体のあるものに深化させるための活動を続けている。本章では、ブラジルの事例をもとに、民主主義の深化に重要な役割を果たしてきた社会運動や市民社会組織の活動とその国際的連帯の歩みに焦点を当て、新自由主義と市場中心主義が支配する今日の世界とは異なる世界を目指す市民たちの取り組みを紹介する。

その多くがスペインおよびポルトガルの植民地であったラテンアメリカは、一六世紀に本格化する大土地所有制の下での長期にわたる経済的収奪や、人種・民族にもとづく階級構造によって、社会格差や貧困といった深刻な社会問題に直面し続けてきた。ブラジルでは、それらの問題はプランテーション（単一作物の大規模農業）や、奴隷制と家父長制に起因していた。だが、一九五〇年代後半になるとそうした社会問題に対して民衆運動による具体的な異議申し立てと、変革のための行動が始まった。しかし、そうした行動が国家政策にも影響を与えつつあった矢先の六四年、軍事クーデタが勃発し、その後二一年間にわたり軍事独裁政権の時代となった。抑圧的政治体制のもと、それでも民衆による社会運動は政治体制の民主化を求めて地域を越えて連帯し、八五年に民政移管を勝ち取り、八八年憲法の策定に重要な役割を果たした。

しかしながら、冷戦終結後に加速化した経済のグローバル化により、社会的格差は目に見えて拡大し、制度的民主化を達成しても人々の権利保障を実質化することは困難であった。

今日、ブラジルをはじめとするラテンアメリカの市民社会組織の多くは、多国籍企業と投資家が富を独占する経済のグローバル化に対抗するために国際的に連帯し、地域社会の現場に市民参加と社会正義の種を蒔くための、いわば民主主義を体現する主要なアクターとなっている。ラテンアメリカの現場から発信されるさまざまな試みは、脱成長と持続可能な社会の構築に示唆を与える存在として注目されている。その多種多様な地域的実践が国境を越えてつながり、交流を深めることで、市民運動が活性化し、社会構造に革新的な変化がもたらされる例もみられ、その波は日本の市民社会にも届き、一つのうねりを作り出すまでになっている。

本章の目的はブラジルの市民社会組織による地域的、国際的な取り組みの紹介を通して、新自由主義、市場中心主義の経済により個人化と社会の分断化が進む現在の世界的な流れに警鐘を鳴らすことにある。日本の現状をみても、格差、貧困、労働問題など、私たちの社会生活に不安や危機感をもたらす要素は数多く存在する。このままでは次世代どころか自分たちの世代の未来さえまったく見通せなくなると感じている若者も多いのではなかろうか。現場で行動するラテンアメリカの市民たちの姿から、多様性の尊重、人権の保障、地球環境の次世代への継承を可能とする生活様式と価値観というものを見つめ直し、社会的課題の解決のために、またすべての人々が尊厳をもって暮らせる社会をともに構築していくために、私たちができることを考えたい。

一　オルタナティブを求める運動の誕生と結びつき

ブラジルの民政移管と市民社会

ブラジルの市民社会組織の多くは軍事独裁政権下における民衆運動を基盤として生まれた。人々の権利がことごとく剝奪される時代の中で、体制に反対する人々は生命の危険に脅かされながらも自らの生を守るための行動を続けた。農地を手に入れる機会が得られなかった小農民は使用されていない土地を占拠し、開墾して生活の場とした。都市スラムで暮らす貧困層は住民協会を作って劣悪な住環境問題について話し合い、その改善に取り組んだ。

こうした民衆運動は、地域住民が自らを取り巻く社会問題を議論し、その解決を対話の中から見つけ出す民衆教育の手法の提唱者であるブラジルの教育思想家、パウロ・フレイレ（一九二一―九七年。六〇年代に社会構造の変革のための成人識字教育を実践した）の影響を受けていた。また、「解放の神学」（五〇―六〇年代、ラテンアメリカを中心に展開された運動で、貧困層の生活改善を求める社会変革のための行動を、聖書の教えと説く思想実践）のもと、民衆に寄り添い、生活の場をともに作ってきたカトリック教会の存在は、こうした草の根の民衆教育運動の広がりを可能とした。一方、生命の危険にさらされた社会運動家たちはヨーロッパや米国に亡命し、ブラジルの民主化のために情報収集に取り組み、同胞へ向けて発信を続けた。

一九七九年恩赦法が発令され、政治開放の時代となる（恩赦法の背景については本書第9章参照）。亡命先からブラジルに戻った社会活動家たちはその間培ってきたネットワーク力を生かして個々の民衆運動を結びつけ、民主化実現のための主要なアクターとして行動した。こうして、「ブラジルの民主化には情報の民主化が必要だ」という結論に達した三人の活動家（マルコス・アルーダ、エルベルト・デ＝ソウザ、カルロス・アフォンソ）が多くの民衆運動との連帯を目指して、八一年リオデジャネイロにて「ブラジル社会経済統計研究所」（ＩＢＡＳＥ）を創設し、八四年には「今すぐに直接選挙を！」というスローガンを掲げて、大統領直接選挙を求める大規模デモを組織した。

一方、この政治開放の時代、軍事独裁政権下においてそれぞれの地域で運動を続けてきた草の根組織は、言論の自由と社会参加の権利を自分たちのものとし、多様な立場から社会を変革するために、さまざまな活動を展開した。その一つ、一九八四年にブラジル南部のパラナ州カスカベルで設立された組織「土地なし農民運動」（ＭＳＴ）は、土地を生存のための権利としてとらえ、土地とコミュニティの再生を目指して立ち上がった草の根の民衆運動体の代表格である。

一九八五年の民政移管後、こうした民衆運動に携わってきた人々の意見を反映し、民主的憲法の草案づくりが始まった。約一二〇〇万人の市民による署名とともに提出された個々の憲法修正案の一つひとつが次々と国会に持ち込まれ、憲法制定議会のテーブルを埋め尽くした。こうして八八年、ブラジルに人権の保障と社会的平等をもたらす民主憲法が市民の手によって創り出された。その主役となった民衆運動が民主化以降に市民社会組織となり、さらにその多くがＮＧＯとして組織化し、活動を継続することになった。九一年には市民的権利と社会的公正のためのＮＧＯネットワーク組織として「ブラジルＮＧＯ協会」（ＡＢＯＮＧ）が設立された。

南と北のＮＧＯの出会いと交流

一九八八年憲法が制定され、ブラジルが民主主義をより確かなものにしようとし始めていた頃、世界的にも市民社会組織のあり方に変化が表れていた。九〇年国連開発計画（ＵＮＤＰ）が「人間開発指数」（ＨＤＩ）を導入することにより、貧困撲滅や社会的不平等の克服のためには経済成長よりも社会的側面（とくに保健衛生や教育）の開発を重視すべきとするパラダイム転換が起き、市民レベルで開発プロジェクトを支援してきたＮＧＯの存在が注目されるようになった。国益とは離れた立場で各国の開発援助政策に異議申し立てのできるＮＧＯは、国連主催の会議における不可欠な存在となり、国連会議のたびにＮＧＯフォーラムが開催される動きを生み出した。国連会議の場でＮＧＯに発言の機会が与えられたことは、ＮＧＯのネットワーク化を大きく広げることにもなった。ブラジルのＮＧＯにとってその契機となったのが、九二年六月にリオデジャネイロで開催された国連環境開発会議（通称、地球環境サミット）である。

南の地域における初の国連会議となった地球環境サミットは、一八〇余りの国と地域が参加するというそれまで最大級の首脳レベル会議となったが、民間レベルにおいても、ＮＧＯをはじめ国内外から約一七〇〇の団体が集まり、社会正義と環境保護の実現のために活発な議論が展開された。開催地がラテンアメリカであったことは、多くの南のＮＧＯの参加を促進し、北と南のＮＧＯの関係を近づけた。その大きな躍進力となったのが情報技術革命である。電子メールという通信手段や電子掲示板システムの普及は、サミット終了後も世界各国の市民運動を結びつけた。こうしてＮＧＯの国際的ネットワークが進展し、世界のさまざまな地域のＮＧＯをつなぐ基盤が築かれた。

反グローバリズムの動き

一九九〇年代は、その後の世界のあり方を大きく変える経済のグローバル化が始まる時代でもあった。九五年、貿易、金融、投資の自由化を推進する世界貿易機関（ＷＴＯ）が設立されると、その新自由主義的な経済政策によって多国籍企業やその恩恵を受ける世界の富裕層に資本が集中し、多くの国で社会的格差が拡大した。この新たな「帝国」による支配システムに対抗し、地球環境や社会的公正を優先する国際社会の構築を求めていくことがＮＧＯの喫緊の課題となった。九四年の北米自由貿易協定（ＮＡＦＴＡ）発効に反対するメキシコの「サパティスタ民族解放軍」（マヤ系先住民族主体の政治軍事組織）の蜂起もその同じ流れにあり、世界各地のＮＧＯはこれに連帯を示し、こうした流れを、多国籍企業に有利な協定を結ぼうとする会議やサミット（首脳会議）などの開催地に集結して抗議する「反グローバリズム運動」へとつなげていった。ブラジル国内においても、拡大する貧困や社会的格差を解決するには市場経済中心の世界的潮流に歯止めをかけなければならないという意識が高まり、多くの市民社会組織が反グローバリズム運動に加わった。九九年一一月、米国シアトルで行われたWTO第三回閣僚会議には、農業団体、消費者団体、労働組合、環境・人権NGOなど、世界から七万人もの市民が結集し抗議デモを行い、会議の進行に著しい影響を与えた。このアクションは、世界の市民社会組織、社会運動が反新自由主義、反市場中心主義の立場を明確に示した象徴的な出来事として語られている。

しかし、その後、市民社会組織、社会運動の側からは、「反」（アンチ）だけでは現在の特権的世界経済システムを変えることはできないとして、新自由主義、市場経済主義へのオルタナティブ（もう一つの世界）を提案すべきだとする議論も生まれてきた。また、そうしたオルタナティブはすでに地域単位の「草の根の現場」で生まれており、「決して夢物語ではなく現実に存在する」という認識が共有され、そうした世界各地のさまざまな実践を可視化し、学び合う「創造」の場も求められるようになった。

オルタナティブの模索へ

反グローバリズム運動が「対抗」運動を脱し、オルタナティブの構築を目指す「創造」へと変容していく過程では、ブラジルとフランスの市民社会組織が中心的な役割を果たした。二〇〇〇年一月パリで、ブラジルの団体「シティズンシップのための経営者のアソシエーション」（CIVES）のコーディネータ、オデット・グラジェウと、ブラジル司教会議の一機関「ブラジル正義と平和委員会」（CBJP）の代表シコ・ウィッタケルが、フランスのNGO「市民を支援するために金融取引に課税を求めるアソシエーション」（ATTAC）の議長で『ルモンド・ディプロマティック』の編集長ベルナール・カッセンと会い、オルタナティブを求める世界規模の市民会議の開催を提案した（ウィッタケル、三七頁）。グラジャウは玩具会社の経営者時代に、子どもの権利保障を推進するためにアブリンク財団を設立し、ブラジルにおける「企業の社会的責任」を牽引してきた人であり、ウィッタケルは一九五〇年代にカトリック大学学生連合の活動に参加し、軍事独裁政権時にフランスに亡命、帰国後はブラジルの民主憲法草案づくりへの市民参加に貢献した人である。二人ともブラジルにおける社会正義と民主主義の深化に力を尽くしてきた社会運動家として知られている。

このパリでの話し合いにより、新自由主義と市場中心主義を推進する象徴とされる「世界経済フォーラム」（ダボス会議。世界の要人をスイスの観光地ダボスに招いて討議する一九七一年創設の経済人会議）に対抗して、「経済」を「社会」に置き換えた「世界社会フォーラム」を、西洋ではなく「南」の都市ポルトアレグレ（ブラジル南部）で、ダボス会議と同時期に開催しようというアイデアが生まれた。ポルトアレグレは「参加型予算」（自治体の予算案を市民の直接的参加による総会で策定するシステム）の成功例として有名な都市である。フォーラムの実現に際しては、MST、IBASE、ABONGを含むブラジルの八つの市民社会組織が開催国の事務局として中心的役割を果たした。こうして二〇〇一年一月二五日から三〇日までの六日間、「もう一つの世界は可能だ！」を合言葉に、オルタナティブな社会を模索する世界市民会議「第一回世界社会フォーラム」が当地において開催された。

二　世界社会フォーラム

世界社会フォーラムの目指す社会

世界社会フォーラムの目的は明確である。それは、一部の人々だけに利益が集中する経済のグローバル化ではなく、「成長」よりも「社会的公正」を最重要課題とするよう国際社会に働きかけること、そして、連帯と共生にもとづく世界を希求する人々がそれぞれのアイデアを持ち寄り、オルタナティブな実践を学び合うことである。したがってフォーラムでは何よりも市民社会によって運営されることが前提とされ、どのような思想も排除されることなく、参加者全員が水平的関係のもとで、対話と討議を通じて連帯することが重視された。そして第一回フォーラム後に作られた世界社会フォーラム憲章でも、フォーラムの性格を「多元的で多様な、非宗教的、非政府的、そして非党派的なもの」（フィッシャー、四四五頁）、すべての人が自由に意見を交換する「開かれたフォーラム」と位置づけた上で、宣言や結論などにおいて「唯一の方向性が設定されることはない」と明言された。また、政党、政府機関、国際機関はフォーラムにおいて自主組織活動を企画できないが、フォーラムに参加する個人や市民社会組織のメンバーがそれらに属すことは禁じず、参加者の思想の自由を確保した。

フォーラムは主に大学など大規模な施設を会場にして、参加者の自主企画をテーマ別に分け、分科会やシンポジウムの形式で数日間にわたり行われる。世界中からさまざまな分野の市民社会組織が参加するため、テーマは労働、経済のグローバル化、ジェンダー、環境、教育、マイノリティ、メディア、反戦・平和など多岐にわたる。まさにそれは、「世界におけるオルタナティブな実践の多様性、複数性」を体現したものとなっている。

世界社会フォーラムの変遷

二〇〇一年のポルトアレグレ以降、世界社会フォーラムの世界大会は、一六年のカナダ・モントリオールを除けばすべて「南」の都市を会場にして開催されてきた（次頁**表1**）。時には一〇万人を超える参加者、あるいは一五〇〇以上もの分科会を持つ大規模なイベントとなっている。〇七年のケニア・ナイロビ大会以降は原則隔年開催となったが、世界大会が開催されない年は、一月の特定日に世界大会に準ずるイベント「世界行動デー」が世界各地で同時開催されている。

世界社会フォーラムは、世界大会や「世界行動デー」のほかにも毎年四〇ほどの地域別・テーマ別フォーラムが開催されている。地域別フォーラムは、参加者の移動経費を軽減するとともに、小規模な市民社会組織のメンバーにも声を上げる機会を提供する場となっている。アジアではインド、インドネシア、ネパール、フィリピン、韓国などで頻繁に地域別フォーラムが開催されている。また地域フォーラムは教育、メディア、移民などトピック化さ

表1　世界社会フォーラム世界大会の開催期間・開催地・規模

	開催期間	開催地	参加者数	参加組織数	参加国数	分科会数
第1回	2001年　1月25日〜30日	ブラジル・ポルトアレグレ	20,000	500	117	458
第2回	2002年　1月25日〜30日	ブラジル・ポルトアレグレ	68,000	5,000	131	718
第3回	2003年　1月22日〜28日	ブラジル・ポルトアレグレ	100,000	データ不明	123	1,372
第4回	2004年　1月16日〜24日	インド・ムンバイ	110,000	1,653	132	1,470
第5回	2005年　1月26日〜31日	ブラジル・ポルトアレグレ	200,000	6,872	135	2,157
第6回	2006年　1月19日〜23日 1月24日〜29日 3月23日〜28日	マリ・バマコ ベネズエラ・カラカス パキスタン・カラチ	145,000	データ不明	データ不明	2,900
第7回	2007年　1月20日〜25日	ケニア・ナイロビ	70,000	1,400	110	1,200
第8回	2009年　1月27日〜2月1日	ブラジル・ベレン	150,000	5,808	142	2,300
第9回	2011年　2月7日〜11日	セネガル・ダカール	75,000	データ不明	132	1,200
第10回	2013年　3月26日〜30日	チュニジア・チュニス	70,000	4,500	データ不明	データ不明
第11回	2015年　3月24日〜28日	チュニジア・チュニス	45,000	4,400	122	1,200
第12回	2016年　8月9日〜14日	カナダ・モントリオール	35,000	1,182	125	1,366
第13回	2018年　3月13日〜17日	ブラジル・サルバドール	80,000	6,000	120	2,100
第14回	2021年　1月（予定）	メキシコ・メキシコシティ	—	—	—	—

（出所）田村、15頁／各世界社会フォーラムのファイナルレポート等より筆者作成。

れたテーマ別フォーラムとしての性格を持っている。課題を深く掘り下げて議論できるという点で、テーマ別による地域別フォーラムは活動実践者がお互いの近さを感じる空間になっているとともに、オルタナティブな個々の実践例を自治体レベルで共有する機会を作り、地域開発政策につなげる役割も果たしている。

世界大会でも、開催地が変わるとメインテーマや参加者のタイプは変化する。同じブラジルでも、ヨーロッパ系白人が住民の八割を占めるポルトアレグレの大会とは異なり、二〇〇九年のベレンと一八年のサルバドールでは、非白人系の社会・文化・歴史的背景が色濃く反映される大会となった。同国北部、アマゾン川の河口近くに位置する都市ベレンでの開催は、アマゾンやアンデス地域の先住民族組織が表舞台に立つことを目的としたものとなった。大会初日に設定された「汎アマゾン・デー」では、「黒人、先住民族、民衆の抵抗・勝利・展望の五〇〇年」というメインテーマのもとで、同地域が抱えるグローバルな諸問題が議論され、世界各地から二〇〇の先住民族出身の約三五〇〇人が参加した（田村、二〇頁）。

サルバドールでの開催は、「抵抗は創造、抵抗は変革」というスローガンのもとで行われた。ブラジル北東部に位置するこの都市は植民地時代にブラジルの総督府が置かれ、黒人奴隷売買の輸入港であったことから、大会では、現代世界における収奪と暴力の構造の克服が強調され、アフリカ大陸の社会運動とのつながりを確認することにもなった。

各大会では、参加を希望する市民団体が、事務局が設定した複数のテーマ・カテゴリーを見ながら、それぞれの自主企画のテーマに相応しいカテゴリーに登録するスタイルを取っている。ちなみに、サルバドール大会では**表２**にあるように大きく一九のテーマに整理された。それをもとに大会用プログラムが作成され、参加者にデータで共有される。一〇〇ページにわたるプログラムには、個々の分科会のタイトルや主催団体、会場がテーマ別ごとに記載されている（部分的に多言語表記）。参加者はこれを手に各自関心のある会場に足を運ぶことになる。

表２　第13回サルバドール大会（2018年３月）での19のテーマ

1	先住、土地、領有権
2	コミュニケーション、技術、フリーメディア
3	抵抗の文化
4	民主主義
5	経済の民主化
6	開発、社会と環境に関する正義
7	都市への権利
8	人権
9	人々の解放と主権のための教育と科学
10	フェミニズムと女性のたたかい
11	世界社会フォーラムの未来
12	性的マイノリティ（LGBTQI＋）と性の多様性
13	反植民地主義のたたかい
14	移民
15	労働の世界
16	平和と連帯
17	先住民族
18	人種差別、不寛容、外国人差別のない世界
19	ブラック・ライヴズ・マター

（出所）世界社会フォーラム2018のプログラムより筆者作成。

筆者も参加したサルバドールでの分科会から見て取れるのは、質疑応答の時間は質問者にとっても自由な発言の場となっていることである。登壇者への単なる質問にとどまらず、質問者自身が自分たちの組織の実践事例や抱える課題について語り、フロア全体に問いかける。このように、参加者たちは、フォーラムの「開かれた空間」において、世界の異なる地域にも自分たちと共通する社会的課題が存在していることを知り、その克服のために活動する人々と直に出会い、互いの実践と困難を共有するプロセスを通じて相互にエンパワーされる。サルバドールでの分科会もまた、ブラジルの民衆運動が培ってきた民衆教育の手法を十分に生かしながら、オルタナティブな実践の分かち合い、学び合い

2018年のサルバドール大会の様子。仮設テントの会場にはそれぞれのテーマが掲示されている（2018年３月、撮影：筆者）

の場を形づくっていた。

大陸を越え、南と北も越える世界的連帯

世界社会フォーラムは回数を追うごとに多様な地域との結びつきを強固にしている。ブラジルとフランスの市民社会組織の協働から始まった世界社会フォーラムは、第三回までは連続してブラジルのポルトアレグレで行われたが、ラテンアメリカ中心のフォーラムではないことを示す目的もあり、第四回の二〇〇四年大会はアジア地域のインド・ムンバイで開催された。〇六年の三大陸（アフリカ「マリ・バマコ」、ラテンアメリカ「ベネズエラ・カラカス）」、アジア「パキスタン・カラチ」）におけるポリセントリック（多中心的）・フォーラムの開催は、より多くの市民社会組織の参加を促す試みでもあった。〇七年はケニア・ナイロビ、一一年はセネガル・ダカールとアフリカ地域における開催が続いた。

また、一一年に発生した「アラブの春」と呼ばれる大規模な民主化運動の流れを受けて、一三年にはチュニジア・チュニスで開催された。そして、アラブ地域の経済的収奪と日常化する暴力に対して、社会運動が果たす役割は重要であるという観点から、一五年も再び同地での開催となった。

二〇一六年には、初めて「北」のカナダ・モントリオールで開催された。カナダの市民社会組織は〇四年から同フォーラムに参加しており、一一年に開催地として名乗りを上げていた（2016 WSF Collective, p.42）。開催地を変えることの意義は大きい。自らの活動拠点が開催地となることで、地元の市民社会組織はフォーラムへの期待をふくらませ、より多くの組織の市民、とりわけ学生をはじめとする若者たちの参加を促進する。地域も言語も異なる世界で暮らしていながら、同じ問題意識と活動経験を持つ人々が再会できる場、民衆運動のエンパワメントにつながる場、そうした空間であるからこそ、フォーラムは多くの支持を得て、現在も継続して開催されているといえるだろう。

フォーラムの継続にともなう課題と存在意義の深化

もっとも、世界社会フォーラムは「全世界の市民社会組織が集結する場」という性格を持つがゆえに、さまざまな課題も抱えている。ロジスティックな面でいえば、どのフォーラムも開催地に近い地域からの参加者が大多数を占め、言語による影響を受けることから、多言語対応が疎かになり、コミュニケーションギャップが懸念されることもある。また、開催地の政情に影響され、世界社会フォーラム憲章にある非宗教性、非政府性、非党派性が揺らぐ例もある。

最も重要な問いとしては、「運動」（具体的課題への取り組み）か「空間」（多様な意見を交わす場）か、フォーラムはどちらの方向を目指すのかという議論がある。「多様性の尊重を重視するあまり、全体としてのアウトプットが見えにくい」「フォーラムは市民社会組織の行動指針をより明確に打ち出す存在に変わるべきだ」、こうした「運動」面を強調する組織はすでに二〇〇五年頃より現れ始めていたが、フォーラム創設者の一人、シコ・ウィッタケルは、開かれた空間であることが従来の社会運動とは異なる同フォーラムの特徴であって、それを失うことは「効率を求めるがゆえに『もう一つの世界を求める運動』の道具であるＷＳＦ［世界社会フォーラム］を台無しにする危険を冒すことになる」（ウィッタケル、三五頁）と述べ、フォーラムが「空間」であることの意義を表明している。

一方、フォーラムが特定政党のプロパガンダとして機能するリスクを指摘された、ブラジルにおける例もある。

二〇一六年、労働者党所属のジルマ・ルセフ大統領が会計の不正操作の疑いで弾劾裁判にかけられ、罷免されるという出来事が起きた。新大統領に就任したミシェル・テメル副大統領の市場中心主義的政策に批判的な立場を取る世界社会フォーラム国際委員会においては、ルセフ罷免をめぐる一連の政治変動は労働者党議員の政界排除を目的に企てられた「政治クーデタ」であり、非難声明を出すに値するという意見が出された。これに対して、ブラジルのNGOメンバーからは「そうした抗議行動はフォーラム参加者による自主的活動の範囲内にとどめるべき」との反対意見が出されたため、公的表明には至らなかったが（大屋、九二頁）、フォーラム内におけるこうした議論は一八年の世界社会フォーラム（サルバドール）において、労働者党を擁護するイベントが数多く開催されるという状況を作り出した。このように、開催地の政情にフォーラムが何らかの影響を受けているとすれば、現在のフォーラムのあり方は憲章を厳密に守っているとは言い切れないかもしれない。

しかしながら、それぞれに特有の個性を持つ市民社会組織の参加を排除することなく、組織間の水平的ネットワークづくりの環境が維持され、地域実践の多元性、複数性、独創性が尊重される限り、世界社会フォーラムの場で紡がれる社会運動の連帯的関係は、多様なオルタナティブの可視化と推進に結びつく。経済のグローバル化とは異なる世界を唱え、人々の権利と尊厳を第一とする社会を目指す市民社会組織にとって、世界社会フォーラムは互いの意見を尊重し合う場であり、意志をともにする人々と出会う場であり、個々の取り組みをエンパワーする場であり続ける。こうした自主組織活動の多様性や、水平関係による相互信頼など、フォーラムを「空間」（場）として維持していくための数々の特徴を、ウィッタケルは、「人々をもう一つの世界へと導く新しい政治文化」と呼んでいる（ウィッタケル、五二―五四頁）。

三　国際的連帯により強められるローカルパワー

連帯経済――社会的公正と経済活動の両立の可能性

次に、オルタナティブな地域実践が国際的連帯によって結びつきを強めることで、それぞれの現場での実践や地元の社会構造の変革につなげている例を挙げる。その象徴的存在が、市場中心主義とは異なるオルタナティブな手法によって、経済システムに連帯性や共同性を取り戻せることを実証した「連帯経済」（自主・自治、民主、平等、互酬性などを原理とする経済、あるいはそれを目指す運動）（小池、三三四頁）の取り組みである。主にラテンアメリカや南欧で提案されてきた連帯経済は「グローバル化時代の人々の暮らしを支配する新自由主義に対する抵抗運動としてのオルタナティブな経済・社会様式の実践」（幡谷、一三頁）として、その萌芽は一九七〇年代にさかのぼり、以来社会運動と密接に結びついてきた。フェアトレード、地域通貨、マイクロ・クレジット（小規模融資）、消費者組合や協同組合などがその具体的な取り組みである。

第一回世界社会フォーラム（二〇〇一年）では、「連帯する民衆経済と自己管理」という分科会に一五〇〇人が参加し、労働者の自己組織化、公共政策、労働と所得の経済・社会的展望などについて議論が交わされた。この分科会は連帯経済に取り組むブラジル各地の実践組織同士を結びつけ、以後、これを全国的な社会運動へと急速に広げる契機になったとされる。この年には、連帯経済に関する情報発信、運営指針の策定、国レベルの連携関係の構築を目指す官民共同のワーキンググループが発足し、〇三年には「ブラジル連帯経済フォーラム」が設立されて、世界各地の社会運動を刺激した。

連帯経済は世界社会フォーラムのすべての回で主要テーマとなっている。会場内の広場や通路には毎回趣向を凝らしたブースが数多く設置され、フェアトレード・チョコレートをはじめ、搾取の構造のない公正な生産流通プロセスによって丁寧に作られた商品が陳列・販売されている。フォーラムの会場で消費者が生産者と直接出会い、生産活動の理念や商品開発のエピソードに耳を傾け、生産者の顔のみえる多様な流通・販売ルートなどの情報を得ることは、価格と品質のみに囚われがちだった従来の消費行動の基準とは異なる、新たな倫理的消費行動に人々を導くことにもなる。生産者に直接話を聞くという行為そのものが、連帯経済の担い手になることを意味する。世界社会フォーラムは参加者にそうした機会をも提供しているのである。

農業──アグロエコロジーの思想と実践

ラテンアメリカで取り組まれている連帯経済の活動のうち、農業分野の運動の中には国連の指針に直接的影響を与えたものもある。国連食糧農業機関（ＦＡＯ）は持続可能な世界の食糧安全保障として家族農業の重要性をアピールしているが、その根底にはラテンアメリカの現場から生まれたアグロエコロジー（農業生態学）という思想がある。もともと自然農法の実践の一つとして一九七〇年代に提唱されたアグロエコロジーという概念は、ラテンアメリカの先住民族や小農民の農法を研究してきたチリの農学者ミゲル・アルティエリにより理論化され、その著書『アグロエコロジー』（一九八三年）は八〇年代末以降、ラテンアメリカの民衆運動にも影響を与えるようになった（オルター・トレード・ジャパン）。アグロエコロジーは農業技術のみならず、自然環境と農業生産者・消費者とがつながる領域全体において、社会的公正性を保障するという社会・経済・文化的側面をも重視する。巨大アグリビジネスが目指す大規模農業開発に対抗し、その土地土地に息づく自然エネルギーの持続的利用や農と食に関わる人々の権利を尊重する小規模経営によるオルタナティブな農業として、今では世界各地の社会運動にとり大きな柱の一つをなしている。

アグロエコロジーは「食糧主権」（Food sovereignty）という概念とも密接に結びついている（吉田、四八頁）。食糧主権とは、すべての人々が食と農に関わる政策を主体的に決定する権利のことを意味し、一九九六年に小農民の国際的農民組合ネットワーク「ビア・カンペシーナ」（農民の道）によって提唱されたものである。ビア・カンペシーナは九三年に結成されたネットワーク型NGOであり、二〇一七年時点では八一か国一八二団体、二億人以上の生産者が加盟している（本部ジンバブエ）。ラテンアメリカからはブラジルのMSTをはじめ四六団体が、また日本からは農民運動全国連合会（農民連）がメンバーとして参加している。「アグロエコロジー」と「食糧主権」は世界社会フォーラムにおいても不可欠なテーマとなっており、大会においては毎回、家族農業により生産された有機食材を使っての飲食ブースが設置されるなど、アグロエコロジーの思想を生かした企画展が開かれている。

ブラジルはアグロエコロジーを公共政策の指針としている。二〇〇九年には州と自治体における学校給食予算の約三〇％を家族農業生産物の購入に充てる法律が制定され、南部パラナ州では三〇年までに一〇〇％達成を目標にしているという。国際的な流れをみると、FAOも一〇年頃より小規模農業の重要性に着目し始めている。一四年には「アグロエコロジー国際シンポジウム」（ローマ）を主催し、国連「持続可能な開発目標」（SDGs［本書第12章表4参照］）を実現するための一環として、アグロエコロジーの拡大・推進を掲げた。また一九年には国連決議にもとづく「家族農業の一〇年」を開始した。この決議は小農民の権利と食糧主権という考え方に正統性を与えるものとなった。もっとも、ブラジルやFAOによるこうした施策はいずれも、地域に根差す民衆の実践とそれを支援する社会運動のネットワークによって動かされたものである。これら一連のオルタナティブは、多様性の尊重や持続可能性、そして社会的公正を次世代に約束する創造的実践が現実に世界の潮流となりうることを示しているといえよう。

日本における市民社会の動き――世界の食糧主権のために立ち上がるネットワーク

最後に、連帯経済とアグロエコロジーの思想を共有する国際的連帯から生まれた日本の「食と農」に携わる人々および市民社会の動きについて紹介する。日本では、家族農業主導型の国連決議に逆行する形で環太平洋パートナーシップ協定（TPP）交渉への参加や主要農産物種子法廃止などが国会によって次々と決議され（二〇一三年、一八年）、小規模農業生産者の存続はいっそうの危機にさらされている。しかしながら、日本は自然農法、有機農業、産消提携（農林漁業の生産者集団と消費者集団とが結びついた社会運動）など、アグロエコロジーの思想と共通する創造的な実践の宝庫でもある。近年、日本の農業政策に危機感を持つ農業生産者によるネットワーク化への気運が高まり、一七年には「小規模・家族農業ネットワーク・ジャパン」（SFFNJ）が設立された。同団体は一九年「家族農林漁業プラットフォーム・ジャパン」（FFPJ）に改組され、現在は国連「家族農業の一〇年」の具体的実践に向けて活発な活動を展開している（小規模・家族農業ネットワーク・ジャパン呼びかけ人、一〇八頁）。

こうした日本での動きは国際社会の潮流と軌を一にするものだが、その活動は単に国連の指針への追随ではなく、世界のさまざまな草の根農民運動との交流・連帯が推進力となっている。二〇一八年一一月に東京で開催された日本、モザンビーク、ブラジル三国の農民・市民社会による「三カ国民衆会議」はその一例である。筆者も参加したこの民衆会議は、日本の政府開発援助（ODA）の一環として〇九年より実施されてきた日本、ブラジル、モザンビーク政府の三角協力による大規模農村開発事業「熱帯サバンナ農業開発プログラム」（ProSAVANA）に焦点を当て、このプログラムがモザンビークの農村社会に与えている負の影響を明らかにした上で、三か国の農民、食と農に携わる人々、市民社会が食糧主権にもとづく住民主体の農業生産のあり方を議論する場として設定されたものである。ブラジルの参加者からは、自国内で進められた先行事業として、一九七〇年代末よりブラジル中部の熱帯サバンナ地帯「セラード」地域で展開された「日伯セラード農業開発協力事業」による環境破壊の実態と、両国政府間で今後予定されている穀物生産計画の悪影響についての報告がなされた。「三カ国民衆会議」の目的の一つは新自由主義経済を続ける三国政府への批判とそれに対するオルタナティブを広く国内外の人々に提示することにあった。会場で交わされた議論からは、いかなる地域に生きようとも、生命の尊厳が守られねばならないという意識の共有とポジティブなエネルギーが感じられた。

「三カ国民衆会議」の国際シンポジウム第一部「グローバルな食＆農の危機と『食の主権』」の報告者の一人として、「種を蒔くこと」の力と可能性をテーマに自らの取り組みを紹介した斎藤博嗣は、哲学者の福岡正信（一九一三—二〇〇八年）が提唱した自然農法にもとづく農業を、子育てをしながら家族で営むアグロエコロジーの実践者である。斎藤は自らの事業に「一反百姓『じねん道』」という屋号を冠し、自家採取種子の販売を通じて「すべての人が種を蒔けば、みな農の当事者となる」という運動を展開している。〇五年、東京から茨城の農村へ夫婦で移住し、さまざまなシンポジウムやセミナーでラテンアメリカやアフリカの農民と出会ったことがきっかけとなり、理念を共有する仲間たちと九人でＳＦＦＮＪの呼びかけ人となった。一九年三月には、ＳＦＦＮＪの農民代表として、スペインのビルバオ市で開催された第六回世界家族農業会議に家族四人（夫婦、子二人）で参加し、「子どもたちにとって家族農業が地球的課題を解決する憧れの仕事となることが一〇年後の成果でなければならない」と発言し、多くの参加者から共感を得た。ＳＦＦＮＪは二〇年にＦＦＰＪにその活動を完全に移行し、斎藤は常務理事として活躍している。

「三カ国民衆会議」で報告する斎藤博嗣（写真中央。東京・聖心女子大学グローバルプラザ、2018年11月、撮影：APLA 吉澤真満子）

ローカルな実践と国境を越えた情報発信によって世界の農民や、食と農に携わる人々、そして市民社会と協働し、足元からの変革をたゆまず進めていく斎藤の地に足の着いた地道な行動は、オルタナティブな思想と実践が人々のエンパワメントと国際的連帯につながり、地域や政治を変えていくプロセスそのものの体現といえるだろう。

おわりに

ラテンアメリカの市民社会組織、社会運動はラテンアメリカ各国の民主化運動に深く関わっており、代議制民主主義が根づいた二一世紀以降も、民主主義の深化を目指す活動に取り組み続けている。また、そうした背景の中で国際的連帯にも寄与しながら、新自由主義や市場中心主義が支配する世界とは異なるオルタナティブ（もう一つの世界）を提示し、実践の幅を広げ続けている。

本章ではブラジルの社会運動を軸にして、そうした取り組みの一部を紹介してきたが、ラテンアメリカの市民社会組織による活動は、格差・貧困・労働問題といった経済的側面や政治的腐敗・人権侵害・乱開発・環境破壊といった政治的側面のほか、先住民族などマイノリティへの差別、ジェンダー間の不平等といった社会・文化的側面においても国境を越えたつながりを作っている。日本でもATTACジャパンやピープルズ・プラン研究所などの市民社会組織が世界社会フォーラムに参加し、国内外の社会運動を結びつける活動を展開している。東日本大震災、東京電力福島第一原子力発電所事故から五年を経た二〇一六年三月には、日本と世界の反核運動をつなぐ市民アクション「核と被ばくをなくす世界社会フォーラム二〇一六」が東京で開催された。これは、先に紹介した世界社会フォーラムの創設者の一人、シコ・ウィッタケルが日本での開催を呼びかけ実現したもので、ブラジルにおける原発建設の反対運動を牽引してきた彼自身も来日した。

冒頭で述べたように、政治の変化は人々の行動から生まれる。私たち市民一人ひとりは民主主義システムを形づくる主体であり、その一点で、私たちには政治に参加する権利がある。そのことを、地道な努力を積み重ねてきたラテンアメリカの市民社会は伝えてくれる。一方、日本社会に目を転じると、格差、貧困社会と呼ばれて久しい中、また、とりわけ原発事故を経験して以来、社会構造の不平等性や差別、人権の軽視、制度の脆弱性に対して声を上げる人々の数は着実に増え、国際的な市民交流の輪も徐々に広がりつつあるが、まだまだ地域社会レベル、国民的レベルでの行動や政治参加の共有といったところまでは至っていない。グローバル化の時代にあって、私たちの暮らしは世界のあらゆる地域と直接的に、また間接的に確実につながっているという点で、世界で生じている問題とも決して無関係ではない。内外の市民社会の行動に敏感になり、遠くの事象と足元の事象とのつながりを意識化することは、創造、消費、参加、表現、連帯といったさまざまな要素を持つ市民社会の行動へと、そしてその先にみえる有りうべき世界へと私たちを誘ってくれるはずである。

参考文献

ウィッタケル、シコ［二〇一〇］「世界社会フォーラム―新自由主義に抗し、『夢物語ではないもうひとつの世界』に向けて闘う者たちの連携構築の過程」上智大学グローバル・コンサーン研究所、国際基督教大学社会科学研究所共編『グローバル化に対抗する運動ともうひとつの世界の可能性―いかに繋がり、いかに変えるか』現代企画室。

大屋定晴［二〇一八］「世界社会フォーラムの現在と課題―二〇一八年世界社会フォーラム・サルヴァドール開催に向かうブラジルを焦点として」『ピープルズ・プラン』七九号、八七―九四頁。

オルター・トレード・ジャパン（ATJ）［二〇一四］『アグロエコロジーに何を学ぶか―ブラジルのオルタナティブ』ATJオルタナティブ・スタディーズ・シリーズ三号、オルター・トレード・ジャパン。

小池洋一［二〇一九］「ポランニーから共生経済へ」岡本哲史・小池洋一編『経済学のパラレルワールド―入門・異端派総合アプローチ』新評論、三〇三―三三〇頁。

小規模・家族農業ネットワーク・ジャパン（SFFNJ）呼びかけ人［二〇一九］「日本での『家族農業の一〇年』の展開」SFFNJ編『国連「家族農業の一〇年」と「小農の権利宣言」』農文協ブックレット、一〇八―一一一頁。

田村梨花［二〇〇九］「アマゾン世界社会フォーラム―総評とローカルNGOとの関係分析から」*Encontros Lusófonos* 一一巻、一四―二八頁。

幡谷則子編［二〇一九］『ラテンアメリカの連帯経済―コモン・グッドの再生をめざして』上智大学出版。

フィッシャー、ウィリアム・F／トーマス・ポニア［二〇〇三］『もうひとつの世界は可能だ―世界社会フォーラムとグローバル化への民衆のオルタナティブ』加藤哲郎監修、大屋定晴ほか監訳、日本経済評論社。
吉田太郎［二〇一九］「なぜアグロエコロジーは世界から着目されるのか」ＳＦＦＮＪ編『国連「家族農業の一〇年」と「小農の権利宣言」』農文協ブックレット、三九―五〇頁。
2016 WSF Collective[2016] *Activity Report: World Social Forum Montreal, August 9 to 14, 2016.*

日本語文献案内

小池洋一［二〇一四］『社会自由主義国家―ブラジルの「第三の道」』新評論。国家、市場、市民社会からなる多元的な政治経済システムを目指すブラジルの「社会自由主義」の挑戦について、参加型予算、連帯経済、企業の社会的責任などの視点から分析する。

セン、ジャイほか編［二〇〇五］『帝国への挑戦―世界社会フォーラム』武藤一羊ほか監訳、作品社。世界社会フォーラムを「二〇世紀の最も重大な市民的・政治的イニシアティブの一つ」と位置づけ、フォーラムが生まれた背景、フォーラムが培った経験と連帯、フォーラムが直面する課題やその論点を検討する。

幡谷則子編［二〇一九］『ラテンアメリカの連帯経済―コモン・グッドの再生をめざして』上智大学出版。ラテンアメリカの連帯経済が内包する「世界を変える力」について、理論的な検討とともに地域的実践の考察を行う。自然との調和を重視する先住民族の世界観から生まれた「ブエン・ビビール」（Buen Vivir：善き生）の思想についての解説も必読。

ラモネ、イグナシオほか［二〇〇六］『グローバリゼーション・新自由主義批判事典』杉村昌昭ほか訳、作品社。新自由主義的グローバル化の問題点について、キーワード解説形式で明快な批判的検討を行う。オルタナティブな開発の鍵となる概念についても丁寧に解説。編者の一人ラモネはＡＴＴＡＣの創設者。

第4章 セクシュアリティの多様性をめぐるラテンアメリカ社会の変容

LGBTの権利保障

畑惠子

ラテンアメリカは世界で最も性的マイノリティの権利保障が進んだ地域の一つである。アルゼンチン、ブラジル、メキシコなど6か国で「同性婚」「同性カップルの養子縁組」が認められ、8か国で医療行為も司法判断もなしで氏名・性別を法的に変更することができる。もちろん、これらの国においてもそれに反対し、伝統的道徳観・家族観を守ろうとする動きは続いている。セクシュアリティの多様性をめぐる議論が人々を分断し、政治争点化する状況のもとで、どのようにしてこれらのラテンアメリカ諸国は権利保障を実現したのだろうか。その経験の中に、日本が人権にもとづく寛容で平等な社会へと進むための示唆を見出すことができるのではないだろうか。

写真：虹色のこぶしの横に「私たちが望むのは、迎え入れ、知り合い、理解し、尊敬し合うこと。そして決して差別しないこと」というメッセージを伝えるLGBT団体のポスター（ブラジル・サンパウロ市、2019年4月、資料提供：Centro de Cidadania LGBT、写真撮影：近田亮平）

はじめに

二一世紀に入ってから、国内外で、セクシュアリティの多様性に関する議論が続いている。日本では東京・渋谷区などいくつかの自治体で同性パートナーシップ制度が発足し、二〇一八年一〇月にはLGBT差別を禁止し、ヘイトスピーチを規制する「東京都オリンピック憲章にうたわれる人権尊重の理念実現のための条例」（東京都）が成立した。このように国内ではまだ条例のレベルだが、台湾では一九年五月に同性婚合法化案が議会で可決された。これはアジア初の、世界でも二五番目の合法化である。また、国連を中心とする国際社会では、性的指向・性自認（SOGI：Sexual Orientation, Gender Identity）にもとづく差別を禁じ、平等な人権保障が求められるようになってきている。だがその一方で、伝統的な家族観を文化的な権利であると主張して、あるいは生物学的な性を絶対視して、ジェンダー概念そのものやセクシュアリティの多様性を否定する人々や国々もあり、その動きは近年、勢いを増している。

状況はラテンアメリカ・カリブ地域でも同じである。アルゼンチン、ブラジル、メキシコなどが性的マイノリティの権利保障を進める一方で、カリブ諸国にはまだ同性間性行為を刑罰の対象とする国がある。また、法的・制度的に平等が保障されても、人々の意識や感情は容易に変わらず、根強い偏見・差別が続く。本章では、セクシュアリティの多様性をめぐる近年のラテンアメリカにおける動向および争点を整理し、その背景にある要因を考察する。

一　性的マイノリティと国際社会

日本では、レズビアン、ゲイ、バイセクシュアル、トランスジェンダーの英語の頭文字を組み合わせたＬＧＢＴという言葉が定着しつつある。しかしセクシュアリティの多様性はこれにとどまるものでないため[1]、ＬＧＢＴ＋、あるいはクエスチョニング（自分のＳＯＧＩを定義できない状態）やクイア（性的マイノリティの自称・総称）のＱを末尾に加えてＬＧＢＴＱと表記することも多い。ＬＧＢは「恋愛対象」に、Ｔは「自身の性別意識」に関わる概念である。他方、性的指向や性自認は異性愛者、性別違和のない人々も含めて、万人の持つ属性であることから、ＳＯＧＩ、あるいはそれにジェンダー表現のＥ、性的特徴のＳＣを加えて、ＳＯＧＩＥ、ＳＯＧＩＥＳＣという略語が用いられることもある。

社会にはそれぞれの伝統的ジェンダー規範があり、それから逸脱しているとみなされる人々は差別や心身両面での暴力にさらされたり、刑罰や治療の対象とされたりしてきた。今もなお、世界六八か国で同性間性行為が違法とされ、一一か国で最高刑として死刑の適用が可能である（Mendos, pp.193-202）。だが二一世紀に入ると、国連人権理事会（二〇〇六年に国連人権委員会から改組・改称）を中心に、性的マイノリティへの差別を禁じ、尊厳と平等な権利を保障する動きが始まり、南米諸国はそこでの議論をリードしてきた。まず〇三年、ブラジルが同委員会に、性的指向に関係なくすべての人々に人権と自由の保障を求める「人権の推進と保護決議案」を付議した。反対勢力

1　セクシュアリティの多様性の中には、インターセックス（生来、両性の、あるいはどちらかに判別しにくい身体的特徴を持つ人）のＩ、アセクシュアル（誰に対しても恋愛感情を持たない人）のＡ、トランスセクシュアル（性別違和があり、性別適合手術を望む、あるいは受けた人）のＴ、トランスベスタイト（異性装など異性の性表現を行う人）のＴなどがあり、そのアルファベットの頭文字をＬＧＢＴに加えることもある。

によって最終的には取り下げられたが、これを機に性的指向の議論が本格化した。この年には、同性婚がオランダ、ベルギーで、同性シビルユニオンが一〇数か国（一部地域に限定される国も含む）で認められていたにすぎず、ブラジルの州の一つで同性シビルユニオンが合法となったのは、翌〇四年のことである。シビルユニオンとは法的婚姻ではないが、手続きを経たカップルに婚姻と同様の、あるいはそれに類する法的権利を認める制度である。

性的マイノリティの人権保護にとって第一の標石は、二〇〇六年国際人権法専門家会議で策定された「ジョグジャカルタ原則」である。すべての人間は生まれながらにして自由で尊厳と権利において平等であること、しかしSOGIを理由とする深刻な差別や弾圧・人権蹂躙が存在すること、ゆえに国家は法規定においてすべての人権の普遍的享受を保障すべきこと、などが明記された。その後、この原則の後押しもあり、国連人権理事会にいくつかの共同声明が出されたが、それにも南米諸国が関わっていた。〇八年一二月、同理事会発足六〇周年を記念する「人権、SOGIに関する共同声明」の提出にはアルゼンチン、ブラジルが加わり、また一一年の「SOGIにもとづく暴力を終わらせるための共同声明」の代表提出国はコロンビアであった。

第二の標石は二〇一一年六月一七日の国連人権理事会での「人権、性的指向・性自認に関する決議」の採択、およびそれにもとづいて人権高等弁務官事務所が作成した報告書「生まれながらの自由と平等――国際人権法におけるSOGI」である。さらに一四年にはブラジル、チリ、コロンビア、ウルグアイが「人権、SOGIに関する決議」を提案し、一一年報告書のフォローアップを求めた。

このように、SOGIが世界人権宣言第二条の「いかなる事由による差別も受けることなく、宣言に掲げるすべての権利と自由を享受できる」属性の一つであるとする認識が形成され、国際人権法を根拠にSOGIのいかんにかかわらず平等な権利を保障し、差別・暴力を禁じることが各国政府の義務としてとらえられるようになった。だが同時に、家族のあり方はそれぞれの文化によって異なり、文化的権利として尊重されるべきであるという主張もある。歴史的に多くの社会の秩序が男女の二分化、異性間性愛、それを覆う家父長制の上に築かれてきたために、性的マイノリティを対等な存在として受容することは容易ではない。実際に、国家間ではロシア・東欧・イスラム諸国と西欧諸国の間で主張が相容れず、地域社会・家族・個人のレベルでも深刻な対立・葛藤が生じている。また近年では、同性シビルユニオンや同性婚、あるいは同性カップルの養子縁組や性別違和を感じる人々の氏名・性別の法的変更などが、政治的争点となっている。以下、ＬＧＢＴの権利保障をめぐるラテンアメリカ地域の歩みと現状を、アルゼンチン、ブラジル、メキシコの事例を中心に見ていこう。

二　ラテンアメリカにおける胎動

カトリシズムの価値観が広く浸透し、マチスモ・マリアニスモの伝統があるラテンアメリカ地域は、決して性的マイノリティに寛容な社会とはいえない。カトリック教会は同性愛を「神に対する罪」とみなし、植民地時代には同性愛者を厳罰に処してきた。現在も教会は同性愛を認めていないが、罪人というよりは司牧的ケアや家族による包摂が必要な、救済すべき対象として同性愛者をとらえるようになっている。マチスモ・マリアニスモとは、男らしさの誇示を男性に求め、家族を守る慈悲深い母親像を女性に求める男女の行動規範である。それゆえに、マチスモの伝統のもとでホモフォビア（同性愛嫌悪）、ＬＧＢＴへの差別や蔑視が醸成されてきた。

二〇世紀初頭までには、ラテンアメリカの大都市にゲイ・コミュニティが形成されていた。だが警察の取り締まりや社会、家族の暴力を避けて、その多くは自らの性的指向や性別違和を隠した生活を送っていた。そのような人々が社会に姿を現し始めるのは一九七〇年代のことである。ラテンアメリカ初の当事者組織は六七年にアルゼンチンの首都ブエノスアイレスで発足した「我らの世界」である。それはＬＧＢＴ運動の嚆矢とされるニューヨークのゲイバー「ストンウォール・イン」での暴動の二年前のことであったが、警察の手入れに端を発するこの事件を機にニューヨークやロンドンでゲイの組織化が始まると、その波がラテンアメリカ地域にも及んだ。七一年には

「我らの世界」は学生や知識人の参加を得て「同性愛者解放戦線」（ＦＬＨ）となり、メキシコでも首都で同年に同名の組織が結成された。

メキシコでは一九二〇年代末から、権威主義的ではあったが文民統治が続き、七〇年代、八〇年代にも限定的ながら市民の自由があった。そのため、さまざまな組織が誕生し、七九年にはラテンアメリカ初のプライドマーチ（ＬＧＢＴの権利を要求するデモ。近年はその文化を披露する祝祭となっている）が行われた。さらに八二年の大統領選挙ではゲイ、レズビアンの主要グループが左派の労働者革命党（ＰＲＴ）に接近し、同党の大統領候補となった人権活動家のロサリオ・イバラを支援するとともに、下院選にはゲイを公表する候補者が出馬した（Díez, pp.76-77,88-89）。

一九六〇年代半ばから八〇年代にかけて、メキシコ、コスタリカ、コロンビア、ベネズエラを除く多くのラテンアメリカ諸国は軍政を経験した。軍政は伝統的家族や性別分業などの保守的価値観を重視し、性的マイノリティへの締めつけを強めた。アルゼンチンではＦＬＨが七六年に解散し、ラテンアメリカ初のゲイ雑誌『私たちは』（ＳＯＭＯＳ）も通巻八号で幕を閉じた。

ブラジルでは軍の弾圧が性的マイノリティに向けられたわけではなかったが、一九七〇年代初頭から反政府活動への取り締まりが厳しくなる状況下で、権利要求の声を上げるのは難しく組織化が遅れた。しかし軍政末期になると、民主化要求の高まりとともに、同国初の同性愛者権利要求グループがサンパウロで活動を始め、七八年にはアルゼンチンのゲイ雑誌と同名の組織「私たちは」（ＳＯＭＯＳ）に名称を変えた。ＳＯＭＯＳは八〇年代以降、左派の労働者党（ＰＴ）との連携を強め、八二年の総選挙では六人のゲイ候補者を擁立した。ＰＴは性的指向にもとづく差別の禁止を憲法に明示することに賛同する唯一の政党であり、同性愛を疾病とみなす世界保健機関（ＷＨＯ）の分類基準を人権侵害として批判していた。その後八七年には「バイア・ゲイグループ」（ＧＧＢ、八〇年にバイア州で発足）がラテンアメリカ初の政府の公認団体となったが、運動全体は衰退へと向かった。その背景には資金不足という組織内の問題と、経済不況やＨＩＶ／ＡＩＤＳの広がりという外的環境の変化があった（Encarnación, pp.161-168）。

アルゼンチンでは一九八四年に「アルゼンチン同性愛者共同体」（ＣＨＡ）が発足した。ＣＨＡは社会への呼びかけを積極的に行い、一般誌『七日間』（*Siete Días*）において「アルゼンチンで同性愛者であることの危険性」と題する特集が組まれたときには、二人の指導者が表紙を飾った。またＣＨＡは「自らのセクシュアリティを表現する自由は人権である」という標語を掲げ、八四、八五年の二度にわたって全国紙に「差別や抑圧のあるところに民主主義はない」という声明を出した（Díez, pp.80-82）。このようにＣＨＡは、早い段階から、自らの活動を民主主義や人権に関わる権利要求として位置づけ、広く人権運動や民主化運動と連携を図ろうとしていた。

三　ＨＩＶ／ＡＩＤＳを越えて

一九八〇年代半ば以降の動きとして特筆されるのは、ＨＩＶ／ＡＩＤＳの拡大によりゲイの可視化が進んだことである。当初、その対応に消極的だったラテンアメリカ各国政府も九〇年代に入ると、内外の圧力とＷＨＯをはじめとする国際機関の支援を受けて、その治療と予防対策に動き出した。

一九八二年、ラテンアメリカ地域で最初にＨＩＶ感染が報告されたブラジルでは、翌年に「エイズ予防支援グループ」（ＧＡＰＡ）がサンパウロ保健省によって開設され、活動を開始した。地方政府に比べて対応が遅れた連邦政府も、感染者が急増し事態が深刻化すると、ようやくＧＡＰＡをモデルにしたエイズ国家プログラム（ＰＮＤＡ）を立ち上げ、九六年の連邦法によって感染者の投薬治療の無料化、普遍化を定めた。二〇〇〇年代半ばまでにブラジルでの感染は国際機関の予測の半分にまで抑えられたが、それを支えたのは感染防止対策の必要性を訴え、政府に積極的に協力した同性愛者や人権活動家たちであった。彼らは健康へのアクセスを保障する一九八八年憲法の条項に準拠して、エイズ治療が人権であることを主張した。政府とゲイ団体の連携は後者の非政府組織（ＮＧＯ）化を促進し、九五年には三〇〇のＬＧＢＴグループが参加する「ブラジルＬＧＢＴ連合」（ＡＢＧＬＴ）が発足した。だがその一方で、政府との緊密な関係は当事者団体・支援団体の政権批判や広い視点に立ったアドボカシー（政策提言）能力を弱めることにもなった（Encarnación, pp.173-176）。

アルゼンチンでも国内外の圧力により、ようやく一九九〇年に国家エイズ法が制定され、治療に関する個人の決定権、医師・患者の守秘義務、ＨＩＶ感染者への差別禁止、情報・教育の提供が定められた。さらに九四年の法律により、すべての医療機関がエイズ治療を行い、患者自身の支払いが困難な場合には保健省が医療費を支払うことにもなった。だが、当時の大統領メネムは人権への関心が薄く、同性愛を嫌悪していたために対策に遅れが生じた。それとは対照的に、八〇年代から国際機関やＮＧＯの支援を受けながら予防活動を一手に引き受けたのは、九二年に政府公認団体となったＣＨＡである。こうしてＣＨＡの活動の中心は、ホモフォビアやゲイ差別への啓発活動や平等な権利の要求などからエイズ対策と予防教育に移っていった。

一九九〇年代初頭にはＣＨＡとは路線の異なるいくつかの新組織が誕生した。その一つ、ＣＨＡの元指導者によって九二年に発足した「ゲイ・レズビアン統合協会」（ＳＩＧＬＡ）は、ＣＨＡには性的マイノリティの市民権のための直接的アプローチが乏しいことに批判的であった。同じくＣＨＡの元代表が立ち上げた「ゲイに市民権を」（ＧａｙｓＤＣ）は、ＬＧＢＴコミュニティの中でも周縁的なトランスジェンダー、異性装者を含めたすべての性的マイノリティを代表する組織として、民法改正、同性間関係の承認、差別禁止立法などを目的に掲げた。だが九七年にＧａｙｓＤＣはＣＨＡに統合され（創設者のエイズでの死亡がきっかけになったと思われる）、その後のＣＨＡはゲイ・コミュニティの市民権を求める最前線の組織になっていく（Encarnación, pp.118-124）。

メキシコでは一九八〇年代半ばに、革命主義か改革主義か、フェミニストの立場を取るか否か、という方向性をめぐって組織間対立が深まっており、さらにこれに経済危機とエイズ危機が重なって、セクシュアリティ運動全体が衰退した。新たな組織も活動を始めたが、ＨＩＶ／ＡＩＤＳに関する情報やサービスの提供など、目の前の課題への対応に追われた。こうして八〇年代初頭に他国に先んじていたメキシコのセクシュアリティ運動は裏舞台へと退却した。しかし、ＨＩＶ／ＡＩＤＳ対策に取り組む中で、当事者・支援団体と政府や国際機関との間には新しい協力関係が構築されていった。また九六年には、二五〇団体が参加するセクター横断的な「民主主義とセクシュアリティ・ネットワーク」（ＤＥＭＹＳＥＸ）が発足した。それには性の権利、リプロダクティブ・ライツ（性と生殖の自己決定権）を求める団体や人権団体なども加わっていた。メキシコでは八三年の憲法改正により、すでに一二三条において健康は人権として位置づけられていたが、九〇年代以降はＨＩＶ感染者やエイズ発症者の健康へのアクセスだけでなく、セクシュアリティも人権と結びつけて解釈されるようになっていった（Díez, pp.92-94）。

これら三か国ではＨＩＶ／ＡＩＤＳの広がりがゲイ・コミュニティの存在を可視化し、政府機関、国際機関、内外のＮＧＯおよび当事者組織間の連携を強化した。しかし、関心がエイズに特化したことは、ゲイを政策的に優先し、セクシュアリティの多様性への視野をせばめただけでなく、ＮＧＯの政府からの自立性を損なうことにもなった。だが他方で人々の人権意識を高め、人権概念をＬＧＢＴの権利獲得のための新たな戦略へとつなげたことも否定できない。権威主義体制が終わり民主化が進む中、これらの運動は新たに形成された市民社会と目標の共有を図ることによって、運動への理解と支持を社会全体に広げたといえる。またエイズを発症した多くの同性カップルが入院や死去に際して異性カップルとは異なる扱いを受けた経験から、同性パートナーへの公的社会保障の給付などが喫緊の課題になっていった。

四　権利保障の歩み

二〇二〇年五月の時点でのラテンアメリカ諸国におけるＬＧＢＴの権利保障の現状は次頁**表1**のようにまとめら

表1　ラテンアメリカ諸国における権利保障の現状

合法化された事項	当該国（施行年）
同性婚	アルゼンチン（2010）、ブラジル（2013）、ウルグアイ（2013）、コロンビア（2016）、コスタリカ（2020）、メキシコ[1]（2010）
同性シビルユニオン・同性パートナーシップ	エクアドル（2008）、ウルグアイ（2008）、コロンビア（2011）、ブラジル（2015）、チリ（2015）、アルゼンチン[4]（2002～）、メキシコ[4]（2007～）
同性カップルの養子縁組	アルゼンチン（2010）、ブラジル（2010）、ウルグアイ（2013）、コロンビア（2015）、コスタリカ（2020）、メキシコ[4]（2010）
氏名・性別の法的変更	アルゼンチン、ボリビア、ブラジル、チリ、コロンビア、コスタリカ、キューバ[2]、エクアドル、パナマ[2]、ペルー[3]、ウルグアイ、メキシコ[4]

（注）1）一部州・都市のみだが、実質的には全国的に承認。2）氏名・性別変更には医療行為が必要。3）氏名・性別変更には司法判断が必要。4）一部の州・都市のみ。
（出所）Mendos, pp.270, 278-296 および LGBT Rights in the Americas(Wikipedia)［氏名・性別の法的変更のみ参照。最終閲覧日2020年８月12日］より作成。

れる。本節で取り上げるアルゼンチン、ブラジル、メキシコの三か国には、当事者組織、市民運動組織の活動やその間の協力があり、ＬＧＢＴの権利が平等・人権・民主主義と関連づけて主張されたという共通性があるが、同性婚合法化の過程はそれぞれで異なっている。アルゼンチンが議会による法改正を通して実現したのに対して、ブラジルでは法改正がないまま最高裁判決によって認められている。またメキシコの場合は連邦民法のほかに各州が民法を定めているため、現在、合法州と非合法州が混在しているが、合法州での婚姻は国内のどこでも有効であるという最高裁裁定によって、法的には全国的に同性婚が保障されている。これら三か国の権利保障への道のりを見てみよう。

アルゼンチン

一九九四年にブエノスアイレス市に政治的自治が認められ、市長の直接選挙および市議会による法令の制定が可能になると、活動家たちは市の新憲法の差別禁止条項に性的指向を盛り込むよう、議会に働きかけた。強硬な反対意見があったが、九六年発効の市の憲法第一一条には、人種、エスニシティ、ジェンダー、年齢、宗教、信条、国籍、障がいなどの他に、差別を禁じる理由の一つとして性的指向が、ラテンアメリカ地域で初めて明記された（Encarnación, pp.124-125 / Díez, pp.114-115）。
一九九九年にフランスで、性別を問わず共同生活を営むカップルに法的婚姻と同等の権利を認める制度が法制化されると、その影響を受けて、アルゼンチンでも同様の権利要求が強まり、二〇〇二年、ブエノスアイレス市でシビルユニオンが合法となった。これにより少なくとも二年間結婚に類する同居を継続したカップルに、異性・同性を問わず、年金、医療保険、入院時の付き添いなどが認められた。合法化をめぐっては、家族に関する民法を改正する権限が市議会にあるのかといった疑問の声や、宗教関係者による道徳論的な反対もあった。しかし推進派は、それが家族の問題ではなく、愛情、セクシュアリティ、関係性のルールの問題であること、および異性カップルをも対象とする立法であることを強調し、あくまでも「人権」や「平等」の視点から世論に訴え、議会を動かしていった。ブエノスアイレスの決定に続く州や市も現れた。また、連邦レベルでも、〇八年には五年以上の共同生活を継続しているカップルに対してパートナー死亡時の年金受給が、また〇九年にはゲイの軍役が認められるなど、権利の拡大がみられた。

さらに、スペインにおいて同性婚が合法化(二〇〇五年)され、「結婚の平等」が保障されたことが、アルゼンチンの権利要求運動を一歩前に進めた。翌〇六年に組織されたNGO組織「LGBTアルゼンチン連合」(FALGBT)は、スペインのNGOから資金や専門的助言を受けながら、「結婚の平等」を目指し始めた。セクシュアリティ運動を長年牽引してきたCHAは、当時シビルユニオン法制の全国化を求めていた。これに対してFALGBTは同性間と異性間で異なった制度はありえず、要求をシビルユニオンにとどめることは分離主義的、差別主義的であると批判した。最終的にはCHAが歩み寄り、同性婚の法制化が国政の場での議論に持ち込まれた。

二〇〇七年の同性婚法案は否決されたが、〇九年に再度、民法上の結婚を「男女」から「契約関係にある人々」に修正する法案が議会に提出された。これにはカトリック教会が激しく反対した。アルゼンチン出身のベルゴリオ枢機卿(一三年からローマ教皇フランシスコ)は、「神の計画を破壊するもの」として法案を強く非難し、「父母を持つ子どもの権利」を主張する六万人もの人々が議会に押し寄せた。しかし、カトリック教会の過剰な圧力は、逆に軍政下で市民の弾圧を容認した教会の過去を想起させることにもなった。他方、推進派は主要な市民組織、労働総同盟（ＣＧＴ）などから支持を取り付けた。当時の大統領フェルナンデスも「同性婚は人権問題であり、反対者は民主的ではない」「シビルユニオンは二級市民の烙印を押すもの」と発言し、同性婚を支持した。議会での議決直前に実施された世論調査では、七〇％が同性婚を認めているという結果が出た。市民が共有する軍政との闘いの記憶と強い平等・人権意識、そして市民組織、当事者組織の丁寧な説明や説得が人々を支持へと動かしたのである。結果、法案は賛成一二六、反対一一〇、棄権四で下院を通過し、地方票の強い上院でも賛成三三、反対二七、棄権三、欠席九で可決された（Encarnacíon, pp.126-130, 133-148 / Díez, pp.117-150）。だが、この議決数は同性婚が圧倒的多数で合法化されたわけではないことを物語っている。

ブラジル

一九八〇年代からブラジルのＬＧＢＴ組織はＰＴと連携して政策策定に関与しようとしていたが、政党や政治家にとっては選挙がすべてに優先したため、反対票につながりやすい「道徳」に関わるテーマはしばしば後退した。九四年、九八年の大統領選挙では、ブラジル社会民主党（ＰＳＤＢ）のカルドーゾとルーラ（ＰＴ）の一騎打ちとなった。いずれもカルドーゾの勝利に終わったが、ルーラは九四年選挙で同性シビルユニオン支持を取り下げ、九八年選挙では同性婚および人工中絶への反対を表明した。他方、カルドーゾも九八年選挙では同性シビルユニオンを支持したものの、政権中にそれを進めることはなかった。

二〇〇二年の大統領選挙でルーラが勝利し、〇三年に同政権が発足すると、議会ではアライ（性的マイノリティの理解者・支援者）であるＰＴおよび左派系議員八五人（全議席数は五一三）によって、自らの性表現の自由を求める「議会戦線」が結成された。しかし二期八年間のルーラ政権下で、権利保障に関する重要な法案は何一つ議会を通過しなかった。〇四年に始まった「ホモフォビアのないブラジル」プログラムは予算が不足し、〇六年には性的指向を含む「差別禁止法」が下院を通過したものの、上院で頓挫した。このように進展しない背景には議会内保守派（多くはプロテスタント系エバンジェリカル派［福音派］）の反対とルーラ自身のエバンジェリカル派への配慮があった（彼が〇二年の選挙で副大統領に指名した人物はエバンジェリカルであった）。ルーラはようやく政権末の〇八年になって動き始めた。この年にブラジル初の性的マイノリティの全国大会が開催され、同性シビルユニオンの合法化、同性カップルの養子縁組、ダイバーシティ教育など、五五項目の政策が要求された。大会に参加したルーラはホモフォビアを批判し、国家ＬＧＢＴ協議会の設置を約束した（Encarnación, pp.172-181）。だが政局はすでに次期大統領選挙へと移っていた。

二〇一〇年の大統領選挙では、隣国アルゼンチンで同性婚が合法化されたこともあり、ブラジルでもＬＧＢＴの権利の平等化が争点の一つとなった。しかしＰＴのルセフ候補（一一―一六年大統領）は「シビルユニオンには賛成するが、同性婚は宗教の問題である」と発言するなど、消極的であった。また連邦議会もエバンジェリカル議員の進出により保守化していた。このように行政府も立法府も手詰り状態の中で、突破口を開けたのは司法であった。連邦最高裁は訴訟判決で、一〇年には同性カップルの養子縁組の権利を、翌一一年には同性・異性カップルの法的平等を認め、「セクシュアリティの自由は個人の表現の自由の一部であること」を明言した。そして一三年に、司法を統括する国家司法協議会が同性婚を連邦全体で承認するという判断を下した。

最高裁判決の伏線となったのは、二〇一〇年に発足した「性・ジェンダーの多様性を求める法律家グループ」（ＧＡＤｖＳ）による憲法の新たな解釈である。一九八八年憲法制定の際に、ブラジルのＬＧＢＴ組織や人権団体は性的指向を差別禁止条項に明示することを強く望んだが、保守系議員の反対によってかなわず、現在も同条項の文言は「いかなる形態の差別をも禁ずる」という表現にとどまっている。そのため、当事者組織や支援組織は憲法の条項改正に固執してきた。ところがこの運動方針に疑問を感じていた法律家グループは、憲法の他のさまざまな条項によって「すでにゲイ差別は禁じられている」だけでなく、国家による家族の保護を規定した二六条によって「同性、異性を問わず、カップルが家族という愛情ある安定的な関係を望んでいるならば、国家にはそれを保護する義務がある」として、家族を形成する権利の平等という新たな視点とそれにもとづく戦略をＬＧＢＴ運動に提示した（Encarnacíon, pp.181-186）。そして、それを論拠に同性カップルが起こした訴訟に対して、先の最高裁判決、国家司法協議会の裁定が下されたのである。

だが、近年のブラジルでは議会でのエバンジェリカル派の勢力拡大および保守的なボルソナーロ政権（二〇一九年―）の誕生により、ＬＧＢＴの権利保障をめぐる対立は激しさを増している。

メキシコ

権利保障の根拠が立法か司法かという観点からみると、メキシコはアルゼンチンとブラジルの間に位置している。メキシコでは三二州（メキシコシティを含む）のうち、メキシコシティ（二〇一六年までは連邦区）および一八州（加えて三州では市レベルにおいて）では、州法により同性婚が認められているが、その他の州では最高裁判決がこれを保障しているからである。二〇世紀末から連邦政府はグローバルな価値を意識し始め、二一世紀に入ってから人権や差別に配慮した法改正を積極的に実施してきた。〇一年に改正された憲法第一条では、差別が禁止される諸事項の中に「指向」（ただし嗜好を意味するpreferencesが用いられている）が盛り込まれた。〇三年の「差別防止撤廃法」では「指向」が「性的指向」（sexual preferences）という言葉に置き換えられて、服装、話し方などを理由とする精神的・肉体的アビューズ（虐待など）、アウティング（本人の了解なしに性的指向等を第三者に明かすこと）なども差別行為として明記された。だが、同性シビルユニオンや同性婚の議論を主導したのは国ではなく、メキシコシティの議会と市民運動であった。

その背景には、それまで連邦直轄の連邦区として独自の議会さえも持たなかったメキシコシティが自治を獲得し、一九八七年に連邦区議会（現在は市議会）が設置され、九六年には市民の直接選挙による市長選出が可能になったことがある。当時のメキシコでは二〇年代末以降、国家を支配してきた制度的革命党（ＰＲＩ）の勢力が衰える一方で、左派の民主革命党（ＰＲＤ）が第三の政党として勢力を拡大していたが、このＰＲＤの地盤がメキシコシティであった。

一九九八年に連邦区議会は「第一回性的多様性と人権に関するフォーラム」を開催し、同性愛者への差別撤廃、同性カップルへの社会保障、同性婚の合法化を三つの優先目標に定めた。またフォーラムに七〇もの団体が参加したことにより、その間のネットワーク化が進んだ。同年には連邦区刑法の改正により同性愛者への差別的表現が関連条項から削除された。しかし、二〇〇一年のシビルユニオンに関する法案は否決された。それはＰＲＤ内の保守派である市長のロペス＝オブラドール（一八年より大統領）が反対票の取りまとめに動いたことによる。メキシコでは政教分離の歴史が長いが、市長にはカトリック教会とのつながりがあった（近年はエバンジェリカルとの結びつきも問題視されている）。

二〇〇六年にマルセロ・エブラル（ＰＲＤ）が市長に就任すると事態は急展開し、同年一二月にシビルユニオン法（同居法）が連邦区議会で可決され、翌年三月に発効した。この法律は永続的かつ相互扶助的に共同生活を送る成人二名（性別不問）に、法務局への登録を条件に、相互扶助権、相続権、後見人資格等を認めるものである。連邦区議会はまた、〇九年に民法を改正し、同性婚およびその養子縁組を承認した。議員総数六六人中、同性婚に関しては賛成三九、反対二〇、養子縁組禁止事項の廃止に関しては賛成三一、反対二二であった。その他、エブラル市政の下では人工中絶の合法化、離婚手続きの簡略化なども取り決められた（Díez, pp.152-154, 161-164）。

連邦区のこのような一連の「道徳」改革は、カトリック教会やその関連団体から強い反発を招いた。当時のカルデロン政権はカトリック教会とのつながりの深い、中道右派の国民行動党（ＰＡＮ）が率いていた。そのため、連邦区の動きは深刻な脅威そのものであった。実際に、同大統領は二〇〇八年に中絶の合法化を最高裁に違憲であると訴えたが、最高裁は八対三で連邦区議会の決定を合憲とした。その一方で、ＰＡＮが支配する州では州憲法を改正して、胎児の生命保護を新たに盛り込むなど、連邦区の決定に抗する措置が講じられた。さらに一〇年、再びカルデロンは「父母からなる家庭を持つ子どもの権利」「子どもに与える精神的問題」を理由に、連邦区が認めた同性カップルの養子縁組の違憲性を最高裁に訴えた。これに対しても最高裁は九対二で合憲とし、さらに連邦区で結婚した同性カップルが他州に移動しても婚姻は有効であると裁定した（Díez, pp.189-193）。その後、一六年には当時の大統領ペーニャ＝ニエト（ＰＲＩ）が同性婚の承認を含む憲法改正を下院憲法審議会に付議した。しかし反対一九、賛成八、棄権一で却下されたために、国全体の法整備にはいまだ至っていない。

五　バックラッシュとジェンダー・イデオロギー

二〇一八年はラテンアメリカ地域において同性婚承認の動きが加速するかにみえた一年であった。まず一月に米州機構（ＯＡＳ）の司法機関「米州人権裁判所」が「勧告的意見」として、米州人権条約には同性婚の権利保障と婚姻から派生する諸権利の保障が含まれていることを確認し、批准国すべてにその権利保障を履行するよう勧告した。加えてトランスジェンダーの人々の氏名・性別の法的変更が迅速かつ容易に行えるように制度を整えるべきとの見解も示した。同性間のシビルユニオンや婚姻の可否をめぐって混乱が続いていたコスタリカでは、四月の大統領選の決選投票で合法化推進派の大統領が選出され、八月に最高裁で同性婚禁止に違憲判決が下され、性別変更が合法とされた（二〇年五月に同国は世界で二八番目の同性婚承認国となった）。ホモフォビアの傾向が強いキューバでも憲法改正の議論の中で同性婚の合法化が取り上げられた。だが一九年の改正憲法の中に盛り込まれることは見送られた。このようにラテンアメリカ全体では一進一退の状況であった。しかし、憂慮されるのは一五年以降、ブラジル、チリ、メキシコ、ペルーなどにおいて、同性愛や性的越境に反対する大規模なデモが起きるなど、バックラッシュ（揺り戻し）が強まっていることである。

性的マイノリティに対する差別が禁止され、権利の平等化が進み、同性愛が病理でないことが医学的な常識にな

表2　同性婚に関する世論

(%)

	同性婚の合法／非合法	同性婚に賛成			同性婚に反対		
		全体	年齢別		全体	キリスト教宗派別	
			18－34歳	35歳以上		カトリック	プロテスタント
アルゼンチン	合法	52	65	44	40	39	62
ブラジル	合法	45	56	37	48	43	66
メキシコ	合法	49	63	40	43	42	62
ウルグアイ	合法	62	75	56	31	33	59
エルサルバドル	非合法	11	16	8	81	81	88
グアテマラ	非合法	12	15	10	82	77	88
ホンジュラス	非合法	13	16	9	83	82	85
ニカラグア	非合法	17	22	12	77	70	85

（出所）Pew Research Center.

ろうとも、人々の心情は複雑である。警察権力や個人的な暴力は後を絶たず、「バイア・ゲイグループ」（GGB）の報告書によれば、ブラジルでは二〇一八年に少なくとも四二〇人がSOGIを理由に殺害され、毎年、被害者数が世界一という不名誉が続いている。

同性婚の賛否に関するピュー研究所（米国の無党派のシンクタンク）の調査結果（二〇一四年）を見てみよう（**表2**）。同性婚が合法化されたアルゼンチン、ブラジル、メキシコでも同性婚への反対は四〇％台に上り、権利保障が遅れているホンジュラス、グアテマラ、エルサルバドルでは八〇％以上が反対している。世代別でみると、どこの国でも一八－三四歳と三五歳以上の年齢層には差があり、若い世代は比較的寛容であるが、エルサルバドル、ホンジュラス、グアテマラでは若い世代でも賛成は一五、一六％と極端に少ない。

キリスト教宗派別では、カトリック教徒のほうがプロテスタントよりも同性婚に対して寛容であり、その傾向は同性婚合法国で顕著である。カトリック教徒は二〇〇〇年にラテンアメリカ人口の約九〇％、一四年には約七〇％を占めていた。近年、一部のカトリック聖職者は同性愛、同性シビルユニオンを容認するようになっており[2]、そのことが信者の姿

2　二〇二〇年一〇月、教皇フランシスコがドキュメンタリー映画の中で、同性カップルのシビルユニオンを支持する発言をしていることが世界中に発信された。しかし、カトリック教会の同性愛に関する公式見解が見直され、同性婚の容認にまで至るかは予断を許さない。

勢に影響しているのかもしれない。一方プロテスタントは、人口構成比は小さいものの、二一世紀に入ってからその勢力を急速に拡大している。とくにエバンジェリカル派の一部が、ＬＧＢＴの権利保障などの動きを「道徳の危機」として争点化し、支持を集めている。その宗派のルーツは宗教改革にまでさかのぼるが、一九世紀の米国で勢力を強め、二〇世紀初頭にラテンアメリカに流入した。その後、さらにそこからペンテコステ、ネオテンペコステと呼ばれる一派が形成されるが、一九八〇年代以降、ラテンアメリカ地域で政治介入を強めているのはネオペンテコステ派である。

エバンジェリカル、（ネオ）ペンテコステ派もその教義や布教内容は多様で、教会単位で活動しているため、カトリック教会のような統一的な組織は持たない。各宗派の定義や区別が難しいため、スペイン語で「エバンヘリコ」と総称されることも多い。だが、聖書の一部分を絶対視し、使命感が強く、セクシュアリティ・家族といったテーマに関しては保守的で、牧師の教えに従順である、という共通の特徴があるといわれる。また、ペンテコステ教会は癒し、浄化などの個人の霊的体験を重視している。いわゆる「エバンヘリコ」信者数は一九八〇年以前にはラテンアメリカ人口の四％以下であったが、近年は二〇％を占めるに至っている（Corrales, p.12）。

エバンジェリカルは人々の宗教離れ（世俗化）、同性婚や人工中絶などに抗するために、カトリック教会と手を組むこともある。また、それは独自の政党を持たないが、既存の政党との関係を密にして、たくみに政治の場に入り込んでいる。ブラジルでは二〇一八年の大統領選挙で、ホモフォビアを公言してはばからないボルソナーロ候補を支え、議会では九四人のエバンジェリカル議員が超党派ブロックを形成している。同年のコスタリカの大統領選挙では、同性婚への反対を表明するエバンジェリカルのファブリシオ・アルバラドが敗北はしたものの、四〇％もの得票を得た。プロテスタント人口が国民の三〇％以上を占めるグアテマラでは、エバンジェリカルのモラレスが一六―二〇年の期間、大統領の職にあった。さらに一八年のメキシコの大統領選挙でも、保守・革新を問わず各政党は宗教的指導者にロビー活動を行ったといわれている。エバンジェリカルの潤沢な資金と幅広い支持層が、選挙に勝つために不可欠な要素となり、選挙のたびに政党と宗教団体は新たな同盟を模索するようになっている。

このような宗教的保守派が攻撃の標的にしているのがジェンダー・イデオロギーである。それは、性やジェンダーの流動性、あるいは多様性の容認を求める動きに対して、反対する人々が貼りつけたラベルである。カトリックもエバンジェリカルも聖書を根拠に、また生物学的・解剖学的にも自明な真理であるとして、男女の二分化を絶対視している。このように考える人々にとってセクシュアリティの多様性はとうてい容認できるものではない。そして、そのような「危険なイデオロギー」から子どもたちを守ること、子どもに何を学ばせるのかを決めるのは親の権利であることを、宗教的指導者たちは声高に主張している（Corrales, pp.15-16）。

このような主張は急激な家族観の変化に不安をおぼえ、伝統的な道徳観に固執する人々の感情と共鳴しやすい。また国際舞台で、個々の文化や家族のあり方が尊重されるべきことを論拠に、ＬＧＢＴの人々の人権を否定する国々の姿勢とも重なる。

おわりに

アルゼンチン、ブラジル、メキシコなどにおけるＬＧＢＴの人々に対する対等な権利保障は、民主主義や人権などの普遍的な価値を追求する過程で実現した。そこには、国際社会の共通の価値に敏感に反応するだけでなく、むしろそれを牽引しようとするラテンアメリカ諸国の意気込みが感じられる。しかし、民政移管から三〇余年が経過した今日、地域には貧困・格差、暴力、政治腐敗が蔓延し、失望感が広がっている。その中で、人々は理性よりも感情・感覚に訴える発言を、共存よりも自己利益を、平等より差別化を歓迎する傾向にある。そして、それがＬＧＢＴの人々の権利の平等化に対するバックラッシュにもつながっている。

道徳・倫理として人々に内面化された価値観に急速な変化を期待するのは難しい。しかし、法制化が人々の意識に変化をもたらすこともラテンアメリカの事例は示している。**表2**で示したように、同性婚が認められた四か国の若い世代では、六〇―七五％がそれを支持している。世代交代は将来の変化に期待を持たせる要因の一つである。だが、「ジェンダー・イデオロギーたたき」ともいえる現象の広がりの根底には貧困・暴力・腐敗などのさまざまな問題が複雑に絡み合っていることから、世代交代だけに希望を託すわけにもいかない。

日本はＧ７（先進七か国首脳会議）構成国の中で同性婚が認められていない唯一の国であり、トランスジェンダーの性別変更には外科手術をともなう厳しい条件が課されている。だがその事実をとくに問題視しないばかりか、日本には同性愛や異性装に対して寛容な歴史や文化があるとみなす風潮すらある。日本政府は過去三回、国連人権理事会からＵＰＲ（普遍的・定期的レビュー）の中でさまざまな人権問題を指摘され、国際規約を批准し、適切な立法や措置を講じるよう勧告されてきた。その中にはジェンダーやＳＯＧＩにもとづく差別や暴力、子どもの人権軽視、外国人への人種主義的排斥、先住民族差別などの問題も含まれている（外務省）。それにもかかわらず、政府には真摯に取り組む意思が乏しいように見える。日本は差別や人権への感受性が鈍く、現実を自覚しない国といえるかもしれない。本章で取り上げたラテンアメリカ三か国の経験は、ＬＧＢＴの権利保障には国家や国民レベルの人権・平等意識の醸成と、それを支える市民社会の存在が不可欠であることを示している。日本はＬＧＢＴの人々が直面してきた厳しい現実を認識し始め、その是正へと向かう入り口に立ったところである。権利の平等が実現するまでの道のりは長いが、まずは国や人々がより強く「人権」を意識し、それを言動の中心に置くことが必要であると思う。

参考文献

外務省「ＵＰＲ（普遍的・定期的レビュー）概要」（mofa.go.jp）
Corrales, Javier [2019] "The Expansion of LGBT Rights in Latin America and the Backlash", Bosia, Michael J. et al. eds. *The Oxford Handbook of*

Global LGBT and Sexual Diversity Politics, Oxford University Press, printed from Oxford Handbook, Online (www.oxfordhandbooks.com)
Díez, Jordi [2015] *The Politics of Gay Marriage in Latin America: Argentina, Chile, and Mexico*, New York: Cambridge University Press.
Encarnación, Omar G. [2016] *Out in the Periphery: Latin America's Gay Rights Revolution*, New York: Oxford University.
Mendos, Lucas Ramón [2019] *State-Sponsored Homophobia 2019 13th Edition*, ILGA World (The International Lesbian, Gay, Bisexual, and Intersex Association, ilga.org)
Pew Research Center [2014] "Social Attitudes", *Religion in Latin America* (https://www.pewforum.org/2014/11/13/chapter5-social-attitudes/ 最終閲覧日二〇一九年九月一八日)。

日本語文献案内

谷口洋幸［二〇一七］「ＬＧＢＴ／ＳＯＧＩの人権と文化多様性」北村泰三・西海真樹編『文化多様性と国際法—人権と開発を拠点として』（日本比較法研究所研究叢書一一二）中央大学出版部、二二五—二四一頁。同［二〇一五］「国連と性的指向・性自認」『国連研究』第一六号、一二三—一四〇頁。いずれの論文も国連におけるＬＧＢＴ／ＳＯＧＩをめぐる議論を国際人権法の視点から詳細に論じている。

二宮周平編［二〇一七］『性の在り方の多様性—一人ひとりのセクシュアリティが大切にされる社会を目指して』日本評論社。日本における具体的な支援活動、性的自己決定と性別変更、同性カップルによる家族形成、およびＳＯＧＩと人権に関する世界の動きが論じられている。

畑惠子［二〇一九］「性的マイノリティと人権—国際社会、日本、ラテンアメリカ」『福祉社会へのアプローチ』下巻、成文堂、二七七—三〇三頁。国連での議論、ＳＯＧＩの脱病理化の過程、ラテンアメリカ主要国の動向の概要をまとめた論文。

マルテル、フレデリック［二〇一六］『現地レポート　世界ＬＧＢＴレポート—変わりつつある人権と文化の地政学』林なる芽訳、岩波書店。人権と文化を基軸としたラテンアメリカ一〇か国を含む世界五〇か国以上の調査にもとづく報告書。世界の動きを理解するために有用な一冊。

＊本章は科学研究費助成事業による研究成果の一部である（課題番号１９Ｈ０４３７１）

Column2

ジェンダー平等への取り組み

畑惠子

日本は世界で男女格差が最も大きい国の一つである。『グローバル・ジェンダーギャップ報告二〇二〇年版』（世界経済フォーラム）によれば、日本の平等度は一五三か国中一二一位で、前年よりもさらに順位を落とした。順位は経済、教育、健康、政治の四領域の複数の項目における男女格差を数値化したジェンダー格差指数（ＧＧＩ）にもとづくものだが、日本の平等度は賃金、高等教育および政治の全項目（議会、閣僚、および過去五年間の国家首脳に占める女性比率）において世界平均を下回り、なかでも政治領域は一四四位と、世界の最下位に近い。

他方、地域別にＧＧＩを見ると、ラテンアメリカ・カリブは世界八地域中第三位で、西ヨーロッパ、北米に次いで平等度が高い。ニカラグア五位、コスタリカ一三位、コロンビア二二位を筆頭に、カリブ諸国を除くラテンアメリカ諸国は、ハイチを除く一九か国中三〇位内に五か国、五〇位内に一〇か国が入っている。そのＧＧＩは四領域すべてにおいて世界平均を上回っているが、とくに総合評価を引き上げているのが女性の政治参加である。

マチスモ（男性優位主義）の文化が強く、政治は男性の領域と考えられてきたラテンアメリカで、なぜ女性の政治への進出度が高いのか。その要因の一つは、選挙におけるジェンダー・クオータ、ジェンダー・パリティの導入である。ジェンダー・クオータとは議員候補者の一定比率を女性に割り当てることを政党に義務づける制度であり、一九九一年からラテンアメリカ二〇か国中一八か国で二〇―四〇%の女性枠が設けられてきた。さらにそれを進めて男女比率を完全に平等化するのがパリティで、二〇〇九年以降、八か国で実施されている。その効果は大きく、一八年時点で、パリティ制度を持つボリビア、コスタリカ、メキシコ、ニカラグアでは国会議員の四五―五三%を、コスタリカ、メキシコ、ニカラグアでは閣僚の四二―五八%を女性が占めていた。また女性議員だけでなく、一九九〇年以降、アルゼンチン、ブラジル、チリ、コスタリカ、ニカラグア、パナマでは女性大統領も誕生している。

このような政治への女性進出の背景には、一九八〇年代の民政移管とその後の民主主義の定着、およびグローバル化がある。九〇年代に入り、国連を中心にパリティをめぐる議論が深まるにともない、ラテンアメリカ地域でも男女平等は基本的人権であり、民主主義の根幹であり、持続可能な発展に不可欠であるという認識が共有されていった。国連ラテンアメリカ・カリブ経済委員会(英語略称ECLAC、スペイン語略称CEPAL)、ラテンアメリカ議会(PARLATINO、ラテンアメリカ・カリブ共同体の立法機関)といった地域機関やNGOなどの活動を通して、パリティを認める潮流が形成されていったのである。

翻って日本では、二〇一八年に「候補者男女均等法」が施行されたものの、翌一九年の総選挙は、女性参加を進めようという政党の気概が感じられない結果に終わった。自民党の女性候補者比率は一五%にとどまり、同党を含む一三政党中九党は目標値に及ばなかった。また二〇年までに政治経済分野などで主要ポストの女性比率を三〇%に引き上げるという〇三年に立てられた目標も、すでに一七年が経過したにもかかわらず、達成には程遠く、先送りされた。いまだ女性枠の設定は逆差別であるという反論も強く、世界の流れから完全に取り残されている。

第5章 グローバル世界を生きる先住民

先住民の取り組み

権利回復から自己表象へ

新木秀和

“Think locally, act globally”（ローカルに考え、グローバルに行動せよ）。これは、かつて社会運動のスローガンとされた言葉（“Think global, act local”）を反転させた表現だが、先住民や先住民運動の現実に当てはまる。彼らは足元のローカルな現実を踏まえながら、しばしばナショナルな空間を越えてグローバル世界で果敢に行動する主体となっているからだ。「先住民」はラテンアメリカの歴史と現在を特徴づける重要なテーマの一つであり、先住民をめぐる諸問題は、地球規模のグローバルな諸問題（人権、環境や開発、貧困や社会的排除、差別、暴力、アイデンティティや文化の独自性など）と共通点を持つ。本章では、ラテンアメリカの先住民に関する基本情報と視点をまとめながら、国際関係との関わり、権利回復運動の軌跡、先住民自身による民族表象の試み、開発の中の動向などを概観する。それは先住民問題を理解し、日本の状況をふり返ることにもつながるであろう。

写真：ラテンアメリカを代表する先住民組織「エクアドル先住民連合」（CONAIE）の本部（エクアドル・キト市、2019年９月、撮影：筆者）

はじめに

先住民といえば、どのような姿を思い浮かべるであろうか。カラフルな民族衣装に身を包み、機織りなどの生業や農業など大地に密着した生活を送る人たち、少数言語を話しながら都市の片隅で民芸品を売って生活する人たち……。少なくとも、社会を先導するような存在ではないという理解が一般的かもしれない。しかし後述するように、先住民のすべてが、土地に縛られ、虐げられた受け身の存在だというわけではない。

周知のように、ヨーロッパ人による征服と植民地化を通じて、アメリカ大陸やカリブ海では「先住民」が生み出された。その後この地域では、一九世紀以降の独立と国家形成の過程で「国民」の創出が課題となるが、先住民がその中心となることはなかった。独立後も植民地状況が継続し、先住民は社会的劣位に置かれたからである。二〇世紀になって「混血」が社会の主要な担い手となってからも、そのような状況に大きな変化はなかった。

ところが二〇世紀後半になると、一九七〇年代から国際舞台で先住民の権利が承認されるようになり、八〇年代以降は、民主化やグローバル化の進展を受けて国家の再編や国民の多様性が承認されるにつれ、ラテンアメリカ各国では先住民の政治参加が拡大した。先住民運動が活発化する中、一部の国では、先住民政党の躍進や先住民出身の国家元首の出現もみられた。差別や貧困にあえぐ多数の先住民がいる社会で、教育や社会上昇の機会を得て、国家を動かす先住民指導者が輩出したのである。そして、権利の回復や獲得を求める先住民の運動は、地域を基盤にしつつ他の社会運動と連携し、民主主義の中身を問いかけて社会問題を批判するようになった。すなわち、本章の扉に掲げた「ローカルに考え、グローバルに行動せよ」というモットーは、本章で詳しく述べるように、現代世界における先住民や先住民運動に当てはまる特徴である。

ラテンアメリカの先住民をめぐる経験には、現代世界で注目すべき特徴がいくつもある。貧困や格差などの社会問題や環境問題との関わりで、あるいは多様性が称揚される時代潮流との関連で、グローバルな視点から先住民問題をとらえることが必要とされている。世界の諸地域における問題との比較を加味することで、ラテンアメリカにおける先住民と先住民問題の特徴や位置づけをより明確に把握し、その意義を評価できるであろう。

翻って日本では、アイヌ民族をめぐる問題が政治社会問題になってきた。差別的な政策を長年続けてきた日本政府は、一九九七年に旧法を排してアイヌ文化振興法を制定し、二〇一九年にはアイヌを先住民族として初めて明記しつつ文化振興の方針を策定した。ただ国際基準となっている先住権（土地、資源、言語、文化、宗教などへの諸権利）や自己決定権の承認には踏み込んでいない点が批判されている[1]。また日本政府は〇八年以来、琉球（沖縄）の人々を先住民族と認めるように国連から勧告されてきたが、承認に向かう動きはみられない。このような状況もあって日本社会では国内の先住民問題への認識は十分ではなく、世界の先住民問題への関心も低いままにとどまっている。

そこで本章では、ラテンアメリカの先住民に関する基本情報をまとめることで、グローバル課題としての先住民問題を理解し、日本の状況をふり返るための視点を提供したい。なお、本章では一般的用語としての「先住民」という語を使用するが、民族としての主張を尊重して「先住民族」という語を使用すべきだという議論があり、とくに当事者や運動を進める関係者を中心に後者の用語を使用することが多いことを記しておく。

1　二〇二〇年七月、北海道白老町に国立施設「ウポポイ」（民族共生象徴空間）が開業したが、その目的はアイヌ文化の観光資源化であり先住権の問題は置き去りにされたままだとの批判がある。その慰霊施設にかつて全国の諸大学によって持ち去られた遺骨一二〇〇体余が集約され、遺族らの元に返されていないこともあまり知られていない。また翌八月には浦幌町のアイヌ団体が漁業権（川でサケを捕獲する権利）を求めて国と北海道を相手に初の裁判を起こし、先住権問題を浮かび上がらせた。

一　グローバル課題としての先住民問題

先住民の諸問題がグローバル課題であるということは、どのような意味であろうか。それは、先住民とその存在に関わる諸問題が、地球規模のグローバルな諸問題、すなわち人権、環境や開発、貧困や社会的排除、差別、暴力、アイデンティティや文化の独自性などの諸問題と共通性を有すること、そしてマイノリティである先住民にそれらの諸問題がより直接かつ強制的に関わってくることが多い、ということである。それらの諸問題は世界的取り組みなくしては分析も解決もできない。先住民に関わる諸問題にも同様のことが指摘できる。グローバル化の新たな進展の中で、先住民はどのような状況に置かれ、それをどのように受容し、あるいは利用してきたのであろうか。

国連広報センターによれば、現代世界における先住民の規模として、「現在少なくとも五〇〇〇の先住民族が存在し、住民の数は三億七〇〇〇万人を数え、五大陸の七〇か国以上の国々に住んでいる」という。「先住民」は所与の実態ではなく、歴史の過程で作り出されたカテゴリーといえる。先住民とは誰かという問いは、グローバル化の進展とともに重要性を増してきた現代的な問いである。現代世界では、先住民をインディオ、インディヘナ、インディアンなどと呼ぶ南北アメリカ地域や、アボリジニと呼ぶオーストラリアのように、先住民というカテゴリーの使用が明確に確立している国や地域がある。他方で、同様の民族集団が少数民族と規定されても、先住民という用語の使用が難しい国や地域がある。また、先住民という用語の使用に制限を設ける国や、概念と用語の使用を認めない国も存在する（窪田、三—一一頁）。たとえば、中国政府はウイグル人やチベット人を少数民族と呼んでも、先住民とは認めない。またミャンマーのロヒンギャも政府によって民族とは認められていない。同様に、インド政府も自国内の諸民族に対して先住民ではなく少数民族という呼称を使用する。さらにトルコ、イラン、イラクにまたがるクルド人も各国政府によって少数民族とされても先住民とは呼ばれない。

他方、二〇世紀の後半において国連など国際機関では先住民という存在が確立され、それを受けて、「先住民主張」（自己集団が国家内部で先住民であるという主張）を行うようになった民族集団が暮らす国や地域が新たに生まれている。とくにアフリカ大陸では、二〇世紀末以降、先住民としての名乗りを上げる民族集団が増えてきた（窪田、一〇頁）。この意味で、先住民とは誰かという問いについては、グローバルな基準がほぼ確立してきた反面で、地域や国によって先住民的存在への対処や処遇が異なる。これが現代世界の状況である。

二　国際舞台の先住民と先住民問題

国際機関における先住民問題の重要性

国際社会で先住民をめぐる問題はどのような経緯をたどってきたのか。ここでは、二〇世紀後半から現在までの過程を概観する。

先住民の存在が国際的問題となったのは二〇世紀後半である。一九六〇年代には世界各地で先住民の権利回復運動が動き出し、七〇年代になると、脱植民地化運動や人種差別撤廃運動と連動しつつ国際的潮流に流れ込んでいった。そして八〇年代以降には、世界各地の先住民組織の間で次第に連携が強まり、それと符合するように、国際労働機関（ＩＬＯ）や国連などの機関で「先住民」という言葉がよく使われるようになった。

まず、国際機関の場における先住民問題の提起と定着の過程を跡づけたい。

一九七〇年代から国連などの場で国際的な取り組みが活発化した。社会運動や司法のグローバル化の中で、人権問題や自決権などをめぐる「先住民問題」の国際化が進展し、国際ＮＧＯとの連携もあり、先住民組織による運動は国境を越える広がりをみせたのである。

国連は、一九七三年から八二年にかけて（第一次）「人種主義・人種差別と闘う国連一〇年」を定めた。その一環として七一年には、国連人権委員会の下部組織である「少数者の差別防止および保護に関する国連人権小委員会」（現在は国連人権促進保護小委員会）が、先住民差別に関する調査を勧告し、その特別報告者としてエクアドル出身のホセ・マルティネス＝コボを任命した（任期七一―七九年）[2]。彼は八一年から八四年にかけて「先住民への差別問題に関する調査報告書」を提出し、先住民に対する差別と権利保障に関する国連機関の設立を提言した。報告書では先住民への土地の返還や土地の利用と開発における先住民の自決権が認められるべきとされた。

そのマルティネス＝コボ報告[3]にもとづいて、一九八二年八月、国連内部に先住民作業部会（ＷＧＩＰ）が設置された。この作業部会は、先住民保護のための人権基準を策定することを任務とし、八五年に、先住民の権利宣言の草案策定に向けた取り組みを始めた。草案は九三年に仕上がり、少数者の差別防止および保護に関する国連人権小委員会に提出され、翌年に承認された（これをもって同作業部会は廃止）。しかし結局、宣言の採択（二〇〇七年）までには紆余曲折があり、起草から二二年以上を要することになる。その主な原因として、特定の国家が、宣言のいくつかの基本条項（たとえば先住民の自決権と伝統的な土地に存在する天然資源の管理権）に懸念を表明したことが指摘されている。

すでに述べたように、先住民問題を扱う専門機関を備える国連は、先住民や先住民組織にとって交流や交渉、情報交換の場となってきた。二〇〇〇年七月に設置された国連先住民問題常設フォーラム（ＵＮＰＦＩＩ）は、国連経済社会理事会の諮問機関であり、委員の半数は先住民から選ばれ、〇二年に第一回セッションが開催された。経済社会開発・文化・環境・教育・保健・人権の諸テーマに関連した先住民問題について討議することがその使命である（ECLAC, pp.9-10）。

マルティネス＝コボと同じくラテンアメリカ出身の特別報告者として名が知られる人物に、メキシコ出身のロドルフォ・スタベンハーゲン（任期二〇〇一―〇八年）がいる。彼は、国連の場で先住民問題を提起したことに加え、先住民の権利に関する諸活動を通じてアカデミズムとの橋渡し役を果たしてきた。

国際労働機関(ILO)第一六九号条約から国連宣言まで

先住民問題への重要な取り組みとなったのは、ILOにおける法的措置である。一九八九年にILOが採択した「第一六九号条約」(九一年発効)は、自決権や土地に関する権利などを含む先住民の諸権利に特別な配慮を加え、先住民に関する最も重要な国際条約の一つとなっている。八九年から二〇二〇年八月現在までに同条約を批准した世界の国々は二三か国だが、ラテンアメリカ・カリブ地域の批准国は一五か国と、過半数を占めている。そして、第一六九号条約の国内批准と連動して、域内諸国の多くでは先住民の権利を認める法的かつ社会的な動きが進展してきた。全般的状況として、社会の多民族性や多文化性(先住民だけでなくアフロ系住民[4]なども含む)が承認され、そのような多様性が政治経済の安定と社会の前進に必要であると認められるようになった。

多くの場合、憲法改正に連動し、ILO第一六九号条約の内容が新憲法に盛り込まれた(ECLAC, p.15)。とはいえ、法律の条文が履行されないといった問題もたびたび表面化しており、そのような状況への不満が先住民による抗議や抵抗の運動を引き起こす場合も少なくなかった。同時に、開発政策や教育・貧困・ジェンダーなどの諸政策において、先住民の諸権利に配慮が加えられるようになり、グアテマラ和平[5]やメキシコのチアパス問題[6]のような紛争解決に内外の監視機構が参入できる環境が生まれるなど、一定の成果もみられた。

2 マルティネス=コボはその後、八一—八五年にトラテロルコ条約機構事務局長を務めた(駐メキシコ大使を兼任)。
3 日本語ではコボ報告と表されることが多いが、マルティネス=コボという連結姓が正式であるため、本章ではそのように記した。
4 日本語では黒人、アフリカ系などの表記がしばしば使用されるが、ラテンアメリカ諸国ではそれらを含む広義の人種民族集団を「アフロ系」ととらえ、「アフロ系〇〇〇」(たとえば、アフロ系メキシコ人、アフロ系ボリビア人など)と表すことが一般的である。
5 グアテマラでは一九六〇年からの内戦が九六年に終結し、政府とゲリラ組織の間で和平協定が締結された(本書第9章参照)。和平合意の遵守状況を監視するために、翌九七年に国連グアテマラ人権監視団が派遣された。
6 メキシコのチアパス州では一九九四年に「サパティスタ民族解放軍」が蜂起して以降、メキシコ政府との間で対立と和平交渉が継続した。その過程で、メキシコ内外からのオブザーバーが先住民問題を中心とする交渉の行方を監視する機会があった。

大きな転機は国連宣言である。二〇〇七年九月に国連総会では「先住民(族)の権利に関する国際連合宣言」が採択され、先住民の存在は国際的に承認された。この宣言では、文化・アイデンティティ・言語・雇用・健康・教育の権利を含め、先住民の個人・集団としての権利が規定され、先住民が自身の制度・文化・伝統を維持強化し、自身のニーズと願望に従って開発を進める権利を持つことが強調されている。先住民に対する不平等な社会的取り扱いや差別、偏見に抗して、先住民の固有性を明確に理解し、その普遍性を承認するに至った。

ただし、国連宣言は先住民について明確な定義を行っておらず、むしろ定義することを慎重に避けているかのような印象を与えるものとなっている。その代わり、先住民が外側の世界からどのような扱いを受けてきた存在であるかについて(具体的にいえば、暴力や搾取を受け、貧困を強いられてきた存在であることを)淡々と記述する。そうなった理由は、現代世界の先住民が多様な存在であるため、定義することにより、かえって排除される集団が生まれることが懸念され、また、非対称な権力関係(先住民のアイデンティティの自己決定権との衝突)さえ生じかねないので、それを回避したためだといわれる。さらに、先住民や少数民族が政治的独立や国家形成のような過度の自律性を示すことを防ごうとする諸国家の意思に配慮したためであるとも指摘されている。

近年の動きをみると、国連は二〇一九年を「国際先住民(族)言語年」としている。それは、先住民の言語や文化の継続性を再確認するために、生活の質の向上や、より広い国際協力と認知度の向上、異文化間コミュニケーションの強化を目的とする。そこでは先住民の言語が直面する諸問題、すなわち開発、統治、紛争解決や平和構築などにともなうリスクも考慮に入れられる。全世界に存在する約七六〇〇言語のうち危機的状況にある言語は二六八〇言語に及ぶ、と国連は警鐘を鳴らしており、絶滅の危機に瀕する少数言語の保存は重要課題となっている。

三 権利回復への長い道のり

先住民とラテンアメリカ社会

ラテンアメリカにおける先住民の具体的な問題に目を向けよう。ラテンアメリカにおける先住民人口の大部分はアンデス（ペルー、ボリビア、エクアドルなど）とメソアメリカ（マヤ、アステカなど古代文明が栄えた文化領域で、メキシコ、グアテマラなどを含む）の二地域に集中している。だが、先住民問題は白人の比重が大きいとされる国々（アルゼンチン、ウルグアイ、チリ、コスタリカなど）でも例外なく国民全体の問題である。各国社会において先住民が直面する貧困、人権、民主主義などの諸問題は、グローバル課題につながるからである。

独立から一九世紀の国家形成過程においても、ラテンアメリカ諸国では植民地時代からの階層構造が変化せず、先住民は差別や同化の圧力を受け、抹消や弾圧の対象とされた。これに対して各地で先住民の反乱が頻発した。一方、インディヘニスモと呼ばれる先住民擁護運動が連綿と受け継がれ、二〇世紀から現在に至るまで、ナショナリズムと絡みながら継続してきた。しかしその後は、運動がはらむ当事者不在の状況が批判されて、先住民自身による復権運動へと移行していったことは、以下でみる通りである（新木、二七四―二七五頁）。

注目されるのは、一九八〇年代以降、ラテンアメリカ諸国において先住民運動の活発化が顕著になったことである。その背景として国際環境の変化が大きく、前述のように国際的な取り組みは七〇年代から国連などの場で展開した。そして、先住民による抵抗運動や復権運動は、ボリビアやエクアドル、メキシコやグアテマラなどを中心として活発化してきた。とくに九二年になると、「コロンブス五〇〇周年」を契機として、先住民だけでなくアフロ系住民や民衆を動員する多層的な運動として抵抗運動の広がりがみられた。その象徴的な存在は、ノーベル平和賞を受賞したグアテマラ・キチェ民族出身の先住民女性リゴベルタ・メンチュウ（一九五九年―）であった。九三年には、そのグアテマラで第一回先住民サミットが開催され、その宣言を受けた国連は、九四年からの一〇年間を「世界の先住民（族）の国際一〇年」に指定した（新木、二七六―二七七頁）。

先住民運動では「多様性の中の統一」という表現がしばしば用いられる。国民や国民文化が多様性を含み込んだものであるとすれば、それらの多様な諸要素は互いにどのように関連するのだろうか。ラテンアメリカ地域のように、植民地時代以降の歴史過程で多様な混血が展開し、一九世紀以降に世界各地から多様な移民を導入した国々では、誰が国民と規定されるのか、という国民アイデンティティの問題が、人種民族の境界をめぐる議論や政策の中心軸となってきた。つまり、先住民に関する文化社会の問題は、国民の規定と不可分であり、人種民族間の力関係や政治的イデオロギーの対立を含み込んだ問題となっている。先住民にとってとくに重要なのは国内における民族文化の多様性であり、その中心となる言語の多様性である。それは、国民文化の一部として先住民語の正統性や権利が尊重されることにほかならない。

こうして、ラテンアメリカ諸国では一九八〇年代以降の民主化過程も追い風となり、九〇年代には各国でスペイン語などの主流言語と先住民語による二言語教育が推進され、先住民の間における識字化の進展とそれによるエスニック・アイデンティティの覚醒に大きな影響を与えた。非識字層に選挙権が拡大され、先住民が国政に参加する機会が生み出された。このような状況が、地域レベルだけでなく国政レベルでも先住民の政治家を輩出させることにつながったのである。

先住民の権利をめぐる動き

先住民として認められるべき諸権利には、自治権、自己決定権、集団的諸権利などが含まれる。それらは国連宣言や関連条約によって国際規範となっているが、他方で、世界の諸国家は、それらの諸権利が中央政府の権限に対する挑戦や障害であると受けとめる場合には、国内の少数民族を先住民とは認めないとの立場を堅持している。

前述したように、二〇世紀末から二一世紀初頭にラテンアメリカ諸国で顕著となった傾向は、新憲法の制定や憲法改正が相次ぎ、その中に先住民の権利に関する条項が数多く規定された点である。各国の憲法には、先進諸国と比べても進歩的な条項がいくつも盛り込まれた。多くの国々に共通する主要な特徴として次のような点を指摘できる。

第一に、一九九〇年代以降にラテンアメリカの大半の諸国が憲法を改正し、それらのほとんどが先住民の諸権利を憲法に取り入れた。その要因としては、国内の先住民組織などからの要求、前述のようなＩＬＯ第一六九号条約の国内批准という国際潮流からの影響、域内の他の諸国における動向からの影響などが挙げられる。憲法の部分的な修正で対応した場合と、民主政治の危機的状況に対して新憲法の制定で対応した場合とがあった。

第二に、これらの諸国は多くの場合、憲法改正を通じて国家が多民族的かつ多文化的であることを承認して、憲法条文（前文など）に書き込んだ。ボリビアやエクアドルの場合のように、新憲法の制定で自国が多民族国家であることを宣言した場合もある。すなわち、民族的多様性および排除されたマイノリティの権利の承認は、多文化主義の時代において民主主義と国家の再定義を図ることにつながる面があった。また、アンデス先住民の宇宙観を背景として、自然と調和した生活のあり方、「自然の権利」に配慮した開発のあり方が求められており、そのような指向は、ケチュア語（またはキチュア語[7]）の「スマック・カウサイ」のスペイン語による同義語「ブエン・ビビール」ないし「ビビール・ビエン」という用語や概念で、それぞれの憲法に明記されるに至った。

第三に、先住民による権利獲得の運動は、農地改革などの社会改革の動きや先住民の生活領域をめぐる動きとも連動してきた。実際、ラテンアメリカの多くの国々では、先住民による領域的支配に対して法的かつ行政的な配慮

7　ケチュア語はインカ帝国の公用だった諸言語の総体であり、現在もペルー、ボリビア、エクアドルなどの南米諸国で全体として一三〇〇万人以上の先住民によって話される。ボリビアでは公用語、ペルーとエクアドルでも先住民の生活領域で公用語とされている。エクアドルでは同じ言語をキチュア語と表記するが、差異は方言レベルにとどまる。

がなされ、保護区や自治区などが設けられた。そこは先住民の集団的な文化や伝統が継続され、一定の自治権が保障された場とされる。ただ現実には、資源開発などをめぐって国家や外国勢力との間で対立や紛争が生じることが少なくないことは、後述する通りである。

第四として、グローバル時代の現在では、国境をまたぐトランスナショナルな存在として先住民を理解することが必要とされている。先住民は、越境によってトランスナショナルなネットワークや社会生活空間を構築しようとするグローバルなアクターの一つになっている。国内における農村部（地方）と都市の間の移動という従来の状況に加えて[8]、グローバルな舞台におけるトランスナショナルな先住民の移動や越境、空間構築の動きを理解しなければならない。すなわち、いわゆる移民と同様に、先住民は、さまざまな調整や時に葛藤や矛盾を抱えながらも、移動（移住）先において故郷と類似の生活空間を構築しており、受け入れ国と出身国の双方に同時に組み込まれた存在となっている。

四　民族表象のさまざまな試み

先住民による自己表象

植民地時代以来の階層社会において劣位に置かれてきた先住民だが、その民族表象は非先住民によって利用されてきた。ラテンアメリカ諸国の歴史では、メソアメリカのアステカやマヤ、そしてアンデスのインカのような古代文明の遺跡をはじめとするさまざまなシンボル、意匠が、あるいは宗教的シンクレティズム（混淆）を表す「グアダルーペの聖母信仰[9]」のような先住民に関わる多様な文化表象が、先住民によってではなく、メスティソ（先住民と白人の混血）など混血層を中心とする国家指導層によって利用されることが多かった。もちろん、集団でも個人でも先住民自身による自己表象の試みは、前述した権利獲得運動とその成果が生み出される時期よりも以前からみられ、なかには植民地時代や一九世紀にさかのぼるものも含まれていた。

しかし、先住民がその主な担い手となるのは二〇世紀に入ってからだといえる。とくに二〇世紀後半から二一世紀になって初めて、出版や記録映画、ラジオ放送などのマスメディアを通じ、さらにインターネットをはじめとする電子メディアを積極的に利用しつつ、先住民自身が自己表象を行う事例が数を増してきた。そのような試みが先住民の手によってより意識的かつ主体的に行われるようになったのが、現代世界の特徴である。実際、グローバルな情報や産品の流通の中で、先住民自身によって自己表象の試みがなされる傾向が強まっている。それは「解釈され操作される客体」という従来の先住民像を乗り越える転換をともなった。その結果、「自ら解釈し、自己主張・行動・創造する主体」としての先住民像が提起されるようになった。先住民自身による自己表象の試みは多岐にわたるが、代表例として次のような事例を挙げることができる。

先住民の各集団が日常生活で用いる民族衣装は、代表的かつ重要な民族アイデンティティの表出手段である。メキシコやグアテマラ、ペルー、ボリビアの農村部・高地部からユカタン半島やアマゾンの熱帯低地にかけて、それぞれの民族衣装による身体表現が、自己と他者を弁別する手段となってきた。メソアメリカ先住民の主に女性用の貫頭衣ウイピルやパラグアイ先住民に伝わる編み物ニャンドゥティなどのように実例は多いが、民族衣装や刺繍文化の場合、機織りなどの伝統的地場産業が一定の変容を受けつつ、その文化経済的な基盤となっていることが知られる。またアステカ、マヤ、インカなどの諸文化にまつわる絵画や美術品・工芸品の分野においても、非先住民に

8 先住民は都市的存在でもある。二〇一〇年前後におけるラテンアメリカ一〇か国の人口センサス（国勢調査）を集計した国連ラテンアメリカ・カリブ経済委員会のデータによれば、先住民人口の約五〇％は都市部に居住していた（ECLAC, p.56）。

9 グアダルーペの聖母は一五三一年、メキシコ市北部テペヤックの丘で先住民の前に現れたとされる聖母で、マントに浮かび上がった褐色の肌のため、先住民の血を引く混血の聖母とみなされた。その後、独立運動の旗に描かれるなどメキシコのナショナリズムの象徴となったほか、二〇世紀末にはローマ教皇によってアメリカ大陸の守護者に認定された。

よる先住民的表象に加えて、先住民自身による造形美やデザインなどが民族文化を活性化させてきた。

先住民や少数者が手工業によって生み出すこれらのモノは、製作の現場から市場を経て流通する。それらに工芸品や美術品としての価値が付与されると、博物館における展示という民族表象のあり方にも影響する。民芸品や絵画、観光資源などの展示・流通・消費において先住民は重要なテーマとなってきた。たとえば、織物や民芸品の製作・行商で知られるエクアドルの先住民オタバロは、国境を越えてアメリカ大陸各地や外部世界へと旅立っていく。また、メキシコのユカタン半島やグアテマラにおけるマヤの人々の文化は、外部社会による消費の対象という立場から、先住民自身によって成形されつつ自らのアイデンティティとして領有されるに至っており、それは「再領土化」[10]の過程として把握される。つまり先住民たちは、いくつもの異文化をめぐりつつ、あるいは異文化との接触や交渉を繰り返しながら、民族文化の独自性や先住民意識を再認識することでグローバル時代の先端を走っている。さらにエコツーリズムやコミュニティツーリズムの分野では、先住民は観光の対象であるばかりか、その重要な担い手にもなっており、先住民によるその取り組みは民族文化の再創造とともに進んでいく。

ペルー先住民の写真家マルティン・チャンビ（一八九一―一九七三年）は、アンデス考古学研究の黎明期に、考古学者に同行してペルー南部のマチュピチュ遺跡（インカ時代の都市遺跡）を撮影した。時代は下って二〇世紀後半以降になると、記録映像や映画の中で、先住民が対象となる作品がいくつも生み出され、やがて記録者・表現者として先住民出身の映像作家が現れるようになった。

また今日では、美術の分野でも先住民出身の画家による創作が注目されるようになっている。それらの中には、先住民による芸術活動が政治的抗議の手段となり、他者によるナショナルな既存の先住民像を、グローバルな手段を利用して脱構築ないし内破しようとする実践もみられる。たとえばメキシコのオアハカ革命芸術家集会（ＡＳＡＲＯ）は、二〇〇六年の抗議活動を通じてストリートアートを自己表象の手段に取り入れ、二〇世紀前半のメキシコ革命をはじめとする従来のナショナルな歴史を読み替えて、先住民をめぐる文化表象を変換させようと試みてきた。

文学の分野も例外ではなく、近年では先住民による自己表象の流れが強まっている。インディヘニスモ文学の伝統は二〇世紀ラテンアメリカを貫く一つの水脈となってきたが、同時に、一四歳までケチュア系の先住民とともに育ち、先住民世界とメスティソ世界のはざまを生きたペルーの作家ホセ＝マリア・アルゲダス（一九一一―六九年）の苦悩に代表されるように、かつては、異文化の間で自己のアイデンティティを引き裂かれる知識人が少なくなかった。つまり、先住民問題を取り上げる主体の問題は、芸術や文学の表現にまつわる現代的課題となってきた。

先住民自身による文学創作の試みはどうであろうか。一九八〇年代以降、メキシコでは女性作家ソル・ケー＝モオ（一九六八年―）を代表とするマヤ系先住民作家を担い手として、先住民文学と呼べる実践や成果が生み出されている。またアンデス諸国でも、口承文学を含めて、ケチュア語（またはキチュア語）やアイマラ語[11]による先住民文学の地平が切り開かれつつある。そのような実践の背景には、マヤ諸言語[12]やケチュア語などの先住民言語を復興しようとする文化教育運動の進展があったことを銘記すべきであろう。

このように、文化や民族の多元性が注目を集め、それが多文化主義や多民族主義として大方の承認を得るようになって久しい。法制度や医療制度の多元性というテーマにおいても、先住民やその要素を取り入れようとする動きは日覚ましい。

先住民社会には先住民裁判権という慣行があり、メキシコや中米、アンデスの各地において、先住民が自らの共

10 資本主義やグローバル化によって「脱領域化」された（地域や共同体の文脈を外された）文化要素が、再び地域の文脈に当てはめられて（埋め込まれて）「再領域化」ないし「再領土化」するという考え方を指す。
11 アイマラ語はボリビア、ペルーなどの先住民によって話される先住民言語であり、話者の総数は二〇〇万ほどとみられる。
12 マヤ諸語はメキシコおよび中米諸国のマヤ系先住民によって話される先住民言語の総体であり、メキシコではツェルタル、ツォツィル、ユカテコなどの一〇言語、グアテマラではキチェ、カクチケル、マムなどの二一言語が数えられる。

同体内部で紛争を解決する制度として存在してきた。この慣行は二一世紀の現在も継続されており、各国においては近代的国家司法と併存するもう一つの司法慣行とされ、司法の多元性を示す文化社会状況となっている。

他方、医療の分野でも多元性を受け入れつつある世界の動向と連動し、ラテンアメリカ各国で伝統医療の再生や創造といえる動きがみられる。プライマリ・ヘルスケア（基礎的で不可欠な保健医療サービス）の普及を進める世界保健機関（ＷＨＯ）の戦略の影響も受けて、いくつかの国々では伝統医療の制度化が進められてきた。そのような状況の中で注目されるのは、ボリビアの先住民カリャワヤの存在である。彼らはインカの時代から南米大陸をまたにかけて医療行為に従事してきた先住民集団であり、二一世紀になってボリビアが伝統医療法を制定（二〇一三年）するに至る流れの中で、その伝統文化は「カリャワヤのアンデス的宇宙観」という名称で、〇六年に国連教育科学文化機関ユネスコ（ＵＮＥＳＣＯ）によって世界無形文化遺産に登録された。

先住民による文化復興の試み

グローバル化する現代世界では、先住民による文化復興の試みが世界各地でさまざまになされてきた。民族大虐殺（ジェノサイド）の過酷な状況を経験した先住民として、前述したグアテマラの例を挙げれば、同国では軍事政権（一時期を除いて一九五四―八六年に継続）や軍部による弾圧と内戦を経て、二〇世紀末からマヤ系先住民による言語文化復興の動きが生まれた。同様の状況は、二〇世紀後半以降におけるメキシコのユカタン半島やチアパス、テロリズムに揺れたペルー・アンデス高地などの域内各地における先住民たちの社会と文化の復興においても観察された。

一九八〇年代にかけて世界的に勃興した先住民による権利回復運動には、九〇年代から二一世紀にかけて、文化遺産の奪還やそれを通じた文化の復興を志向する動きがみられるようになった。そのため、欧米諸国の関係諸機関に対して、かつて持ち去られた文化遺産の返還を求める動きが生じている[13]。数世紀にわたって欧米の研究機関などによって収集されてきた先住民の文化遺産には、日用品から儀礼用具、そして先住民の遺骨までが含まれる。とりわけ先住民の祖先の遺骨や、それに関わる副葬品の返還をめぐる取り組みが欧米や日本などでも活発化している。すなわち、知的財産としての考古学遺物や遺伝資源なども、先住民を取り巻く重要な要素になってきた。研究者による先住民の遺物や遺骨の奪取に対して、「学知による植民地主義」だとの批判のもとに、先住民の組織・団体による遺骨返還運動が九〇年代以降、欧米諸国や日本の研究機関や博物館に対してなされてきた（その例として、注1に記したように、遺骨返還をめぐるアイヌ民族の取り組みを挙げることができる）。それは考古学や人類学などの研究活動における知的負債の返済という問題として国際的に表面化している。またそれは、博物館における先住民や先住民文化の展示に対する要求という形でも、先住民による運動の一部をなしている。

ラテンアメリカを含む世界的な動きとしてのこのような運動は、同時に、博物館における研究展示に際し、先住民やその文化に対する敬意を表すようにとの要求や、先住民自身が参画協力する形での文化提示の試みなどにつながっている。それは先住民文化の復興運動といえる状況を生み出している。

先住民アイデンティティの復興という点でとくに象徴的な動きは、先住民言語の復興やそれによる教育振興の運動である。その動きは、人類学や歴史学に問題提起を続ける思想家ジェームズ・クリフォードが、『文化の窮状』（二〇〇三年）の中で指摘する先住民運動の特徴とも合致する。すなわち、「先住民運動において、過去にさかのぼって失われた伝統を回復し、危機に瀕している言語の復権を求め、奪われた土地を取り戻すための法的請求をし、残された成員や芸術作品［中略］を元の場所に奪還すること――こうした帰還の運動のすべては、未来に向いた運動です」（クリフォード、五〇四―五〇五頁）。換言すれば、植民地主義や帝国主義を背景に成立発展してきた諸学問分野においては、脱植民地化や先住民文化振興の動きに連動して、新しい動向が生まれている。たとえば国際法は先

13 これは文化財返還問題と呼ばれる動きである。たとえば、一九一一年に米国イエール大学の歴史研究者ハイラム・ビンガム（一八七五―一九五六年）によって「発見」されたペルー・マチュピチュ遺跡について、同大学が持ち去った出土品（人骨、陶器類など）の返還をペルー政府が要求してきた交渉では、二〇一一年に両者の合意が成立した。

住民運動の活性化に役立っており、言語学や教育学は先住民言語の復興に寄与することが要請されている。また、考古学や人類学も、先住民の生活向上や構造的暴力の軽減に向けて力を発揮しつつある。

先住民人口の可視化

やや異色に思われるかもしれないが、マイノリティである民族集団がグローバル世界の中で進めている取り組みとして、自己集団の規模を可視化しつつ社会的な認知や権利、利益の獲得につなげようという動きが、ラテンアメリカにおいて生まれている。それは、人口センサス（国勢調査）における民族アイデンティティの数値化である。従来、ラテンアメリカ諸国では、先住民の規模を明らかにしようとする試みは、徴税などの必要性から国家や行政による各種の統計調査、とくに人口調査において行われてきた。調査項目の中に家庭で話す言語、母語、居住地域、自己認識などに関する質問を盛り込むことで、先住民の人口規模を特定しようとしたのである。

その後、二〇世紀末から二一世紀初頭にかけて先住民運動が高揚する中で、自己集団の規模を明示すること（それはマッピングを通じた生活領域の明示にもつながる）は先住民自身にとっても、経済・社会・文化的な諸権利を主張する根拠として、また外部機関に支援を要請するための根拠として有利に働くことが理解されるようになり、その結果、国家機関と先住民組織の間で協働がみられるようになった。そのような背景を受けて、先住民などの民族集団の存在を可視化する試みが多くの国々で進められ、やがて国連などの国際機関によって人口センサスの統合的な集計や活用が行われるようになったのである。

ラテンアメリカ諸国における人口センサスの動向をみると、一九八〇年代には、先住民を区分したのは四か国、アフロ系住民を区分したのは二か国にとどまったが、九〇年代には先住民区分は六か国に増え、うち二か国は先住民およびアフロ系の両方を区分していた。さらに、二〇〇〇年代に人口センサスを実行したのは一九か国にのぼるが、そのうち一六か国は先住民区分を、八か国はアフロ系区分を導入しており、民族アイデンティティを問うことで先住民の規模などを明らかにすることは、統計調査を通じて一般化してきた。こうした人口センサスによる先住民（およびアフロ系住民）の可視化は、民族の諸権利に含まれる「情報への権利」に該当すると理解されている（ECLAC, pp.33-44）。これまでみてきた自民族の規模を可視化させるという世界的な動向も、先住民による集団的な自己表象の例に含めることができよう。

開発の中の先住民――抵抗運動から国際裁判まで

他方、先住民にとって諸刃の剣ともいえるのが、開発をめぐる状況であろう。世界各地における従来の流れをみると、先住民の多くは開発の流れに翻弄されてきたことは確かである。とくに石油や天然ガスなどのエネルギーや各種貴金属など天然資源開発の最前線が先住民の生活領域と交わる場合、あるいは森林破壊をともなう道路・ダムなどのインフラ建設や農牧地の拡大などが先住民の生活圏に侵入する場合、進出企業や農牧園主による諸活動がときに環境破壊や汚染を生み出し、先住民の生命・生活・生産活動を脅かす事態が生じた。そこで先住民は、犠牲者の立場に甘んじることなく、社会運動の一員としてさまざまな抗議活動や反対運動を展開するようになった。

ラテンアメリカの先住民も例外ではない。アマゾン低地では、石油汚染被害を機に米国系石油会社テキサコをニューヨーク地方裁判所に提訴（一九九三年）したエクアドルのアマゾン先住民のように、環境保護団体（国際環境NGO）などと連携して、グローバルな場で司法活動を展開する例がみられた。多国籍企業に対するこの国際裁判は、アマゾン先住民など原告側の勝訴となった。二〇一九年七月一〇日に、エクアドル憲法裁判所は、シェブロン（〇一年にテキサコがシェブロンと統合し、〇五年にはシェブロンに社名変更）が先住民の土地に、大量の有害原油廃棄物を意図的に廃棄したとして、九五億ドルの罰金を科した三審判決を、判事の全会一致で支持し、上告を退ける判決を下した。国際石油資本と先住民との法廷闘争は米国およびエクアドルで二〇数年の長きにわたって続き、この判決でついに結審した。グローバルな世界において先住民の運動が国際資本を追い詰めたのであった。

他方、ブラジル・アマゾンの支流シングー川流域においては一九八〇年代に浮上した大規模水力発電ダム建設計画が先住民の抵抗を呼び覚ました。この計画に対し、先住民カヤポは人類学者の支援を受けて、ドキュメンタリー・ビデオの映像作品『The Kayapo : Out of the Forest』（日本語訳『カヤポ族と熱帯雨林保護運動』一九八九年）を世界に発信した。そして、文化や自然環境を守るために立ち上がった戦士という自己表象を世界に伝えながら、ブラジル政府に対する国際的批判を高めさせて、開発計画を一旦撤回させることに成功した。その一環で八九年には、カヤポのリーダーであるラオーニ・メトゥティレ（一九三〇年―）がアマゾンの自然危機を訴えるために世界各地を訪問した[14]。

しかし二〇年後には、中止に追い込んだはずの開発計画が「ベロモンテ水力発電ダム」計画へと名称を変更して復活した。二〇一〇年四月、先住民とともに環境保護団体も参加して抗議デモが行われたが、ブラジル政府は入札により受注企業を決定した。その後も、一八年に発足したボルソナーロ政権が、先住民保護区での開発推進を表明したため、先住民集団は再び危機感を募らせ、抗議活動を展開することとなった。

またアマゾン北部では、一九九〇年代以降、先住民ヤノマミをめぐる過酷な状況が国際的注目を集めてきた。とくにガリンペイロ（金採掘業者）や進出企業によって先住民の生活が翻弄され、虐殺の対象とされる事件が国際ニュースになることがしばしば生じたのである[15]。これらの事件は、アマゾンの先住民をめぐる諸問題が国際関係に直結することを如実に示している。

おわりに

二一世紀の現代世界において、先住民は再び注目に値する存在となっている。グローバル化の進展という状況のもとで、意味が問い直され続けているカテゴリーだといってもよい。ラテンアメリカにおける先住民問題は、世界の諸地域における先住民問題と比べてどのような特徴や意義を持っているのであろうか。あらためて整理しよう。

ラテンアメリカの大陸部では、混血の存在が先住民の存在を照らし出してきた側面が強い。歴史の過程が比較的明瞭で、先住民の存在を実態としてとらえやすい状況があった。先住民に対する擁護の思想や政策が、長い歴史の中でインディヘニスモとして展開してきており、その背景を受け、そうした思潮をバネとして、やがて二〇世紀後半、とくに一九八〇年代以降の民主化後になって、先住民と自称する当事者たち自身が運動や実践的行為を積極的に行うようになった。それが先住民運動のような独自の社会文化運動や政治運動を生み出すことにつながった。また、言語教育、医療、法裁判、文芸活動などさまざまな領域において、先住民自身による新たな自己表象の取り組みや、外部世界が先住民の独自性を組み込んだ制度ないし成果を創出することにも貢献してきたのである。

グローバル課題としての先住民というテーマを考えると、非先住民である外部者の私たちが抱きがちなステレオタイプ的なものの見方が問い直される。「伝統的世界に生き、土地に縛られて、固定的な因習を保持する周辺的存在」だという先住民像が、揺さぶられずにいられないからだ。実際、「描かれる客体」とされてきた先住民は、自己表象という行為を媒介として、さまざまなメディアを通じて「自らを描き、意味づけ、発信する主体」という顔を持つようになっている。

もちろん、先住民の大半はグローバル化の大波に翻弄される「弱者」であり続けているが、その中にも、民族文化の変容を受け入れつつ、民族境界や国境の枠を超えて、たくましく生き抜いてきた多くの先人がいた。そして二一世紀の現在、先住民の活動家たちは、グローバルな人的・組織的ネットワークやメディアを利用することで、地

14　一九八〇年代に同じ反対運動を支えたリーダーの一人パウリーニョ・パイアカンは、二〇二〇年六月、新型コロナウイルス感染により死亡した（享年六五歳前後）。

15　外部者の侵入が活発化して新型コロナウイルスの感染がアマゾン地域に拡大することで、ヤノマミなど先住民の社会に打撃を与えることが懸念されている。

域や国をまたぐ連携や連帯関係を強めている（本書第2章参照）。国際機関における諸活動や宣言を追い風とし、先住民の諸権利を定めた国際諸法を通じて、「先住民という政治文化的な主体として」自らのアイデンティティを再構築することに成功したともいえる。その結果、全体的にみれば、先住民集団は国家の内外で存在感を強めることで、国家による同化政策や強制・排除に対抗し、その諸政策を自己に有利なものに改変すべく、さまざまな働きかけや交渉を行い、あるいは協働をも辞さない主体性を持つようになった。そのような動態的存在として、先住民はグローバル世界を生き続けているのである。

参考文献

新木秀和［二〇〇四］「先住民の抵抗、先住民運動の展開」松下洋・乗浩子編『ラテンアメリカ　政治と社会［全面改訂版］』新評論。

窪田幸子［二〇〇九］「普遍性と差異をめぐるポリティックス――先住民の人類学的研究」窪田幸子・野林厚志編『「先住民」とはだれか』世界思想社、一―一四頁。

クリフォード、ジェームズ［二〇〇三］『文化の窮状――二十世紀の民族誌、文学、芸術』太田好信ほか訳、人文書院、原書一九八八年。

ECLAC [2015] *Guaranteeing indigenous people's rights in Latin America: Progress in the past decade and remaining challenges*, Santiago de Chile.

日本語文献案内

綾部恒雄監修、黒田悦子・木村秀雄編［二〇〇七］『講座　世界の先住民族〇八――中米・カリブ海、南米』明石書店。ラテンアメリカおよびカリブ海の各地域・国における先住民の特徴と諸問題についてさまざまな視点から概説している。

新木秀和［二〇一四］『先住民運動と多民族国家――エクアドルの事例を中心に』お茶の水書房。後半の第二部でラテンアメリカにおける先住民運動の特徴を概観するとともに、各国における先住民問題について詳述している。

上村英明監修、藤岡美重子・中野憲志編［二〇〇四］『グローバル時代の先住民族――「先住民族の一〇年」とは何だったのか』

法律文化社。先住民をめぐる国際関係の進展状況、とくに「国際一〇年」の意味について論じている。

トメイ、マヌエラ＋リー・スウェプストン［二〇〇二］『先住民族の権利――ＩＬＯ第一六九号条約の手引き』苑原俊明・青西靖夫・狐崎知己訳、論創社。先住民の権利を国際的視野から理解するための基本書である。

ファーヴル、アンリ［二〇〇二］『インディヘニスモ――ラテンアメリカ先住民擁護運動の歴史』染田秀藤訳、白水社。ラテンアメリカ史における先住民擁護の思想と運動について詳述している。

藤岡美恵子・中野憲志編［二〇〇五］『グローバル化に抵抗するラテンアメリカの先住民族』現代企画室。ラテンアメリカ各地における先住民の抵抗運動をまとめた論集である。

宮地隆廣［二〇一七］「ラテンアメリカの先住民運動――その歴史的展開と多様性」後藤政子・山崎圭一編『ラテンアメリカはどこへ行く』ミネルヴァ書房。ラテンアメリカにおける先住民運動の経緯と現状を整理し、その意義を論じている。

第6章 教育の拡充と平等化を目指す就学支援の取り組み

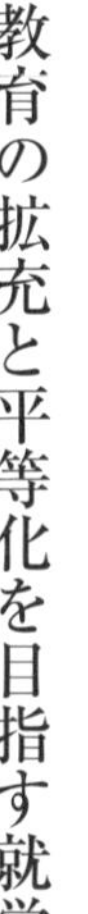

格差是正と質保証に向けて

牛田千鶴

1990年代以降、「万人のための教育」（EFA）世界会議や「世界教育フォーラム」の開催、あるいは「ミレニアム開発目標」（MDGs）や「持続可能な開発目標」（SDGs）の策定等を経て、国際社会は国境を越えた教育協力を積極的に推進し、共通の課題の解決に向けた取り組みを行ってきた。そうした世界的潮流のもと、ラテンアメリカでも識字率・就学率の向上をはじめ、教育分野でのさまざまな改善がみられた。しかしながらその一方で、国際的な学習到達度調査結果が示唆する通り、依然として克服すべき課題も残されている。本章では、教育の拡充と平等化を目指すラテンアメリカ域内諸国の就学支援に焦点を当て、その先駆的な取り組みについて学ぶとともに、教育における格差是正と質保証をめぐる同地域の課題について考察する。

写真：先住民の村の小学校での授業風景。児童の大半が条件付き現金給付プログラムの受給家庭の子どもたち（メキシコ・ベラクルス州、2012年8月、撮影：畑惠子）

はじめに

一九九〇年にジョムティエン（タイ）で開催された「万人のための教育」（ＥＦＡ）世界会議以降、国連教育科学文化機関ユネスコ（ＵＮＥＳＣＯ）、国連児童基金ユニセフ（ＵＮＩＣＥＦ）、国連開発計画（ＵＮＤＰ）、国連人口基金（ＵＮＦＰＡ）、世界銀行、各国政府、非政府組織（ＮＧＯ）等による国際教育協力の潮流は、初等教育や識字教育といった基礎教育の保障をいっそう重視するものとなっていった。しかし、二〇〇〇年にダカール（セネガル）で開催された「世界教育フォーラム」では、ＥＦＡの目標達成にはまだほど遠い実情であることが確認され、初等教育（無償・義務）の完全普及、成人識字率のさらなる向上、教育における男女格差の解消等、一五年までに達成すべき六つの目標が「ダカール行動の枠組み」として掲げられた。「国連ミレニアム宣言」（二〇〇〇年採択）をもとにまとめられた「ミレニアム開発目標」（ＭＤＧｓ）においても、その八つの目標（ゴール）のうちの二つがＥＦＡ達成に関連するもの（「初等教育の完全普及」および「ジェンダーの平等推進と女性の地位向上（教育における男女間格差の解消）」）であった。

二〇一五年にはインチョン（韓国）で再び世界教育フォーラムが開催され、ＥＦＡの未解決課題を引き継ぐ「教育二〇三〇」（二〇項目からなる新たな教育ビジョン）が採択された。一五年はＭＤＧｓの達成期限でもあったが、同年新たに採択された「持続可能な開発目標」（ＳＤＧｓ）にも、三〇年までに達成されるべき課題の一つとして、目標４「すべての人々への包括的かつ公正な質の高い教育」の保障が盛り込まれた（本書第12章表4参照）。インチョンでのフォーラムに先立ち、一四年にはラテンアメリカ地域においても、ＵＮＥＳＣＯの呼びかけによりＥＦＡ

をテーマとする域内大臣会合がリマ（ペルー）で開催され、一五年以降に重点的に取り組むべき課題（二二項目）の確認が行われた。

国際社会が積極的に教育協力を推進し、国境を越えて教育の課題に取り組もうとする世界的潮流のもと、ラテンアメリカでも識字率・就学率の向上をはじめ、さまざまな改善がみられた。しかしながら、二〇一〇年においてもなお、経済的に恵まれた上位二〇％の裕福な層の若者（一五―一九歳）の初等教育修了者が九六％に上る一方で、下位二〇％の貧しい層では七三％にとどまっていた。初等教育未修了者に焦点を当てれば、貧困層では二七％、すなわち四人に一人以上が小学校を卒業できていなかったことになる。また、初等教育の純就学率が多くの域内諸国で九〇％を上回る中、先住民やアフロ系の就学年数は、域内平均を下回っていた（CLADE, pp.41-42）。一方、ラテンアメリカ地域における一九―二二歳人口の前期中等教育修了率は、二〇〇〇年の三八・六％から一〇年には五〇・二％に改善されたものの、ほぼ二人に一人しか中学校を卒業していないというのが実情であった。一五歳以上人口における識字率も、二〇〇〇年にはすでに域内平均で八九・六％に達し、一〇年にはさらに九二・九％まで向上したが（OREALC/UNESCO Santiago, 2013, p.115）、一二年段階においても、域内の約三三〇〇万人（五五％が女性）が依然として、文字の読み書きができなかった（CLADE, p.44）。

本章では、グローバルな教育状況の中にラテンアメリカ地域を位置づけ、国際的な学習到達度調査にみられる域内諸国の学力水準の現況をまず確認する。その上で、所得格差や民族の違いを超えて平等な教育機会を保障し、社会のよりよい発展につなげていこうとする域内諸国の取り組みについて考察する。

一　学力調査と国際比較ランキング

学習到達度調査（PISA）にみるラテンアメリカ諸国の学力水準

世界各国の学力を比較する代表的な指標として、経済協力開発機構（OECD）が一五歳の生徒を対象に、三年ごとに実施している学習到達度調査（PISA）がある。二〇〇〇年に三二か国が参加して始まり、七九の国と地域が参加した一八年の第七回調査には、ラテンアメリカからも一〇か国が参加した。その結果は**表1**の通りである。この調査によれば、読解力の分野ではチリ、ウルグアイ、コスタリカが、数学的リテラシーの分野ではウルグアイ、チリ、メキシコが、科学的リテラシーの分野ではチリ、ウルグアイ、メキシコが域内の上位三か国を占めた。とはいえ、これらすべての中でも読解力の分野でのチリの四三位が最高であり、このことは、一〇か国のいずれの分野の学習到達度も、国際比較の中では下半分の順位にとどまっていることを意味している。三分野の中でもとくに、数学的リテラシーにおいてよりいっそうその傾向がみて取れる。ラテンアメリカから一八年の同調査に参加したのは二〇か国のうちの半数にすぎなかったが、学力の高さで注目されてきたキューバを例外として、地域全体の傾向を窺い知るには充分な結果であったといえよう。

学力に関する国際比較調査としてはこのほか、国際教育到達度評価学会（IEA）が小・中学生（第四学年と第八学年。日本では小学四年生と中学二年生）を対象に実施する、国際数学（算数）・理科教育調査（TIMSS）がある。それは前身となるいくつかの調査を経て、一九九五年以降、四年に一度の頻度で本格的に実施されている。ラテンアメリカからは過去にアルゼンチン、チリ、コロンビア、エルサルバドル、メキシコの参加実績があるが、二〇一九年の第七回調査に参加したのはチリのみであった。一一年、一五年、そして一九年と、過去三回連続で参加しているチリの順位は、すでに公表されている一五年調査結果では、第四学年の算数で四九か国中三八位、第八学年の数学で三九か国中三一位であった。理科についても、第四学年で四七か国中三七位、第八学年で三九か国中三〇位にとどまり、一一年の調査結果と比較しても順位にさほどの変化はみられなかった。

識字教育の保障や初等教育の完全普及を目指し推進されてきた国際教育協力の潮流のもと、一九九〇年代以降のラテンアメリカ地域ではたしかに識字率や就学率の向上がみられたが、学習到達度、すなわち教育の質保証に関わる部分では、依然として課題が残されていることを、ＰＩＳＡの結果は示唆しているといえよう。

そうした課題を前に、将来に向けた解決の糸口を探るべく、ラテンアメリカ諸国が連携して取り組んできたのが、次項で取り上げる域内学力調査である。

表１　PISA（2018年調査）におけるラテンアメリカ参加国の順位

国・地域	読解力	数学的リテラシー	科学的リテラシー
アルゼンチン	63位（７）	71位（８）	65位（７）
ブラジル	57位（５）	70位（７）	66位（８）
チリ	43位（１）	59位（２）	45位（１）
コロンビア	58位（６）	69位（６）	62位（５）
コスタリカ	49位（３）	63位（４）	60位（４）
メキシコ	53位（４）	61位（３）	57位（３）
パナマ	71位（９）	76位（９）	76位（９）
ペルー	64位（８）	64位（５）	64位（６）
ドミニカ共和国	76位（10）	78位（10）	78位（10）
ウルグアイ	48位（２）	58位（１）	54位（２）

＊読解力は国際基準を満たさなかったスペイン・ベトナムを除く77の国・地域中、また数学的リテラシーおよび科学的リテラシーはベトナムを除く78の国・地域中の順位（カッコ内はラテンアメリカ域内参加10か国中の順位）。

（出所）国立教育政策研究所、26-28頁。各分野平均得点の国際比較一覧をもとに筆者作成。

ＴＥＲＣＥにみる域内諸国の学力状況

「第三回域内比較分析調査」（ＴＥＲＣＥ）とは、「教育の質的評価のためのラテンアメリカ研究所」（ＬＬＥＣＥ）によって企画・運営されてきた、ラテンアメリカ地域における独自の学力調査の三回目を指し、二〇一三年に実施された。一九年の第四回が最新調査となるが、その結果は二一年に公表される予定である。

ＬＬＥＣＥは、ラテンアメリカ地域の教育制度の質的評価を行うことで各国の将来的な教育改革に資するべく、一五か国の参加を得て一九九四年に設立された域内連携機関である。ＵＮＥＳＣＯ／ラテンアメリカ・カリブ地域事務所（OREALC/UNESCO Santiago）の事業の一環として、参加各国の教育省や評価機関、大学、専門家らの協力のもと、ＬＬＥＣＥは初等教育の現状把握と質的向上に向け、これまで四度の学力試験を実施してきた。

こうした学力試験にもとづく本調査の目的は、域内の学力ランキングを提示することにあるのではない。まずは自国の教育水準の実態を数値的根拠にもとづいて把握した上で、自国より秀でている国があるとすれば一体何が違うのか、どのような取り組みが功を奏したのかを分析し、そこから自国の課題を学び取り、新たな教育改革政策の具体化に役立てていくことに、調査の最大の狙いがある。そのため、学力試験そのものの実施にとどまらず、学力状況に影響を及ぼしている要因を探るため、児童や保護者、教師や校長らに対するアンケート調査も行われている。

一九九七年に域内一三か国（アルゼンチン、ボリビア、ブラジル、チリ、コロンビア、コスタリカ、キューバ、ホンジュラス、メキシコ、パラグアイ、ペルー、ドミニカ共和国、ベネズエラ）が参加して行われた第一回学力調査（ＰＥＲＣＥ）では、小学三・四年生を対象に、言語（読解）と算数のみが試験科目とされた。二〇〇六年に実施された第二回学力調査（ＳＥＲＣＥ）については、一六か国と一州（アルゼンチン、ブラジル、チリ、コロンビア、コスタリカ、キューバ、エクアドル、エルサルバドル、グアテマラ、メキシコ、ニカラグア、パナマ、パラグアイ、ペルー、ドミニカ共和国、ウルグアイ、メキシコのヌエボレオン州）が参加した。対象は小学三・六年生となり、言語に作文が加わった上に、自由参加という条件で新たに理科（対象は六年生のみ）の試験も実施された。

二度の試験を通じ、すべての科目において抜きんでた成績を収めたのは、キューバであった。第二回学力調査（ＳＥＲＣＥ）の結果を取りまとめた報告書によると、三年生の算数では、「〜ができる」という複数の評価項目からなるⅠからⅣまでのレベルで最も高いⅣを達成した児童の割合が参加国・地域全体で一一・二％にとどまった。これに対し、キューバでは五四・四％（ほぼ二人に一人）に上った。二位のヌエボレオン州（二三・一％）、三位のウルグアイ（一九・〇％）と比べてもその差は歴然としており、キューバの子どもたちの学力の高さがわかる。この結果は三年生の言語（読解）においても同様である。最も高いレベルの学力に達している児童の割合は、参加国・地域全体で八・四％であったのに対し、キューバでは四四・三％に上り、二位のヌエボレオン州（一八・四％）、三位のコスタリカ（一八・二％）を大きく引き離していた。六年生の試験結果についてもほぼ同様の傾向が示された上に、キューバの教育状況は域内で唯一、農村部と都市部の間の学力差がほとんどみられなかった点でも高く評価された（OREALC/UNESCO Santiago; LLECE, 2008, pp.23-43）。

二〇一三年に実施された第三回学力調査（ＴＥＲＣＥ）には、一五か国と一州（アルゼンチン、ブラジル、チリ、コロンビア、コスタリカ、エクアドル、グアテマラ、ホンジュラス、メキシコ、ニカラグア、パナマ、パラグアイ、ペルー、ドミニカ共和国、ウルグアイ、ヌエボレオン州）が参加した。第二回のＳＥＲＣＥにはキューバとエルサルバドルも参加したが、ＴＥＲＣＥにはそれら二か国が不参加であった一方、ホンジュラスが再び加わり、参加国・地域全体から三〇〇〇校以上の小学校の三・六年生、約二〇万人が参加した（OREALC/UNESCO Santiago, 2014, p.54）。

キューバが参加しなかったこともあり、ＴＥＲＣＥにおいてはある特定の国が傑出した教育成果を示すという現象はみられなかったが、すべての科目・学年で域内平均を上回ったのは、チリ、コスタリカ、メキシコであった。ウルグアイとヌエボレオン州も、作文（前者は六年生／後者は三年生）では域内平均点相当にとどまったものの、他の科目・学年についてはすべて域内平均を上回る結果となった。

他方、すべての科目・学年において域内平均を下回ったのは、ホンジュラス、パラグアイ、ドミニカ共和国であった。グアテマラとニカラグアも、六年生の作文で前者が域内平均を上回り、後者が平均点相当であったものの、他の科目・学年についてはすべて平均を下回った。パナマも、作文で三・六年生とも平均点相当であったものの、他の科目・学年についてはすべて域内平均を下回った。エクアドルは、六年生の言語（読解・作文）で平均を下回り、その他はすべて平均点相当であった。

ＴＥＲＣＥの実施された二〇一三年段階において、一人当たり国内総生産（ＧＤＰ）が参加一五か国中最も低かったのはニカラグア（一七八〇ドル）で、ホンジュラス（一九九〇ドル）、グアテマラ（三三二〇ドル）、パラグアイ（五五一〇ドル）、エクアドル（五八一〇ドル）がそれに続いていた（World Bank）。これらの国々はＴＥＲＣＥによる学力到達度低位国とほぼ重なる。教育状況の格差は、各国政府の教育政策のあり方に加え、国の経済状況や家庭の困窮度にも大きく左右されるのである。

ＴＥＲＣＥではまた、長年にわたり社会的劣位に置かれてきた先住民の子どもたちの学力到達度が非先住民の子どもたちのそれと比べて低いままであることも示された。この結果に対するＬＬＥＣＥの指摘によれば、各国政府の積極的な取り組みによって、学校に通えるようになった子どもたちの数が格段に増え、教育権の保障や教育機会の拡充といった面では大きな進展がみられたものの、学力面での格差是正には至っていない。こうした学力格差をいかに縮めていくかは教育政策全体の中でも最重要課題の一つと位置づけられ、言語文化の多様性に適切に対応できる教員養成部門の強化やカリキュラムの策定、教材開発等が提言されている（OREALC/UNESCO Santiago: LLECE, 2015, pp.2-6）。

以上述べてきた通り、国あるいは地域全体の教育の底上げを実現するには、階層や居住地域、民族の違い等による教育機会の格差解消が不可欠となっている。次節および第三節ではその具体的な取り組みとして、貧困層の子どもに教育を保障することを狙う「条件付き現金給付プログラム」（本書第7章も参照）、そして、言語文化の異なる先住民の子どもへの教育の拡充に関する「二言語教育」の歴史的背景や法的整備状況、多民族社会における教育の平等化の課題について考察する。

二　社会保障政策を通じた就学支援

貧困問題と子どもたち

ラテンアメリカ地域における教育格差の背景には、貧困問題が存在する。キューバとハイチを除く域内一八か国を調査対象として国連ラテンアメリカ・カリブ経済委員会（スペイン語略称ＣＥＰＡＬ、英語略称ＥＣＬＡＣ）がまとめた資料によると、二〇一七年の段階でジニ係数[1]が〇・五〇（深刻な所得格差が存在するとされる数値基準）以上に達していた国々は、ブラジル（〇・五〇）、コロンビア（〇・五一）、パナマ（〇・五一）、メキシコ（〇・五〇）、パラグアイ（〇・五〇）の五か国であった。二〇〇二年には、一八か国のうち、アルゼンチンとウルグアイ（ともに〇・四七）、ベネズエラ（〇・四二）以外の、グアテマラ（〇・六四）、ボリビア（〇・六一）ほか一五か国がそうした状況にあったことからすれば、その後の一五年間で数値的な改善はみて取れるが、依然として大きな格差が残存していることが窺える（CEPAL, 2019, p.39）。

所得分配の不均衡の是正は、キューバを除くラテンアメリカ各国が現代も抱える課題であり、富裕層と貧困層の間の格差をいかに縮め、中間層を厚くしていけるのかが鍵とされてきた。ＣＥＰＡＬの同資料によると、二〇一七年時点での貧困者人口は、調査対象とされた域内一八か国に一億八四〇〇万人（人口総数の三〇・二％）、最貧困者人口は六二〇〇万人（同一〇・二％）であった[2]（CEPAL, 2019, p.79）。貧困家庭に生まれ育つ子どもは、家族の日々の生活の糧を得るために働くよう期待され、路上で物を売って現金収入を得たり、農作業を手伝ったりするなどして、幼少年期の貴重な時間を過ごすこととなる。ラテンアメリカ全域で児童労働問題が後を絶たない土壌がそこにある。

ラテンアメリカ地域における五歳から一七歳の人口に占める児童労働者の割合は、二〇〇八年の一〇・八％（九―一〇人に一人）から一六年には七・三％（一三―一四人に一人）に改善され、実数においても三七〇万人の減少がみられたが、二〇年現在でもなお、一〇五〇万人もの子どもが何らかの労働に日常的に従事している（CEPAL, 2020, p.2）。貧困を根絶できない状況にあっては、児童労働を禁止するよりもむしろ、適切な労働条件を定めて子ど

1　〇から一の範囲で格差状況を表す指標。一に近いほどその社会の所得分配格差が大きいことを示す。
2　ＣＥＰＡＬの定義による貧困層とは、生活上の最低限の必要（生活費）を満たす貧困ライン以下の所得水準にある人々を、また極貧層（最貧困層）とは、最低限の食料購入に必要な水準以下の所得しか得られていない人々を指す。

もたちを虐待や搾取から守ることを重視すべきだとして、一四年に児童労働の合法化に踏み切ったのがボリビアであった。条件付きながらも一〇歳からの就労を可能とした同法（法令五四八号第六章）には、「危険に身をさらすことなく子どもの健康や尊厳ある生活、教育権が守られなければならない」と謳われ、極貧世帯への支援は政府の重大な責務であることが明記された。

国際的に推進されてきた児童労働撲滅の取り組みは、すべての子どもが貧困や飢えから解放され、安全な環境下で心身の健康を守りつつ、年齢相応の教育を享受できるようにすることを目的とする。路上や露店、農場・鉱山等での労働ではなく、学校に通い、貧困の連鎖を断ち切るべく将来に備えることを子どもたちが選択できるようにするには、それを可能とする家計の余裕や親の意識が不可欠である。そうした前提に立ち、子どもの就学支援や健康管理を抱き合わせた社会福祉政策としてラテンアメリカ全域で展開されてきたのが、次項で紹介する「条件付き現金給付プログラム」である。

条件付き現金給付プログラムの特色

低所得世帯の子どもたちが学校に通えるようにと、一九九〇年代までにチリ、ブラジル、メキシコ等で開始された条件付き現金給付プログラムは、今日ではラテンアメリカのほぼ全域で取り組まれている貧困削減政策である。具体的には、子どもの就学や健康診断の定期的受診等を条件に現金を支給する制度で、ブラジルの「ボルサ・エスコラ」（二〇〇一―〇三年）や「ボルサ・ファミリア」（〇三年―）、メキシコの「プログレサ」（一九九七―二〇〇二年）や「オポルトゥニダーデス」（〇二―一四年）、「プロスペラ」（一四―一九年）等がよく知られている。CEPALが公式ウェブページ上で公開するデータベースには、キューバとベネズエラを除くラテンアメリカ一八か国に、ベリーズ、ジャマイカ、トリニダード・トバゴを加えた計二一か国における条件付き現金給付プログラム（五二件）の名称と実施期間、概要、データ関連資料（支給総額・受給世帯数等）が掲載されている。ブラジルとメキシコにおける先駆的取り組みについては、日本国内でもすでに幅広く紹介されているため、ここでは、他の国々で二〇年の時点で実施されているプログラムについてふれておきたい。

二〇〇五年に始まったパラグアイの「アブラッソ」プログラム（アブラッソは「抱擁」の意味）は、児童労働削減を目的とする条件付き現金給付プログラムで、危険をともなう何らかの労働に従事する（あるいはその可能性のある）一七歳以下の子どもを持つ貧困家庭を対象とする。学校での子どもの毎月の出席率が七五％以上であること、留年せずに当該年度を修了すること、家族が技能習得や資格取得のための職業訓練活動に参加すること等を条件として支給される。給付対象は母親で、受給額は一世帯平均三〇万グアラニー（約四三ドル／同国最低賃金の七分の一相当）である。UNICEFからの支援金を財源とし、一八年には二一二四四世帯が給付対象となった。「アブラッソ」プログラムにおいては、子どもの定期的な健康診断や予防接種が義務づけられる一方、家族が必要とする基礎的食料の配給もされる。子どもたちに健全な生活習慣を身につけてもらえるよう、学童保育所のような活動拠点（アブラッソ・プログラムセンター）も全国に四二か所開設され、学校の授業に関連した補習やスポーツ活動等をして過ごせる環境が整えられている。こうした拠点では食事も提供され、年間一万人を超える子どもたちの貴重な居場所となっている。

コスタリカの「クレセモス」（「私たちは成長する」の意味。二〇一九年―）は、就学前教育・初等教育課程の年齢層の貧困世帯の子どもたちを対象とするプログラムである。継続的な通園・通学が条件とされ、毎月一万八〇〇〇コロン（約三〇ドル。同国最低賃金の約一八分の一相当）が世帯主に支給される。ペルーの「フントス」（「一緒に」の意味。〇五年―）は、極貧層の妊婦や一人親世帯、高齢者、一九歳までの青少年・乳幼児等を対象とする。〇―五歳児や妊娠・授乳中の女性に対する健康管理、六か月から二歳の子ども向け栄養補給プログラムへの参加、六―一四歳の子どもの八五％以上の学校出席率等を条件とし、二か月ごとに二〇〇ソル（一か月当たり一〇〇ソル＝約二八ドル。同国最低賃金の約一〇分の一相当）が保護者に支給される。財源は、ペルー政府の独自予算と米州開発銀行の融資によって賄われている。

条件付き現金給付プログラムは、貧困家庭に最低限の生活を保障すべく直接現金を支給することにより、子どもが児童労働等で家計を助ける必要なく学校に通え、心身ともに健康で成長できるよう促し、将来を担う弱年層の育成を図ろうとするものである。その最終目標は、低所得世帯の経済的自立であり、世代間における貧困の連鎖を断ち切ることにある。条件付き現金給付プログラムの成果の一つとして、貧困層の子どもたちの就学率の改善が挙げられるが、ラテンアメリカ地域独自の学力調査である前述のＴＥＲＣＥにおいては、そうした子どもたちの学習到達度が相対的に低いままであることが示された（OREALC/UNESCO Santiago; LLECE, 2015, p.3）。量的拡張のみならず、質的向上を教育現場においていかに実現していけるのかが、同プログラムの目標達成に求められる今後の課題であるといえよう。

ＴＥＲＣＥにおいてはまた、学校間の学力格差も浮き彫りとなった（OREALC/UNESCO Santiago, 2016, p.143）。ラテンアメリカ諸国では一般的に、社会階層によって居住区域が異なるため、学校という公共の空間で階層の壁を超え、子どもたちが対等な仲間として関係性を築ける可能性はきわめて低い。貧困層の集住地域にある学校では、児童の欠席率や中退率も相対的に高く、条件付き現金給付プログラムによる就学支援の後ろ盾がありながらもなお、学力水準は伸び悩んでいる。次節では、その多くが農村部に居住する低所得者層であり、独自の言語文化や生活様式を継承する先住民の子どもや若者の教育状況に目を向けてみたい。

三　多民族・複文化国家における教育の平等化

スペイン語化教育と二言語教育

ＣＥＰＡＬによると、二〇一〇年時点でのラテンアメリカ地域[3]における先住民総人口は四四八〇万人ほどであった（域内総人口の八・三%）。人口規模では、メキシコが約一六九三万人で最も多く、ペルーの約七〇二万人、ボリビアの約六二二万人、グアテマラの約五八八万人と続く。また、各国の総人口に対する先住民人口の占める比率が最も高いのはボリビア（六二%）で、二番目がグアテマラ（四一%）、三番目がペルー（二四%）であった。先住民の民族集団数はラテンアメリカ全域で八二六に上り、ブラジルの三〇五を筆頭に、コロンビアに一〇二、ペルーに八五、メキシコに七八の異なる先住民族集団が存在するとされている（CEPAL, 2014, pp.43-44）。

先住民の存在は、その国や地域の民族的・文化的多様性を示唆する。とりわけ教育において重要なのは、そうした先住民族に属する子どもたちの母語をどのように位置づけ、特有の価値観や生活習慣等を学校という場にいかに包摂していくのかという点と、主流社会の言語であるスペイン語の習得をどのように促し、より多様な知識やスキルの獲得を支援していくのかという点である。非先住民社会との間での教育の質に関する公平性の担保や、子どもたちの潜在能力に見合った学力を相応に伸長させ評価する体制の整備も肝要である。

ラテンアメリカにおける言語教育の歴史を振り返れば、植民地時代以降、カトリックの布教とともに、先住民に対するスペイン語化教育は絶え間なく続けられてきた。スペインからの独立後もその傾向は続き、先住民に教育の機会が与えられるとすれば、それは子どもたちに国家の主流言語であるスペイン語を習得させ、国民として統合していくことに主眼を置いたものであった。

一九二〇年代のメキシコでは、国家主導によりスペイン語化教育が強力に推進され、そうした政策は都市のみならず、農村部や山間部を含めたメキシコ全土へと拡がっていった。その根底には、ヨーロッパの流れをくむ「白人文明」から取り残された先住民を、教育を通じて「文明」の段階へと引き上げるという考え方があり、先住民独自の価値や文化は、「文明社会」に統合される限りにおいて認められるにすぎなかった。四〇年代には、先住民の言

3　統計の対象とされたのは、カリブ海に位置するラテンアメリカ諸国（キューバ、ドミニカ共和国、ハイチ）を除いた一七か国であった。

語を用いてスペイン語の識字教育を行う教本が作られ始めるが、そうした活動の中で、最も重要な役割を果たした機関の一つが、四八年に創設された全国先住民研究所（ＩＮＩ）であった。六〇―七〇年代には、それまでの先住民統合政策が批判されるようになり、先住民の母語を教授言語に取り入れた二言語教育が制度化されていった（青木利夫、七一―七三頁）。

ラテンアメリカにおける初期の本格的な二言語教育は、米国テキサス州に本拠を置きキリスト教（プロテスタント系）布教を目的としていた、夏期言語研究所（スペイン語略称ＩＬＶ、英語略称ＳＩＬ）により導入された。同研究所は、先住民言語の文字化や文法の体系化、文字教本の作成等に従事し、一九三〇年代後半から四〇年代初頭にはメキシコとグアテマラで、四〇年代半ば以降にはペルーとエクアドルで、また五〇年代後半にはボリビアで、二言語教育の嚆矢となる取り組みを展開している（López, et al., pp.16-17）。

ペルーでは、スペイン語化教育の効果的手段としての位置づけであったとはいえ、教育における先住民言語の活用は二〇世紀初頭より試みられていた。その後、一九四六年のペルー教育省との協定にもとづき、二言語教育の推進母体となったのが、夏期言語研究所であった。同研究所によって五二年にアマゾン流域で開始された二言語教育計画は、六四年には山岳部のケチュア語話者にまで拡大され、八〇年代には一万三五〇〇名以上の先住民児童を対象とするに至った。しかしながら、同研究所の関心はあくまでも先住民児童のスペイン語化の促進にあり、先住民言語の維持・発展ではなかった。そのため、先住民言語の活用は初等教育課程の四年次までにとどまり、五―六年次の授業は全面的にスペイン語で行われた（青木芳夫、一九九九、一三頁／二〇〇八、七〇―七一頁）。

夏期言語研究所を中心として推進された二言語教育は、最終的にはスペイン語化を目指していたという点において、「移行型」二言語教育の典型であるとみなせるが、母語の継承を重視する「維持型」二言語教育が登場したのは「プーノ・プロジェクト」においてであった。同プロジェクトは、ペルー・西ドイツ（当時）両国の政府間協定にもとづく国際技術協力事業として一九七〇年代後半に始まり、八〇年にはケチュア語圏とアイマラ語圏の計一〇

○校で二言語教育が展開された。同プロジェクトにおいては、先住民言語にもスペイン語と同等の役割が付され、初等教育課程の一年次から六年次まで、子どもたちの母語が教授言語として活用された（青木芳夫、二〇〇八、七一―七三頁）。スペイン語の習得とともに、母語の継承が期待された取り組みであった。

異文化間二言語教育の展開と法的整備

一九九〇年代のラテンアメリカでは先住民運動が活発化し、世界的にも、国際先住民年（九三年）や国際先住民の一〇年（九四―二〇〇四年）、国際先住民デー（「八月九日」／九五年―）等が制定された。コロンブスの到来五〇〇周年となった九二年には、リゴベルタ・メンチュウ（グアテマラのマヤ系先住民族キチェ族出身の活動家）がノーベル平和賞を受賞し、九四年のサパティスタ民族解放軍（メキシコ・チアパス州のマヤ系先住民族を中心とする組織）の蜂起等を経て、先住民族の文化に対する再評価や同等な社会参画を目指す二言語・二文化教育、異文化間教育等の発展がみられるようになっていった。

メキシコでは一九九二年に憲法が修正され、第四条において初めて、先住諸民族をメキシコ国家の原初的構成員と認め、文化的多元性を国家の本源として公式に謳うこととなった。こうした憲法の修正にともない、先住民言語の保持・継承もまた、法的に保障されていったのである。エクアドルでも、九〇年代前半に発生した全国規模での先住民運動（抗議行動）を経て九八年に憲法が改正され、その前文において、同国が多民族・複文化国家であることを公的に規定している。ボリビアでも、九四年に改正された憲法第一条に多民族・複文化国家であることが明記され、そうした理念・方針にもとづく教育改革により、従来からの教授言語であるスペイン語にアイマラ、ケチュア、グアラニーの三言語を加えた、先住民児童の母語を重視する異文化間二言語教育が推進された。アルゼンチン、ブラジル、コロンビア、ベネズエラ、パラグアイ、ペルー、ニカラグア、グアテマラ、パナマ等、ラテンアメリカ地域の他の国々においても同様に、八〇年代後半以降、文化や土地をめぐる先住民の諸権利は憲法で保障されるに至っている（González, pp.16-19 / Barié, p.87）。

ラテンアメリカ地域は典型的な多言語社会である。メキシコではナワトル語やサポテカ語等、六五以上の先住民言語が話され、グアテマラでも二〇以上のマヤ系言語が保持されている。アンデス地域においても同様に数多くの先住民言語が存在し、ペルーでは国家の公用語はスペイン語としながらも、先住民言語が優勢な地域ではケチュア語やアイマラ語も公用語として憲法で保障され、またボリビアでは三七の言語が憲法で公用語と認められている。エクアドルにおいても、公用語にこそ定められてはいないものの、多様な先住民言語が話されている。こうした国々はすでに、先住民の子どもたちを主な対象とした、二言語教育の長い実績を有している。近年では異文化間二言語教育プログラムとして、非先住民の子どもたちにも学習の機会を提供すべきであるとの議論もみられるが、ラテンアメリカの二言語教育は依然として、先住民集住地区で実施される例が大半である。

こうした状況下、異なる二つの言語を公用語に定め、国全体において住民の多くがそれら二言語を自在に使えることを目標とした教育改革に取り組んでいるのが、パラグアイである。二〇一二年の国勢調査によると、パラグアイでは国民の七七％がグアラニー語を日常的に話し、非先住民人口にも話者が広く存在する。同国は一九九二年に公布された新憲法に複文化・二言語国家であることを明記し、スペイン語に加えグアラニー語を正式な公用語と定めた（第一四〇条）。また、二言語教育の実施も義務づけられ、初等教育開始時には、児童の母語に応じて二つの公用語のいずれかで授業を受ける権利が保障された（第七七条）。九四年には、先住民児童のみを対象とするスペイン語単一教育への移行のための過渡的措置としてではなく、初等教育課程の全児童を対象にスペイン語とグアラニー語の授業を行う、きわめて特異な二言語教育計画が開始された[4]。さらに、九六年に施行された「戦略的教育改革計画――パラグアイ二〇二〇」においては、二〇年までに一五歳から五〇歳までの全国民が、読み書きをはじめ二言語を自在に使いこなせるようになっていることが目標として掲げられた。九四年から四半世紀を経て二〇年に節目を迎えるパラグアイの二言語教育プログラムの成果については、今後、国内外の専門家による多角的な分析と評価が待たれるところである。

筆者が二〇〇六年八月に訪問したグアテマラでは、「受益者であると想定されていたはずの先住民の保護者らから二言語教育に対し反対の声が上がっている」と、現地の専門家がため息交じりに語ってくれた。それは、「子どもたちの母語の保持は共同体や家庭の教育力に任せておいてくれればよい、公教育が担うべきはあくまでも、『外』の世界で生き抜いていくためのスペイン語力（国語力）の伸長である」という当事者側の見解とも取れる。グローバル市場における言語の優位性の問題も、そうした反応の背景には垣間みられる。「学校教育の重要な役割が言語共同体の創出であるとすれば、国家語を母語としない民族にとって、学校教育は、社会への参加の機会を与えるものであると同時に、民族のアイデンティティを危機にさらす可能性を持つものとなる」との江原の指摘（江原、六九頁）には説得力がある。しかしその一方で、上記の保護者らの反応からは、共同体で育まれたアイデンティティには揺るぎがなく、その保持は学校教育などに左右される類のものではない、との自負も窺われる。先住民言語を学校教育の場で子どもたちに学ばせることに積極的意義を見出せない保護者側の考え方には、民族集団内の「教育力」に依拠した前向きなものから、そもそも先住民言語に学習価値を置かない後ろ向きなものまで、さまざまな立場があり得よう。こうした背景についても、しかるべき調査が求められるところである。

いずれにしても、歴史的文脈の中で劣位に置かれ続けてきた先住民たちが、憲法で謳われる通りに国家の対等な構成員となり得るには、政治・経済・社会のあらゆる面で、個人が望む能力や技術を制約なく身につけ、遺憾なくそれを発揮し、公正にそれが評価される土壌の確立が不可欠である。自文化を劣位に置き、ともすると先住民としてのアイデンティティの保持を「恥」と位置づけてしまうような価値観に行きつくことのない、あるいは主流言語を母語としながらも、先住民言語・文化に深く通じた、高い水準でのバイリンガルかつバイカルチュラルな構成員

4 スペイン語話者用とグアラニー語話者用のプログラムが準備された。他の言語を母語とする児童については、いずれかを選択することになる。

の育成こそが、多民族・複文化国家を謳う国々で実践される異文化間二言語教育に、今後期待される成果である。

多様な文化の保持・発展と高等教育

異文化間二言語教育は主に初等教育課程を通じて展開されてきた取り組みであるが、将来の職業選択に直結するのは高等教育機関での学修である。一般の高等教育機関においては、先住民やアフロ系（本書第5章注4参照）など、マイノリティを対象とした特別入学枠や奨学金支給制度を通じ、当該のエスニック・人種集団においてロールモデルとなり得るような若者の育成はある程度達成できてきたといえるが、受け入れ側である既存の高等教育機関での環境は、あくまでも主流文化を中心とするものであった（Mato, pp.22-23）。しかし、先住民族の歴史や文化、言語、思想、法的権利等について専門的に学べる課程は依然として少ないものの、一九九〇年代半ば以降、ニカラグア、コロンビア、ペルー、ボリビア、ブラジル、エクアドル、メキシコ等では、そうした課題に関連したいくつかの学術的プログラムや研究所、教育機関等が開設されてきている。

一九九四年にニカラグアでは、先住民やアフロ系住民の集住する大西洋岸地域において、ニカラグア・カリブ海沿岸自治地域大学（URACCAN）が地域住民主導で設立された。域内四か所に拠点を置く同大学は、ラテンアメリカ初の共同体立異文化間大学として他の模範となることを目指し、伝統医学や環境学、言語学、異文化間コミュニケーション論、自治論、ジェンダー論等をはじめとする教育・研究を推進している。メキシコでも、二〇二〇年八月現在、シナロア異文化間自治大学（〇一年設立。一六年にメキシコ先住民自治大学より名称変更）やチアパス異文化間大学（〇四年設立）、ミチョアカン先住民異文化間大学（〇六年設立）、キンタナロー・マヤ異文化間大学（〇六年設立）等、一〇校を超えるいわゆる「先住民大学」が存在している。これらの大学は、メキシコ社会の多民族・複文化性を国家全体の資産とみなし、先住民文化の保持・発展に貢献するとともに、高等教育を通じ、先住民の人々がより公平かつ適正な形で社会参画ができるよう支援することを目的とする。

ボリビアの首都ラパスに本部を置くラテンアメリカ・カリブ先住民開発基金（ＦＩＬＡＣ）は、ドイツ国際協力公社（ＧＩＺ）やスペイン国際開発協力庁（ＡＥＣＩＤ）、ベルギー技術協力公社（ＢＴＣ）の支援を得て、二〇〇五年に異文化間先住民大学（ＵＩＩ）を設立した。ＵＩＩは、理念を共有する大学・研究所等によるネットワークに基盤を置き、その傘下には現在、ボリビア、コロンビア、エクアドルなどラテンアメリカ諸国の三〇機関、ヨーロッパの一機関が名を連ねている。先住民の高等教育状況もまた、国境を越えたグローバルな潮流の中で変化、発展し続けてきているのである。

おわりに

教育における格差是正と質保証の問題は、国境を越えた共通の課題として位置づけられ、ラテンアメリカ各国でもさまざまな連携のもとに取り組みが展開されてきている。しかしながらその一方で、社会階層や居住地域による教育環境格差・学習到達度格差は依然として縮まらない現状にある。

学校現場で教育の質を支えるのが教師であるが、ラテンアメリカでは、教員の給与がきわめて低い。他の仕事との兼業でなければ生活が成り立たないようでは、優秀で意欲ある若者が教員を志望することも難しくなる。また、校舎や教員の不足から、午前と午後で異なる児童・生徒が学ぶ二部制を採用している学校も珍しくはない。他方、農村部の過疎地域では、同じ教員のもとで異なる学年の子どもたちが学ぶ複式学級が開設されている。一九七五年に始まったコロンビアの「エスクエラ・ヌエバ」（「新しい学校」の意味）は、個別学習と協働学習を組み合わせた複式学級制を基本とする学校で、同国農村部の子どもたちに平等な教育機会を提供することに貢献してきた。

本章第二節でも取り上げた条件付き現金給付プログラムは、ラテンアメリカで先駆的取り組みが行われ、アジアやアフリカといった世界の他地域に伝播したプログラムとして注目に値する。このほか、高等教育における出口管理（卒業試験の実施等）や域内外の機関との積極的連携・交流推進の面においても、他地域への示唆に富む取り組みがラテンアメリカでは展開されている。

貧困・格差と学力との関係、あるいは外国人児童・生徒と学習支援との関係等、日本においても教育環境をめぐる問題はさまざまな形で浮き彫りにされてきている。ＳＤＧｓの目標４「すべての人々への包括的かつ公正な質の高い教育」の保障を実現していく上でも、ラテンアメリカの経験や取り組みは、大きな示唆を与えてくれるものとなろう。教育における格差是正と質保証の問題は、国境を越えた共通の課題であり、今後の国際教育協力の進展にもさらなる期待が寄せられている。

二〇二〇年一二月現在、全世界は新型コロナウイルス（ＣＯＶＩＤ-19）の多大なる影響下にある。ラテンアメリカ地域においても、多くの国々で感染拡大に歯止めがかかっていない。経済活動の低迷は貧困層を直撃する。児童労働を余儀なくされる子どもが再び増加することも十分に考えられる。人々の健康と生活を守りつつ、長期的展望に立って、教育の拡充と質保証をどのように担保し新たな時代に備えていくのかが、ラテンアメリカ各国政府と国際教育協力に関わる機関に課された、当面の重大な課題である。

参考文献

青木利夫［二〇〇二］「メキシコにおける二言語教育と住民の教育要求」『地域文化研究』（広島大学総合科学部紀要）二八巻、七一―九〇頁。

青木芳夫［一九九九］「変化の中のケチュア語」『総合研究所所報』（奈良大学）第七号、一一―二四頁。

青木芳夫［二〇〇八］「ペルーの教育改革―二言語教育とインターカルチュラル教育」『奈良大学紀要』第三六号、六九―八八頁。

江原裕美［二〇〇七］「ラテンアメリカにおける教育と言語―異文化間二言語教育に見る『多元文化国家』への模索」『比較教育学研究』第三五号、六五―八三頁。

国立教育政策研究所（文部科学省）［二〇一九］「ＯＥＣＤ生徒の学習到達度調査（ＰＩＳＡ）―二〇一八年調査国際結果の要約」。

Barié, Cletus Gregor [2003] *Pueblos Indígenas y derechos constitucionales en América Latina: un panorama*, México, D.F. : Comisión Nacional para el Desarrollo de los Pueblos Indígenas.

CEPAL (Comisión Económica para América Latina y el Caribe) [2014] "Los pueblos indígenas en América Latina: avances en el último decenio y retos pendientes para la garantía de sus derechos"（https://repositorio.cepal.org/bitstream/handle/11362/37050/4/S1420783_es.pdf 最終閲覧日二〇一九年八月一五日）

CEPAL [2019] *Panorama Social de América Latina*, 2018.

CEPAL [2020] "Crisis provocada por COVID-19 podría causar aumento significativo del trabajo infantil en América Latina y el Caribe"（https://www.cepal.org/es/comunicados/crisis-provocada-covid-19-podria-causar-aume nto-significativo-trabajo-infantil-america 最終閲覧日二〇二〇年八月二一日）

CLADE (Campaña Latinoamericana por el Derecho a la Educación)[2015] "Educación para todos y todas en América Latina y el Caribe: Reflexiones y aportes desde la Campaña Latinoamericana por el Derecho a la Educación"（https://redclade.org/wp-content/uploads/Educación-para-Todos-y-Todas-en-América-Latina-y-el-Caribe.pdf 最終閲覧日二〇一九年九月一〇日）

González Galván, Jorge Alberto, et al. [2002]*Constitución y derechos indígenas*, México, D.F. : Universidad Nacional Autónoma de México.

López, Luis Enrique & Küper, Wolfgang [1999] "La educación intercultural bilingüe en América Latina: balance y perspectivas", *Revista Iberoamericana de Educación* No.20, pp.17-85.

Mato, Daniel [2014] "Universidades Indígenas en América Latina. Experiencias, logros, problemas, conflictos y desafíos", *ISEES: Inclusión Social y Equidad en la Educación Superior* No.14, Universidad de la Rioja (Chile), pp.17-45.

OREALC/UNESCO Santiago (Oficina Regional de Educación para América Latina y el Caribe) [2013] *Situación Educativa de América Latina y el Caribe: Hacia la educación de calidad para todos al 2015*.

OREALC/UNESCO Santiago [2014] *Comparación de resultados del Segundo y Tercer Estudio comparativo y explicativo: SERCE y TERCE, 2006-2013*.

OREALC/UNESCO Santiago [2016] *Recomendaciones de Políticas Educativas en América. Latina en base al TERCE*.

OREALC/UNESCO Santiago; LLECE (Laboratorio Latinoamericano de Evaluación de la Calidad de la Educación) [2008] *Los Aprendizajes de los estudiantes de América Latina y el Caribe: resumen ejecutivo del primer reporte de resultados del Segundo Estudio Regional Comparativo y*

Explicativo (SERCE).
OREALC/UNESCO Santiago; LLECE [2015] *Informe de resultados TERCE: Factores asociados.*

ウェブサイト

CEPAL, https://dds.cepal.org/bpsnc/ptc 最終閲覧日二〇二〇年一二月二七日
Ministerio de la Niñez y la Adolescencia (Paraguay), "Abrazo", http://www.minna.gov.py/pagina/229-abrazo.html 最終閲覧日二〇二〇年八月二二日
World Bank, https://data.worldbank.org/region/latin-america-and-caribbean 最終閲覧日二〇二〇年八月一八日

日本語文献案内

江原裕美［二〇〇五］「ラテンアメリカにおける国際教育協力の現状と課題」『比較教育学研究』第三一号、五二―六七頁。同［二〇〇一］『開発と教育―国際協力と子どもたちの未来』新評論。いずれの論考も一九九〇年以降の国際教育協力の潮流とラテンアメリカでの教育開発の試みについて探るのに有用である。

斉藤泰雄［二〇一二］『教育における国家原理と市場原理―チリ現代教育政策史に関する研究』東信堂。工藤瞳［二〇一八］『ペルーの民衆教育―「社会を変える」教育の変容と学校での受容』東信堂。牛田千鶴（編著）［二〇〇七］『ラテンアメリカの教育改革』行路社。これらの文献からは、各国の教育状況や改革の具体的取り組みについて知ることができる。

＊本章は科学研究費助成事業による研究成果の一部である（課題番号１９Ｋ１２５１３）

第7章

貧困と社会保障

貧困問題への取り組み

条件付き現金給付プログラムの成果と課題

宇佐見耕一

ラテンアメリカは世界的にみて貧富の格差が大きい地域の一つである。そういうラテンアメリカにおける社会保障は、恵まれている人には手厚く、恵まれていない人には整備が進んでいないといわれてきた。低所得層や貧困層は、社会保障や労働法に保護されないインフォーマルセクターに含まれる場合が多い。21世紀になってから、これまであまり顧みられなかった貧困層を対象とする条件付き現金給付プログラムが域内全域で採用された。このプログラムの新しい点は、給付の条件に子どもの教育や健康管理を掲げ、次世代育成のために投資し、貧困の世代間連鎖を断ち切るという目標を設定したところにあった。本章では、このプログラムの性格、達成された効果と残された課題について検討する。

写真：路上で物を売る女性たち、彼女たちはインフォーマルセクターに属する（メキシコ・テポストラン、2020年1月、撮影：畑惠子）

はじめに

グローバル化が進む中、ラテンアメリカでは一九九〇年代に新自由主義的経済改革が本格化した。この改革のもとでは、国家が経済過程に介入するそれまでの政策はラテンアメリカの経済発展を阻んできたと批判され、国営企業の民営化、貿易の自由化、労働の規制緩和などが積極的に行われた。しかし改革により市場機能や競争原理が重視されるようになった結果、勝者と敗者の構図が生まれ、貧困や格差といった旧来からの問題をいっそう拡大させた。その背景には、労働市場におけるフォーマルセクター（民間企業、公的機関など）とインフォーマルセクター（自営業、零細企業など）の二分化というラテンアメリカ固有の雇用構造がある。同じ就労者であっても、社会保険や労働法に保護されているフォーマルセクター労働者と、それらの保護のないインフォーマルセクター労働者との間には大きな格差があり、それは賃金のみならず社会保障、雇用の安定性などに及んでいる。両セクターについては、第二節で詳しく論じる。

二一世紀になると、そうした社会的脆弱層の状況改善のために、深刻な貧困や格差という未解決の社会的諸問題に取り組もうとする左派政権が数多く誕生した。各国の公的部門の社会支出（教育、医療、社会保障や社会扶助などへの支出）は漸増傾向となり、子どもの教育や健康への配慮を条件として貧困層に現金を支給する「条件付き現金給付プログラム」（英語略称ＣＣＴ、スペイン語略称ＴＭＣ（本書第6章も参照））が域内全域に拡大した。それは、貧困層に現金を給付することによって現在の貧困を緩和し、子どもの教育と健康を支援することによって次世代がよりよい条件の就労などを目指せるようにするもので、貧困の世代間連鎖を断ち切ることを目的としている。条件付き現金給付プログラムは、メキシコとブラジルの取り組みを先駆けとして、ラテンアメリカで広範に採用された政策である。またそれは、単に現金をばらまいたり、食料支給や住宅の整備を行ったり、あるいは食品や公共交通の価格を低く据え置くというような「不足の補塡」という旧型の貧困緩和政策とは異なり、子どもの教育や健康といった次世代への投資を重視する点で画期的なものであった。条件付き現金給付プログラムは、社会保険にカバーされていないインフォーマルセクターを対象とした点で、これまでの社会保障を拡大した包摂的社会政策としてとらえることもできる。しかし、フォーマルセクターの社会保障が社会保険を中心としているのに対し、インフォーマルセクターのそれは社会扶助的な保障であり、その点では両セクターが決して同一制度のもとに置かれたわけではない。

本章では、ラテンアメリカ各国の社会保障制度、とくに二一世紀になり急速に拡大した「条件付き現金給付プログラム」に焦点を当て、その性格と普及要因、さらにその成果と残された課題を検討する。以下、第一節ではラテンアメリカの社会保障制度の特徴を論じ、第二節では巨大なインフォーマルセクターと貧困の実態をまとめ、第三節ではそのインフォーマルセクターを対象とした新しい貧困緩和政策である条件付き現金給付プログラムを具体的に紹介し、第四節でその成果と残された課題を検討する。

一　ラテンアメリカの社会保障制度の展開

まず、一九九〇年代以前のラテンアメリカの社会保障制度の特徴と九〇年代以降の改革について概観してみよう。ある国の社会保障制度の特色を明らかにする際によく用いられているのが、北欧の福祉国家の研究者エスピン＝アンデルセンによる福祉レジーム論である。彼は、先進資本主義諸国を福祉国家とみなし、それを三つのレジームに区分した（レジームとはある共通した特徴を持つ政治や経済等の体制を意味し、福祉レジームとは特定の特徴を持った社会保障・社会政策の体制を示す）。まず、国家が高い水準の福祉を全国民に提供し、女性の社会参加を促進する北欧諸国の社会保障を「社会民主主義レジーム」、次に、職業別に分立し、サービスに格差のある社会保険を中心として、子育てや介護などは家族、とくに女性が担うような欧州大陸諸国の社会保障を「保守主義レジーム」、最後に、個人の所得に応じて社会保障を市場で購入し、公的社会保障は最低限に抑えられた米国を典型とするアングロサクソン諸国の社会保障を「自由主義レジーム」と名づけた（エスピン＝アンデルセン）。

一九九〇年代以前のラテンアメリカの社会保障制度には、フォーマルセクターだけを対象とする健康保険や年金などの社会保険を中心に発展したために、社会保険にカバーされない広範なインフォーマルセクターが存在するという二重構造があった。フォーマルセクターだけに着目してエスピン＝アンデルセンのレジーム論を援用すれば、社会主義のキューバを除くラテンアメリカ諸国の社会保障制度は、「保守主義レジーム」であったといえる。そのもとでは、男性世帯主が家族を養いうる所得を得て社会保障の被保険者となり、その妻は夫である男性世帯主の被扶養者として社会保障によって保護され、育児や介護を担った。いわゆる「男性稼得者モデル」が一般的な家族のあり方であった（稼得者とは所得を得る人の意味である）。

だが、一九九〇年代の市場経済を重視する新自由主義改革が社会保険制度にも及ぶと、国家によるフォーマルセクター労働者への保護が弱まり、「市場」でのケア・サービスを選択する「自由主義レジーム」の要素が加わることとなった。しかしこのような変化はフォーマルセクターのみにとどまり、インフォーマルセクターが公的な保護から排除されたままであることに変わりはなかった。このように、ラテンアメリカでは多くの人々が社会保障から取り残されていたことを考慮して、その制度を「保守主義レジーム」ではなく、「限定的保守主義レジーム」と呼ぶ論者もいる。

しかし、こうした状況は二一世紀になると様変わりする。それは、インフォーマルセクターを中心とした貧困層向けの「条件付き現金給付プログラム」が急速にラテンアメリカ域内に拡大したからである。二〇〇九年時点でこのようなプログラムはほぼ域内全域で何らかの形で実施されており、一〇年時点では域内の二五〇〇万世帯、人口の一九％がカバーされていた（Cecchini y Madariga, p.107）。このプログラムは子どもの教育や健康といった次世代育成のためのへの投資を主柱とし、現在の貧困の緩和、将来のリスクの低減、およびひとたびリスクを抱えた場合にそのインパクトを軽減させることを目的としていた。また、この条件付き現金給付プログラムは、プログラムの継続にともなって、予算の増額、カバー率の拡大および農村部から都市へという対象地域の地理的拡大といった、域内全域に共通した傾向もみられ、今日では各国で制度的に確立された社会政策となっている（Cecchini y Madariga, p.10）。このようにラテンアメリカの社会保障制度は、二一世紀になるとインフォーマルセクターをも広く包摂する制度に変容しつつある。

しかし域内各国の社会福祉のあり様は必ずしも同じではない。たとえば、各国の社会政策に着目すると、ラテンアメリカ独自の三つのレジームに分類することができる。第一の「普遍主義レジーム」は、社会的権利を普遍的に認める傾向があり（ただし職業別に階層化された社会保障もあるため、完全な普遍主義ではない）、フォーマルセクターの比率が相対的に高いアルゼンチン、チリ、コスタリカ、ウルグアイがこの類型に入る。第二の「複線型レジーム」は、都市部のフォーマルセクターと農村部やインフォーマルセクターへの保障に大きな格差がある型で、ブラジルとメキシコがこれに含まれる。第三の「排除型レジーム」は、公的社会保障の対象が非常に限定的であり、工業化の遅れた国々、コスタリカを除く中米やアンデス諸国が該当する（Barba, pp.29-58）。このような類型の違いは、アルゼンチンとメキシコは一人当たり国内総生産（ＧＤＰ）が近いにもかかわらず、二〇一五年のアルゼンチンの公的社会支出はＧＤＰの三〇％であったのに対して、メキシコはその半分以下の一二・四％にすぎなかったことにも表れている。

また、近年のインフォーマルセクターへの社会保障の拡大に関しても歩みは一律ではなく、大きく包摂した国もあれば、限定的な拡大にとどまった国もある。その違いを生み出す要因の一つとして政党や社会運動の影響が考えられるが、社会政策が右派勢力の強い議会において決定された場合には政策が制限的になり、社会運動との協議により決定された場合には包摂的になることが、メキシコ、チリ、ブラジルおよびアルゼンチンの事例から明らかにされている（Garay）。

本節では、ラテンアメリカの社会保障制度が、一九九〇年代までのフォーマルセクターだけを対象とした社会保険を中心とした制度から、二一世紀になると新たな貧困削減プログラムによってインフォーマルセクターも包摂される制度へと変わったことと、他方でその包摂の仕方や拡充の程度は国によって異なっていることを確認した。次節および第三節では、インフォーマルセクターの状況とそれを対象とした条件付き現金給付プログラムについて見てみよう。

二　巨大なインフォーマルセクターと新たな政策

ラテンアメリカでインフォーマルセクターに属する職種としてすぐに想起されるのが、男性の場合は日雇い建築労働者、女性の場合は家事労働者であろう。街頭での物売りもラテンアメリカではよく目にするインフォーマルセクターの代表例である。また大企業や公的部門にもインフォーマルセクターはあり、日本におけるアルバイトやパートタイムのような非正規雇用がそれに該当する。

インフォーマルセクターとは、労働法や社会保障制度に包摂されていない部門を指す用語であり、それらの法制度により保護されているフォーマルセクターに対置される。論者によっては、諸権利から排除されているインフォーマルセクターをアウトサイダーと呼び、諸権利が保護されているフォーマルセクターをインサイダーと呼ぶこともある。実はインフォーマルセクターの定義に関しては、きわめて多くの議論があり、ラテンアメリカ域内の統計上の定義も国ごとに異なっている。

その中で比較的広く用いられているのが、国際労働機関（ＩＬＯ、スペイン語略称ＯＩＴ）の報告書で使用される定義である。それによると、インフォーマル雇用とは、「専門職を除く自営業者、無給家族労働者、雇用者が五人以下の小規模事業所の雇用者、および家内労働者」である。また一九九三年の国際労働統計会議で採択された定義では、インフォーマルセクター雇用にはフォーマルセクター内でのインフォーマル雇用が含まれており、それを受けて二〇〇二年に開催された国際労働会議で採択された勧告二〇四号では、「インフォーマル経済とは法的または実質的に公的制度に十分に包摂されていない労働者や事業体により実施されたもの」という定義がなされている(Salazar-Xirinachs, et al., pp.20-21)。

　前者は雇用形態にもとづく定義であり、後者は労働法・社会保障制度に包摂されているか否かという法制上の実効性からみた定義である。しかし、自営業者や小規模事業所従事者の多くは労働法・社会保障制度に包摂されていないため、実質的に両定義はほぼ同じグループの就労者を指している。また、インフォーマルセクターは低生産性、低所得および社会的保護の不在を特徴としているがゆえに、その従事者と家族は貧困に陥る可能性がきわめて高く、貧困層と重複する部分が大きいと考えられている。

　インフォーマルセクターの存在は、単にラテンアメリカのみの問題ではなく、先進国を含めた世界的問題である。しかし、すぐ後で述べるように、先進国とそれ以外では、経済に占めるインフォーマルセクターの比率に大きな相違がみられる。ILOによると二〇一六年の開発途上国を含めた全世界のインフォーマル雇用率（農業部門を含む）は六一・一％であるのに対して、ラテンアメリカ・カリブ地域のそれは五三・一％であり、世界平均よりは低い。また、域内のサブ・リージョン別のインフォーマル雇用率（農業部門を含む）はカリブ地域が五七・五％、メキシコ・中米地域が五八％、そして南米地域が五〇・八％であった(Salazar-Xirinachs, et al., p.22)。域内全体では、農業部門を含めた雇用の約半分がインフォーマル雇用であり、カリブ地域とメキシコ・中米地域のインフォーマル雇用率が相対的に高く、南米南部地域のそれは相対的に低いといえる。

　次頁**表1**は、二〇一六年におけるラテンアメリカ域内一八か国の雇用労働者全体に占めるインフォーマル雇用率

表1　2016年におけるラテンアメリカのインフォーマル雇用　（%）

	農業を含むインフォーマル雇用率	非農業部門のインフォーマル雇用率		農業を含むインフォーマル雇用率	非農業部門のインフォーマル雇用率
ドミニカ共和国	56.3	52.6	ボリビア	83.1	75.6
コスタリカ	39.1	37.4	ブラジル	46.0	42.5
エルサルバドル	69.6	63.1	チリ	40.5	39.3
グアテマラ	79.7	72.7	コロンビア	60.6	55.4
ホンジュラス	79.9	72.7	エクアドル	59.0	50.4
メキシコ	53.4	53.2	パラグアイ	70.6	64.4
ニカラグア	77.4	68.6	ペルー	69.2	59.1
パナマ	52.3	46.0	ウルグアイ	24.5	24.1
アルゼンチン	47.2	47.0	ベネズエラ	39.7	38.3

（出所）OIT, pp.86-87より筆者作成。

を比較したものである。それによると農業部門を含めたインフォーマル雇用率、および非農業部門のインフォーマル雇用率がともに二〇、三〇%台と比較的低い国は、ウルグアイ、コスタリカ、ベネズエラである。ウルグアイやコスタリカは「ラテンアメリカの福祉国家」とも呼ばれている国で、公的社会支出の対GDP比も高いことが知られている。ベネズエラに関しては、現在、極度の経済危機にあり、二〇年時点でもインフォーマル雇用率が相対的に低いかどうかは不明である。

社会保障、医療、教育、上下水道や住宅などの社会支出は、公的部門からも民間部門からも支出され、両者が交差している場合もある。公的社会支出とは、公的部門が支出する社会支出であるが、その区分は一律ではなく、たとえば加入が義務化されている年金において、その運営が民営化されている場合などは民間支出であっても公的社会支出に分類されることもある。

域内大国のインフォーマル雇用率（非農業部門）は、二〇一六年に、それぞれメキシコ五三・二%、ブラジル四二・五%、アルゼンチン四七・〇%であった。この数値はドイツ一〇・一%、フランス八・九%、イギリス一三・四%、また日本一六・三%や米国一八・三%（OIT, pp.87-90）などの先進国の比率と比べるときわめて高く、ラテンアメリカでは域内の大国においてさえもインフォーマルセクター雇用が多いことがわかる。

その他の国においては、とくに中米とアンデス諸国のインフォーマル雇用率が飛び抜けて高い。中米では、コスタリカとパナマを除き、二〇一六年の非農業部門のインフォーマル雇用率はグアテマラとホンジュラスで七〇%台、

郵便はがき

料金受取人払郵便

新宿北局承認

5974

差出有効期間
2022年3月
31日まで

有効期限が
切れましたら
切手をはって
お出し下さい

169-8790

260

東京都新宿区西早稲田
3—16—28

株式会社 新評論
SBC（新評論ブッククラブ）事業部 行

お名前	年齢	SBC 会員番号 L 番
ご住所 〒 ー TEL		
ご職業 E-maill		
●本書をお求めの書店名（またはよく行く書店名） 書店名		
●新刊案内のご希望 □ ある □ ない		

SBC（新評論ブッククラブ） 入会申込書	※✓印をお付け下さい。 → SBCに 入会する□

読者アンケートハガキ

●このたびは新評論の出版物をお買い上げ頂き、ありがとうございました。今後の編集の参考にするために、以下の設問にお答えいただければ幸いです。ご協力を宜しくお願い致します。

本のタイトル

●この本をお読みになったご意見・ご感想、小社の出版物に対するご意見をお聞かせ下さい
（小社、PR誌「新評論」およびホームページに掲載させて頂く場合もございます。予めご了承ください）

●**購入申込書**（小社刊行物のご注文にご利用下さい。その際書店名を必ずご記入下さい）

書名	冊
書名	冊

●ご指定の書店名

書店名　　都道府県　　市区郡町

エルサルバドルとニカラグアで六〇%台であった。アンデス地域でもボリビア七五・六%とペルー五九・一%は非常に高率である。つまり、これらの国々では非農業部門でも労働者の六、七割がインフォーマル雇用なのである。

このようにラテンアメリカ諸国のインフォーマル雇用率は必ずしも一様でないが、先進諸国と比較すると非常に高く、その多くの人々は貧困に直面していると考えられる。

では域内各国の貧困状況を見てみよう。ラテンアメリカでは、伝統的に各国の統計局が「最低限の食料費以下の所得しか得られない人または世帯水準」を定めて最貧困率とし、それに加えて「最低限の生活費以下の所得しか得られない層の比率」を貧困率としている。また、統計データは都市部のみの国と、農村を含めて国内全域の貧困率を出している国があるため、単純な比較はできない。次頁**表2**は最貧困人口率と貧困人口率を示した三種類の各国別統計・推計である。左列の各国の統計（一九九〇年）は都市貧困人口比率を示している。中列の各国の統計（二〇一七年）は国連ラテンアメリカ・カリブ経済委員会（スペイン語略称ＣＥＰＡＬ、英語略称ＥＣＬＡＣ）が各国統計局の貧困率をそのまま用いたものである。それに対して右列のＣＥＰＡＬの推計（二〇一七年）は、ニカラグアを除く各国の統計をもとにＣＥＰＡＬが独自に推計したものであり、域内諸国の貧困率を比較するのにより適したものとされている。

このようにラテンアメリカの最貧困・貧困統計は、国別あるいは時系列的に比較する際に必ずしも完全とはいえないが、それでもおおよその傾向はみることができる。まず各国の一九九〇年統計の貧困率は、アルゼンチン、コスタリカ、ウルグアイの三か国のみが二〇%台であったが、域内大国のブラジルとメキシコでは四〇%台、それ以外の国でもニカラグアの七二%（九七年）やホンジュラスの七〇%を筆頭に高い数値を示している。各国の九〇年統計と二〇一七年統計の最貧困率・貧困率を比べると、一部の国を除き全体的に低下傾向が顕著であり、一七年には多くの国で最貧困率が一〇%台以内に、また貧困率は二〇%台以下にまで低下している。しかしメキシコは前者が一七・五%（一六年）、後者が五〇・六%と悪化し、ホンジュラスは前者が四二・五%（一六年）とわずかなが

表２　最貧困人口率・貧困人口率

（%）

	各国の統計1990年		各国の統計2017年		CEPAL の推計2017年	
	最貧困率	貧困率	最貧困率	貧困率	最貧困率	貧困率
アルゼンチン	5	21	4.8	25.7	2.8	18.7
ボリビア	23（1989）	53（1989）	17.1	36.4	16.4	35.2
ブラジル	17	41	データ不明	n.d.	5.5	19.9
チリ	12	38	2.3	8.6	1.4	10.7
コロンビア	20（1991）	53（1991）	7.4	26.9	10.7	29.8
コスタリカ	6	25	5.7	20.0	3.3	15.1
エクアドル	26	62	7.9	21.5	6.2	22.8
エルサルバドル	15（1995）	46（1995）	6.2	29.2	8.3	37.8
ホンジュラス	43	70	42.5（2016）	65.7（2016）	18.8（2016）	53.2（2016）
メキシコ	13	42（1989）	17.5（2016）	50.6（2016）	11.7（2016）	43.7（2016）
ニカラグア	41（1997）	72（1997）	6.9（2016）	24.9（2016）	データ不明	データ不明
パナマ	16（1991）	41（1991）	9.8	20.7	7.6	16.7
パラグアイ	13	42	4.4	26.4	6.0	21.6
ペルー	12（1995）	38（1995）	2.8	21.7	5.0	18.9
ドミニカ共和国	12（1997）	36（1997）	3.8	25.5	8.4（2016）	27.4（2016）
ウルグアイ	3	18	0.1	7.9	0.1	2.7

（注）括弧内は統計年および推計年。
（出所）CEPAL, 2000, pp.40-42 / CEPAL, 2019, p.83より筆者作成。

ら低下したものの、後者は六五・七%と非常に高いままである。

ＣＥＰＡＬの二〇一七年推計では、ウルグアイが最貧困率で〇・一%、貧困率で二・七%ときわめて低く、チリが前者で一・四%、後者で一〇・七%と続く。多くの国で最貧困率は一〇%以下、貧困率は一〇%から二〇%台であるが、その中でメキシコの貧困率が四三・七%（一六年）、ホンジュラス（一六年）が五三・二%と飛び抜けて高い。とはいえ、ＣＥＰＡＬの一七年推計の全体的傾向と各国の一七年の統計との間に大きな乖離は認められず、一九九〇年と比較するとすべての国で貧困率の低下がみられる。

このように、域内のほぼすべての国において最貧困率および貧困率の改善はみられたものの、現在も貧困率が二〇%台以上の国は多い。しかし各国の貧困率には大きな開きがあり、また、各国が直面する貧困の内訳や質も一様ではない。これらは貧困問題が依然として地域全体に関わる核心的な社会問題であることを示している。

三 条件付き現金給付プログラム

このような巨大なインフォーマルセクターや大規模な貧困層に対して、一九九〇年代までのラテンアメリカの社会保障は脆弱であった。それは各国の公的社会保障制度が、政治的に有力な階層、すなわち労働組合に組織されたフォーマルセクターの労働者を対象とする社会保険制度として構築されてきたことによる。自己拠出を前提とする社会保険制度のもとでは、雇用や収入が不安定な、しかも十分な収入を得ることのできないインフォーマルセクターにこれを適用することは不可能であり、貧困層にはわずかな公的社会扶助が行われる程度にとどまっていた。

しかし二一世紀に入ると、各国は、公的社会保障制度から排除されていたインフォーマルセクターを社会保障に包摂し貧困を緩和する手段として、条件付き現金給付プログラムを導入した。まず、一九九七年にメキシコで「プログレサ」(PROGRESA:「教育・保健・栄養プログラム」)が開始され、二〇〇三年に始まったブラジルの「ボルサ・ファミリア」(家族手当)がこれに続いた。その後、条件付き現金給付プログラムはラテンアメリカ全域に広まり、一七年時点で域内二〇か国、計三〇のプログラムが実施されている(Cecchini y Atuesta, pp.15-16)。

メキシコの「プログレサ」は最貧困層家族の支援を目的として、制度的革命党(PRI)のセディージョ政権下で開始された。その特色は、給付対象家族を厳正に選別し、支援を受ける子どもの就学や健康診断の受診を義務づけ、児童労働を防止し、知力と体力を備えた人間を育成することにより貧困の世代間連鎖を断ち切ることにあった。プログラムでは食料支援のほかに、小学三年から中学三年までの就学者に奨学金(現金)が給付された(その後、給付学年は拡大された)。金額は学年が上がるほど増え、男子生徒より女子生徒のほうがわずかに多く給付されるように設定され、父親よりも家庭や家族に対する責任感が強いと考えられる母親に優先的に渡されている(畑、三〇—三一頁)。

ブラジルの「ボルサ・ファミリア」は、一九九六年に開始された「児童労働撲滅プログラム」や二〇〇一年に始まった「ボルサ・エスコラ」（就学手当）などの複数のプログラムが労働者党のルーラ政権下で統合されたもので、子どもの就学と予防接種を条件として給付されている。対象は貧困世帯と最貧世帯であるが、最貧世帯は一定額の基礎的扶助も受けることができる。さらに最貧世帯も貧困世帯も子どもの人数に応じた給付を受け、支給額は一五歳以下よりも一六―一七歳の年齢層のほうが高く設定されている（近田、六六―七〇頁）。

他の域内各国のプログラムでもまた、メキシコとブラジル同様の目標と条件のもとで現金給付プログラムが行われている。域内全体の受給者は、一九九六年の一〇〇万人弱から二〇一五年には一億三一八〇万人に拡大し、プログラムのカバー率は全人口の二〇・九%に達している（Cecchini y Atuesta, p.21）。

それではなぜ、このようにほぼ同様の内容の政策が、ほぼ同時期にラテンアメリカ域内に拡大したのだろうか。その説明には「政策の国際伝播」という概念が有効であろう。条件付き現金給付プログラムのような新しい規範は以下にみる三段階を経て伝播すると考えられている。第一段階では、新たな規範がそれを構想する人々や団体により提起される。その規範は、他者のために貢献したい、共感を得たい、あるいは自らの考えで問題解決に関わりたい（利他主義、共感、思想的関与）という動機から考案され、その意義や重要性が説得という手法を通して広まっていく。第二段階では、その規範が世界に広まり、より多くの人々や国がそれを採用するようになる。この段階では、アクターとなる国家、国際機関、そのネットワークが社会化、制度化を進めたり、その意義を強く訴えたりするが、そうした行動は個々のアクターの正統性や名声にも結びついていく。そして、第三段階では、各国の法律家、専門家、官僚などのアクターが、規範に適合させるために自国の法律などを整備し、政策化していく（Finnemore, et al., pp.896-905）。条件付き現金給付プログラムが、ラテンアメリカのほとんどの国で、同じ考え方にもとづいて採用されたのは、このような「政策の国際伝播」が起こり、各国内のさまざまなアクターにより実施された結果であると考えられる。

実際、域内各国の政治家、官僚、貧困問題研究者、社会運動組織等の関係者など、政策を策定・施行するアクターは、世界銀行、CEPAL、米州開発銀行などの融資報告書や研究報告書を通じて、メキシコやブラジルの先行事例の情報に容易に接近することができた（たとえば、二〇〇三年には世界銀行と米州開発銀行が「プログレサ」を高く評価する報告書を公開している）。加えて、プログラムを実施する国は世界銀行などの機関から融資を受けることもできた。

繰り返し述べてきたように、このような貧困削減プログラムは、単なる貧困者の「不足の補填」ではなく、受給者の子どもの教育と健康を重視する次世代育成のための投資という新たな発想にもとづくものであったが、そこにはインド出身の経済学者アマルティア・センが提唱した「貧困を潜在能力の欠如ととらえる考え方」（セン、五九―八四頁）が、国際社会で広く受け入れられたという背景がある。センの新しい貧困観にもとづいて、国連開発計画（UNDP）は一九九〇年以降、人間開発指数（HDI。出生時平均余命、識字率と就学年数、GDPや購買力をもとに算出）を使った新たな開発パラダイムを提唱し、さらにその影響も受けて、世界銀行などにより、新しい貧困政削減プログラムして「人的資本への投資」（次世代育成のための投資）という考え方が形成された。条件付き現金給付プログラムは、このように新しい貧困観のもとで貧困緩和政策の転換が提起され、国際的に伝播する中で、広く実践されるに至ったといえよう。

四　プログラムの効果と残された課題

条件付き現金給付プログラムが比較的少ない予算で最貧困を解消できるという点も、多くの論者により指摘されている。

次頁**表3**は、条件付き現金給付プログラムがすでに域内に広く普及していた二〇〇九―一〇年の同プログラムに

表 3　条件付き現金給付プログラムにおける最貧困層・貧困層のカバー率とプログラム予算の対 GDP 比および貧困率・最貧困率の推移

（%）

	最貧困層のカバー率 2009–10年	貧困層のカバー率 2009–10年	プログラム予算の対 GDP 比 2009年	最貧困率の推移 1990–2017年	貧困率の推移 1990–2017年
エクアドル	100.00	100.00	1.17	26→7.9	42→50.6
メキシコ	100.00	62.80	0.51	13→17.5	42→50.6
ブラジル	100.00	84.60	0.47	17→5.5	41→19.9
ウルグアイ	100.00	84.60	0.45	3→0.1	18→7.9
コロンビア	100.00	56.50	0.39	20→7.4	53→26.9
アルゼンチン	100.00	46.40	0.20	5→4.8	21→25.7
チリ	100.00	51.70	0.11	12→2.3	38→8.6
ドミニカ共和国	89.00	46.30	0.51	12→3.8	36→25.5
グアテマラ	70.50	39.70	0.32	データ不明	データ不明
ペルー	60.60	21.20	0.14	12→2.8	38→21.7
コスタリカ	52.20	17.40	0.39	6→5.7	25→20.0
ボリビア	50.70	32.40	0.33	23→17.1	53→36.4
エルサルバドル	38.70	17.10	0.02	15→6.2	46→29.2
パラグアイ	25.20	13.90	0.36	13→4.4	42→26.4

（注）ブラジルの2017年最貧困率・貧困率は CEPAL の統計。
（出所）CEPAL, 2000, pp.40-42 / CEPAL, 2019.p.83 / Cecchini y Madariga, pp.109-110より筆者作成。

おける最貧困層・貧困層のカバー率と、二〇〇九年のプログラム予算における対GDP比、およびプログラム実施前の一九九〇年から実施後の一七年にかけての最貧困率・貧困率の推移を示したものである。表からは、同プログラムのカバー率が半数以上の国で高いこと、またほとんどの国でプログラム予算の対GDP比が〇・五%以下であるにもかかわらず、最貧困率が低下していることから、相対的に少ない予算で最貧困層から多くの人々が脱却していることがわかる。

また、同プログラムに関するラテンアメリカ地域のもう一つの特徴は、政権が右派になろうが左派になろうが、政権交代いかんにかかわらず、継続的に実施されてきたことである。ただし、**表3**が示すように、プログラムのカバー率をみてもプログラム予算の対GDP比をみても、国によって大きなばらつきがある。それには経済発展や民主化の度合いの違いなどさまざまな要因が考えられるが、政権政党の党派性（右派か左派か）もその一つとみなしうるだろう。それを検証するために、プログラムの実績（貧困層のカバー率と予算の対GDP比）を階層化し、それに政権政党の党派性を当てはめて作成したのが

表4である。

表4からいえるのは、貧困層のカバー率が高く、予算を多く費やしているグループ（表の上段右）には左派政権が多く、反対にカバー率や予算の低いグループ（表の下段左および中央）には右派政権が多いということである。右派なのにプログラム実績が高いメキシコ、左派なのにプログラム実績が低いボリビアや中程度のアルゼンチン、チリなど、党派性だけで説明できない国々も存在するが、メキシコについていえば、プログラムが域内で最も早く開始され、政権交代があっても長期に継続されて、制度的に拡大してきたことが実績の高さにつながっている。また逆に、アルゼンチンについていえば、同国最大の条件付き現金給付プログラムである「普遍的子ども手当」（Asignación Universal por Hijo）が開始されたのが二〇〇九年になってからであり、それ以降の実績がこの表には反映されていないことがその要因であると考えられる。ちなみにCEPALの二〇一四年の報告書によると、一〇年のアルゼンチンの「普遍的子ども手当て」の対GDP比は〇・七〇%に上昇し、プログラムのカバー率は全人口の一九・九%に達している（すでに見たように、一五年の域内全体におけるプログラムのカバー率は全人口の二〇・九%であった）。

表4　プログラムにおける貧困層のカバー率および予算の対GDP比と党派性との関係

貧困層のカバー率	プログラム予算の対GDP比		
	0-0.2%	0.21-04%	0.41%以上
100-80%			エクアドル左派 ブラジル左派 ウルグアイ左派
79-60%			メキシコ右派
59-40%	アルゼンチン左派 チリ左派	コロンビア右派	ドミニカ共和国右派
39-20%		グアテマラ右派	
19-0%	エルサルバドル右派	コスタリカ右派 ボリビア左派 パラグアイ右派	

（出所）CEPAL, 2000, pp.40-42 / CEPAL, 2019. p.83 / Cecchini y Madariga, pp.109-110 / 村上、148頁 / 恒川、３頁より筆者作成。

次に、条件付き現金給付プログラムが、「貧困を緩和する」「貧困の連鎖を断ち切る」という目的に対して、どのくらいの効果があったのかを考察してみよう。

同プログラムの効果を検証するには直接的因果関係の証明が必要

であり、すでにいくつかの事例研究がなされている。ここではプログラム開始前の一九九〇年と開始後の二〇一七年の最貧困率と貧困率をもとに（表3参照）考えてみよう。まず、最貧困率に関しては、メキシコを除いてすべての国で低下している。先に記したように、ラテンアメリカでの最貧困の定義は、「最低限の食料費以下の所得しか得られない人または世帯」である。そのような最貧困の人または世帯では、このプログラムで給付されるような少額な現金でも、所得は最貧困ラインを上回ることになる。したがって同プログラムは最貧困層の貧困緩和には一定の効果があったと推定される。これに対して貧困率に関しては、概ね低下しているとはいえ、同プログラムの貧困層へのカバー率が一〇〇％で、かつプログラム予算の対ＧＤＰ比が一・一七％と飛び抜けて高いエクアドルや、メキシコおよびアルゼンチンといった大国においてさえも貧困率が上昇していることから、その貧困率低下への効果については疑問が残る。

これまで述べてきたように条件付き現金給付プログラムの革新性は、貧困の世代間連鎖を断ち切るための次世代への投資という理念が具現化され、その中心に教育が位置づけられていることである。プログラムは、学齢期の子どもたちの学校への登録率や出席率の向上に寄与し、なかでも就学機会に恵まれない、あるいは就学継続が困難な最貧困世帯の子どもたちに対して、より大きな効果があった。

だがその一方で、学習効果や、それを担保する教育の質には疑問が呈されている。教育や健康に配慮した次世代育成のための投資は、最終的にはプログラムの対象となる子どもたちがよりよい教育を受け、その能力を高めて、より安定的で条件のよい職種、すなわちフォーマルセクターに参入できることを目標としている。しかし、いくつかの例外的事例はあるものの、世代間連鎖を断ち切るという目標は達成されたとはいいがたい。メキシコのプログラム「オポルトゥニダーデス」（二〇〇二年に「プログレサ」を継承して開始された）における世代間の就業移動に関するＣＥＰＡＬの研究でも、同プログラムの効果は限定的であったと評価されている。それによれば、〇七年に親と同じカテゴリーかそれ以下の職種に在職していた人は、「オポルトゥニダーデス」受給者で、女性四〇・二％、男性七四・一％であった。ところが、同プログラムの非受給者でも、その比率は女性四三・六％、男性七一・七％で、受給の有無によって就業に大きな差は認められなかった（CEPAL, 2016, p.80）。

他方、児童労働の削減に関しては、国によって効果に違いがあるものの、メキシコの「プログレサ」、ブラジルの「ボルサ・ファミリア」、コロンビアの「行動する家族」などのプログラムにおいては、就学の促進によりその効果が認められている（Cecchenι y Madariga, p.150）。たとえば「ボルサ・ファミリア」では、一一歳から一五歳の農村部女子の児童労働を二〇〇一年から〇三年の期間に一二・九％減少させる効果があった（Ferro, et al., p.25）。

以上から、条件付き現金給付プログラムは、最貧困層の貧困緩和には効果があったが、教育のような次世代育成のための投資によって貧困の世代間連鎖を断ち切るという最終目標についてはいまだ達成されていない、とまとめることができる。つまり、教育の質が保証されていないため、中等教育を修了しても十分な職業能力を獲得できないという問題は残されたままである。さらに、このプログラムはあくまで行政が貧困層に教育・健康の機会を提供する供給側の視点に立つものであり、労働市場におけるフォーマルセクターへの参入、つまり貧困層の就労を保障するものではない、という需要面での限界も指摘されている。

域内各国が行う貧困層を対象とした雇用創出プログラムとしては、主に①自営業や零細企業に対する支援、②公的機関を通じた直接的雇用の創出、③民間企業への補助金等の交付による間接的雇用の創出、の三つが挙げられる（CEPAL y OIT, p.15）。②の事例として、アルゼンチンのネストル＝カルロス・キルチネル（在任二〇〇三―〇七年）とクリスティーナ・フェルナンデス＝デ＝キルチネル（在任〇七―一五年）両左派政権期に行われた「働こうアルゼンチン」プログラムがある。同プログラムの対象はフォーマルセクターではなく、年金およびその他の社会扶助からの収入のない貧困世帯の人々であった。同国の社会開発省は国立社会経済局（ＩＮＡＥＳ）を介して、能力開発を目的とした約六〇人程度の労働協同組合を設立し、その協同組合が公共事業を実施した。同省は、このような労働協同組合の形成を通じて、労働者の連帯の強化と社会参加の促進を目指し、人々の自立と組織化の創生を期待していた。だが、同プログラムに対しては情報公開が不十分であったこと、創出された雇用の多くが従来型の公共事業によるものであったことが指摘されている。また、域内各国で盛んに行われている貧困層の就労能力を高めるための職業訓練プログラムも、基本的には訓練機会を提供するだけで、就業機会を保障するものにはなっていない（CEPAL, 2016, p.79）。

おわりに

ラテンアメリカ域内には今も、公的な社会保障や労働法に保護されていない巨大なインフォーマルセクターが存在する。貧困は長期的には改善傾向にあるものの、依然として深刻な社会問題である。一九九〇年代に国際社会では貧困の解決策として「人的資本」への投資という新たな考え方が生まれたが、ラテンアメリカ域内では二一世紀に入ると、インフォーマルセクターの貧困層を対象とした条件付き現金給付プログラムが、次世代育成のための投資として急速に拡大した。その政策は左派・右派政権に関係なく、政権交代のたびに継続され、今日に至っている。

条件付き現金給付プログラムは、インフォーマルセクターを幅広く社会保障制度に包摂した点で、また単なる所得の不足補塡ではなく、次世代育成のための投資を通して貧困の世代間連鎖を断ち切ろうとした点で斬新な政策であり、ラテンアメリカ諸国は、この新たな試みを実践するパイオニア的役割を果たしてきた。しかし、現金給付による最貧困の緩和には顕著な効果がみられるものの、給付の条件として教育機会を得た子どもたちの多くがフォーマルセクターでの就労にはつながっておらず、その効果は限定的であるといわざるを得ない。またそれを補完するための雇用プログラムも提供されてきたが、いくつかの例外を除いて、これもフォーマルセクターへの就労を促す効果としてはきわめて小さいというのが実情である。しかし、こうした新たなプログラムを積極的に取り入れ、貧困の緩和という大きな課題に挑戦し続けてきたラテンアメリカの姿勢は十分評価されてよいであろう。

ラテンアメリカ域内で一九九〇年代より本格化した、競争原理を重視する新自由主義改革は、マクロな経済面のみならず人々の雇用面においてもさらなる効率化を促し、全般的に雇用条件を引き下げる方向に作用している。インフォーマルセクターとは、労働法や社会保障制度に包摂されていない部門であることはすでに述べた。労働法は労働者の諸権利を守るための法律である。インフォーマルセクター労働者がそこに包摂されていなければ、いくら法律を厳格化したとしても、インフォーマルセクターが縮小されるわけではない。ラテンアメリカの労働法は世界的にみても労働者の権利保護に関して厳格な基準を持つものであるが、それはフォーマルセクターだけを対象としている。そのような状況下で、もし労働者の権利を守るために労働法をさらに厳しくすれば、かえってインフォーマルセクターの拡大を促す可能性がある。しかも、実際には、ラテンアメリカの労働法改正の動きは企業家寄りのものになっている。

条件付き現金給付プログラムは行政が貧困層に教育・健康の機会を保障して質の高い労働力を提供しようとする供給側の視点に立つものであり、フォーマルセクターでの就労を保障するものではない。今日、子どもや女性や労働者などの人権に関してそれらを保護するための世界的な人権レジームがいくつも存在し、そうした国際的潮流を視野にラテンアメリカ各国でもそれらを国内立法に反映させる努力をしている。インフォーマルセクターに属する人々の生活を人権にもとづき保障し、フォーマルセクターでの雇用を促進するためには、一国や域内での取り組みでは限界があり、グローバルな展開が必要とされる。しかし、インフォーマルセクターを含む貧困層の生活向上を目指すグローバルな取り組みは、経済のグローバル化が大きく進む道と比べてはるかに険しい道であることを、今までの経験が示している。日本において雇用の非正規化の拡大、子どもや高齢者の貧困問題を考えるとき、このラテンアメリカの経験は、問題解決のヒントを私たちに与えてくれるであろう。

参考文献

エスピン＝アンデルセン、イエスタ［二〇〇一］『福祉資本主義三つの世界』岡沢憲芙・宮本太郎監訳、ミネルヴァ書房。

近田亮平［二〇一五］「ブラジルの条件付き現金給付政策―ボルサ・ファミリアへの集約における言説とアイディア」宇佐見耕一・牧野久美子編『新興諸国の現金給付政策―アイディア・言説の視点から』アジア経済研究所、五九―九五頁。

セン、アマルティア［一九九九］『不平等の再検討―潜在能力と自由』池本幸生・野上裕生・佐藤仁訳、岩波書店。

恒川惠市［二〇〇七］「中南米の政治動向―世論調査を通してみる「左傾化」の実態」『海外事情』五五巻二号、二―一六頁。

畑惠子［二〇一三］「メキシコの条件付き現金給付政策―Progresa-Oportunidades」宇佐見耕一・牧野久美子編『現金給付政策の政治経済学（中間報告）』アジア経済研究所、二九―四三頁。

村上勇介［二〇〇八］「ポスト・ワシントンコンセンサス期を迎えたラテンアメリカの新たな模索」『地域研究』八巻一号、一四六―一五七頁。

Barba Solano, Carlos [2019] "Welfare regimes in Latin America: Thirty years of social reforms and conflicting paradigms," Gibrán Cruz-Martínez ed., *Welfare and Social Protection in Contemporary Latin America*, Abingdon, Oxon: Routledge, pp.29-58.

Cecchini, Simone y Bernaddo Atuesta [2017] *Programas de transferencias condicionadas en América Latin y el Caribe: Tendencias de coberturas e inversión*, Santiago de Chile: CEPAL.

Cecchini, Simone y Aldo Madariga [2011] *Programas de transferencias condicionadas: Balance de experiencia reciente en América Latina y el Caribe*, Santiago de Chile: CEPAL and ASDI.

CEPAL [2019] *Panorama social de América Latina 2018*, Santiago de Chile:CEPAL.

CEPAL [2016] *Desarrollo social inclusivo: Una nueva generación de políticas para superar la pobreza y reducir la desigualdad en América Latina y el Caribe*, Santiago de Chile: CEPAL.

CEPAL [2000] *Panorama social de América Latina 1999-2000,* Santiago de Chile:CEPAL.

CEPAL y OIT [2014] "Los programas de transferencias condicionadas y el mercado laboral", *Coyuntura laboral en América Latina y el Caribe* Núm. 10.

Ferro A. and A.L.Kassouf [2011] "The impact of conditional cash transfer programs on household work decisions in Brazil", *Research in Labor Economics* No.31, pp.1-54.

Finnemore, Martha and Kathryn Sikkink [1998] "International norm dynamics and political change", *International Organization* 52(4), pp.887-971.

Garay, Candelaria [2016] *Social Policy Expansion in Latin America*, New York: Cambridge University Press.

OIT [2018] *Mujeres y hombres en la econoía informal: Un panorama estadístico, Terecera edición*, Ginebra: OIT.

Salazar-Xirinachs, José Manuel y Juan Chacaltana [2018] "La informalidad en América Latina y el Caribe: ¿ Por qué persiste y cómo superarla?", Salazar-Xirinachs, José Manuel y Juan Chacaltana eds., *Políticas de formalización en América Latina, Avances y desafíos*, Lima: OIT, pp.13-46.

日本語文献案内

宇佐見耕一［二〇一一］『アルゼンチンにおける福祉国家の形成と変容―早熟な福祉国家とネオ・リベラル改革』旬報社。第二次世界大戦後にアルゼンチンに形成された福祉国家を政治経済学的に分析した書。

宇佐見耕一編［二〇〇三］『新興福祉国家論―アジアとラテンアメリカの比較研究』アジア経済研究所。それまで先進国のみを対象としてきた福祉国家論を社会保障制度が整備されつつあるアジアとラテンアメリカの新興諸国に応用し分析した書。

宇佐見耕一・牧野久美子編［二〇一五］『新興諸国の現金給付政策―アイディア・言説の視点から』アジア経済研究所。新興諸国で拡大した条件付き現金給付プログラムをアイディアの政治と言説の政治の観点から分析した書。

第8章

宗教と社会活動

貧しい人々のための優先的選択

社会問題に取り組むアルゼンチンのカトリック教会

渡部奈々

ラテンアメリカはカトリック大陸とも呼ばれている。カトリック教会の存在を抜きにしては、社会や人々の生活を理解することはできない。「貧しい人々のための優先的選択」は、アルゼンチン出身の現教皇フランシスコの教説における中心テーマでもあり、カトリック教会のあるべき姿を理念化したラテンアメリカ由来の概念である。本章では、「貧しい人々のための優先的選択」を軸にして、第二バチカン公会議、解放の神学、フランシスコの社会教説などを紹介しながら、アルゼンチンのカトリック教会が貧困と麻薬問題という喫緊の課題をどのようにとらえ、その解決にいかに取り組んできたのかを考察する。

写真：「キリストの家」11周年記念大会で聖母像を担いで行進する人々（アルゼンチン・ルハン市、2019年３月、写真提供：El galpón de los pibes de Nazaret）

はじめに

二〇一三年、初めてのラテンアメリカ出身のローマ教皇が誕生した。このニュースは瞬く間に世界を駆け巡り、ラテンアメリカ諸国は歓喜の渦に包まれた。ローマカトリック教会は、現在全世界に約一三億人の信徒を擁する最大のキリスト教会であり、その歴史は二〇〇〇年前の古代ローマ時代にまでさかのぼる。そして、その最高指導者がローマ教皇であり、カトリック教会は教皇を頂点とする聖職者位階制（ヒエラルキー）（司祭→司教→枢機卿→教皇）によって階層的に組織されている。

日本ではあまり知られていないが、ラテンアメリカ諸国には世界のカトリック人口の約四割が暮らしており、国民の七割から八割がカトリック信徒である。これは一六世紀以降、スペイン・ポルトガル王権の保護のもとでカトリック教会が植民地社会に君臨し、広大なラテンアメリカの地にカトリック世界を築いたことによる。たとえば一九世紀後半までラテンアメリカでは、家庭に赤ん坊が生まれると数日内に教会で洗礼を受けさせるのが常であった。洗礼を受けたことが教会に記録されると、それがその子の出生証明となったのである。同様に、夫婦の婚姻関係が正式に認められるには教会で結婚しなければならなかった。役所に行って出生届や婚姻届を提出すれば手続きが完了するという現代のシステムとは大きく異なり、カトリック教会が人々の生活に深く関与していたことがわかる。さらに教会は、病院や孤児院、学校などを設置・運営し、植民地社会における福祉と教育を一手に担う存在でもあった。一九世紀に入ってラテンアメリカ諸国が次々に独立を達成すると、カトリック教会の影響力は次第に縮小した。しかしそれと同時に、教会は新たな使命に目覚めていった。

その第一歩が、一八九一年に教皇レオ一三世（在位一八七八―一九〇三年）が発布した『レールム・ノヴァルム』であった。これはカトリック教会がその立場から初めて社会問題について考究し、国家や労働者の主体的な取り組みを指示した画期的な回勅であり、具体的には自由放任経済に対する国家の介入、適正賃金、組合結成など労働者の権利が正当に守られるよう説いたものである。回勅とは全カトリック教会に宛てて発布される教皇の公文書であり、そのうち社会問題を扱ったものを社会回勅と呼ぶことがある。また『レールム・ノヴァルム』以降、教皇庁から発布された社会の諸問題に関わる一連の文献は社会教説と呼ばれ、変動する世界の情勢に対して教会の姿勢を明確にし、社会における信仰者の道を指し示すことが目的とされている。それは、教会が社会から距離を置いて人々を教え導くのではなく、キリストの姿勢に倣って社会に入り込み、そこで排除されている人々に寄り添い、神の愛を実践していくということでもある（シーゲル、三頁）。本章のタイトルとなっている「貧しい人々のための優先的選択」は、社会教説の理念を端的に表す言葉であるが、この概念は第二バチカン公会議（一九六二―六五年）後のラテンアメリカで生まれた。

二〇一六年、ラテンアメリカ司教協議会は『今日のラテンアメリカ』という文書を発表し、現代ラテンアメリカにおける政治的・経済的・社会的課題を考察した。とくにコノスールと呼ばれる南米南部のアルゼンチン、チリ、ウルグアイ、パラグアイ地域に関しては、貧困、麻薬、人権が緊急課題として挙げられている。本章では、社会教説の中心的テーマである、この「貧しい人々のための優先的選択」を軸にして、第二バチカン公会議、解放の神学、教皇フランシスコ（在位二〇一三年―）の社会教説などを紹介しながら、アルゼンチンのカトリック教会が貧困と麻薬問題という今日における喫緊の課題をどのようにとらえて、その解決に取り組んでいるのかを考察する。

一　「貧しい人々のための優先的選択」

第二バチカン公会議

そもそもカトリック教会が社会問題に深く関わるようになったのはなぜだろうか。元来カトリック教会の主要な関心事は「魂の救済」――神の国に続く道（イエス・キリスト）を人々に示すこと――であり、一時的な仮住まいであるこの世の事柄にはあまり目が向けられてこなかった。しかし、その姿勢は第二バチカン公会議において大きく変化した。

それまでの公会議は、教義・典礼・教会法などを審議決定するもので、カトリック体制の保持・強化を目的としていたのに対して、第二バチカン公会議では、カトリックの教えを現代社会においていかに効果的に伝えるかに力点が置かれ、教会史上初めて、世俗的・現代的諸問題が広範囲にわたって討議された。公会議を召集した教皇ヨハネ二三世（在位一九五八―六三年）は会期中にしばしばイタリア語で「現代化（アジョルナメント）」という言葉を口にしたが、この言葉は「時のしるし」を見極めて教会の教えあるいはあり方を現代に適したものにすることを意味しており、刻々と変化する世界にあって教会は旧態依然とした態度を取るべきでなく、教会の窓を大きく開いて自らを刷新すべきであるという教皇の信念を表していた。

四年におよぶ公会議では一七の議題について討議が行われ、最終的には一六の文書が発表された。その中で、人権に関する最も重要な文書が、長い議論と審議の末に可決された『信教の自由に関する宣言』と『現代世界における教会に関する司牧憲章』（略称『現代世界憲章』）である。『信教の自由に関する宣言』において、教会は初めて信教の自由を宣言したのみならず、この権利を人格の尊厳にもとづくものと認め、市民的権利として法的に保障されるよう求めた。それまで信教の自由を近代の過ちとして排斥していたカトリック教会のこの大転換は、世界中に一大センセーションを巻き起こした。

さらに、自らの本質や存在意義を問い直した教会は、教会の使命を「神との親密な交わりと全人類の一致の道具」として世に仕えることであると再確認し、『現代世界憲章』において、現代世界との関わりの中でいかにその使命を果たしていくかを示し、世俗の価値や政教分離を認めた（南山大学監修、三三三―三三四頁）。「現代人の喜びと希望、悲しみと苦しみ、とくに、貧しい人々とすべて苦しんでいる人々のものは、キリストの弟子たちの喜びと希望、悲しみと苦しみでもある。真に人間的な事がらで、キリストの弟子たちの心に反響を呼び起こさないものは一つもない」という冒頭の一節は、『現代世界憲章』を貫く精神を表しており、教会が現代世俗社会に生きる人々の精神的・物質的苦悩の解決に寄与することを望んだヨハネ二三世の意図を反映したものであった。

この『現代世界憲章』は、人間が「神の像」として造られたという聖書の教えにもとづいて、すべての人は生まれながらにして人間の尊厳が与えられていることを明言している。それゆえ公会議は、キリスト者にすべての人を「神の似姿」として認めるよう求め、「心を尽くし、精神を尽くし、思いを尽くして、あなたの神である主を愛せよ」「隣人を自分のように愛せよ」（「マタイによる福音書」二二章）という神と隣人に対する愛の掟に生きるよう勧めている。また、『現代世界憲章』は、隣人の生活を保障するために必要な手段を講じるよう奨励し、守られるべき具体的な権利――食料、衣服、住居、教育、労働など――を列挙している。このように『現代世界憲章』において、人権の根拠がすべての人に認められるべき「神の似姿」としての人間の尊厳のうちに位置づけられ、それによって基本的人権を擁護する姿勢が明確に示されたことは、カトリック教会史においてまさに革新的であり、その後のカトリック世界に大きな影響力を与えるものとなった。『現代世界憲章』が第二バチカン公会議の最大の成果といわれるゆえんはここにある。

解放の神学

一九六〇年代後半のラテンアメリカでは、第二バチカン公会議で生まれた新しい神学的雰囲気に刺激を受けた神学者たちが、人々を苦しめる貧困や抑圧といった諸問題に対する教会の具体的な応答について考察を始めていた。その一人がブラジルのレオナルド・ボフとともに解放の神学の先駆者として知られているペルーのグスタボ・グティエレスである。グティエレスが解放の神学を世に発表したのは、六八年に開催された第二回ラテンアメリカ司教協議会総会（メデジン会議〈後述〉）の数週間前のことであった。そのため、この新しい神学思想はメデジン会議を方向づけることとなり、会議に出席した司教たちは「貧しい人々の叫びに耳を傾け、その苦悩の理解者となる」教会について白熱した議論を交わした（ボフほか、一三六頁）。その後、グティエレスは議論をさらに体系化し、七一年に『解放の神学』を出版した。その中で「貧しさ」についての神学的考察を行い、「貧しい人々との連帯」と「貧しさに対する抗議」こそがキリスト教の愛の表現であると結論づけた。彼は、聖書の「貧しい人々は、幸いである。神の国はあなたがたのものである」（「ルカによる福音書」六章二〇節）という一節を、「現在あなたを苦しめている貧しさを受け入れなさい。死後、神の国であなたが受けた不正は償（つぐな）われるから」という意味ではなく、「貧しさと搾取のない神の国がこの地上で実現され、あなたは貧しさから解放される。それゆえに貧しい人々は幸いである」と解釈した。そして、貧しさは悪であり、それは神の国と決して相容れることはなく、貧しさという悪のない神の国を実現するには、悲惨と不正の状況に苦しむ人々との連帯と抗議が不可欠だと強調したのである（グティエレス、三〇〇頁）。ここに「貧しい人々のための優先的選択」の原点がある。

解放の神学は、教会による日々の活動を神学の出発点とする司牧神学とも呼ばれる。司牧神学では司牧活動（司教や司祭が信徒を霊的に導く活動）とキリスト教的な実践が第一とされ、それらの実践に対して批判的考察が行われる。しかし解放の神学とは、「世界をただ考察するにとどまらず、世界の変革の過程に進んで参加しようという神学」（グティエレス、二〇—二一頁）であり、その思想実践の場となったのがキリスト教基礎共同体であった。キリスト教基礎共同体とは、ラテンアメリカの司祭や修道女によって始められた新しい司牧形態であり、社会の底辺に生きる貧困者からなる草の根組織である。公会議以降、貧困者とともに生きようと農村や都市スラムに入った修道女や司祭たちは、司牧者の絶対的不足という問題に直面していた。一人の司祭が二万人以上の信徒を受け持つような農村地帯では、村に司祭が来るのは数か月に一度ということも珍しくなかった。この問題を解決するために、小グループを基盤とする新しい司牧活動として開始されたのがキリスト教基礎共同体である。基礎共同体は、構成員であるカトリック信徒たちによって運営され、ともに祈り、聖書を読みながら、信仰と日常生活とを結びつけて、現実の問題解決のために団結して行動する場（ソブリノ、一八九頁）、あるいは「民衆、主として貧しい民衆によって構成される在俗者主導型の小集団。［中略］意識化、聖書の学習、礼拝、相互扶助、そして自分たちの権利を守るための政治活動が一つに結び合わされる［場］」（ベリマン、一九八五、二九頁。［ ］は引用者による。以下同じ）と定義されている。

基礎共同体では小グループ単位での対話を通して、現実の具体的な問題に対する観察、当該の状況が聖書の福音に沿っているかどうかの判断、それにもとづく何らかの行動の決定という「観察・判断・行動」というプロセスが重視され、ブラジルの教育思想家パウロ・フレイレ（一九二一―九七年）の識字教育の根幹をなす「意識化」アプローチが適用された。これらは基礎共同体の人々が貧困、不平等、搾取といった自分たち自身の問題を意識化する上で大きな効果を発揮した。そして、日常的に経験している抑圧の現実を意識するのみならず、その状況を批判的に認識することによって、人々は自らの解放のための「闘う主体」となっていった（フレイレ、三六―四四頁）。つまり、既存の権力構造を疑問視することにより、自らの権利を獲得するための組織的な取り組みとして、政府や体制に異義申し立てを行うようになったのである。基礎共同体で彼らが獲得した資質は、社会運動や反政府運動に取り組む他の組織の人々の間でも注目された。たとえば、ニカラグアの左翼ゲリラ組織「サンディニスタ民族解放戦線」（ＦＳＬＮ）は基礎共同体から多くの若者を勧誘していたといわれる（ベリマン、一九八九、八九―九四頁）。

ラテンアメリカ司教協議会総会（メデジン会議・プエブラ会議）

一九六八年八月、第二バチカン公会議の決定をラテンアメリカに適用することを目的として、第二回ラテンアメリカ司教協議会総会（メデジン会議）が開催された。この会議に先立ち、ラテンアメリカ社会の現実、神学的考察、司牧上の対応を含んだ準備文書が参加司教に配布された。準備文書は、ラテンアメリカ各国の信徒グループ、労働組合、さらに司祭たちから寄せられた何百もの手紙や請願書を反映したもので、貧困と不平等が蔓延するラテンアメリカの現実を訴えていた。文書は多くの参加司教たちに衝撃を与え、会議は彼らに次のように断言させることとなった。ラテンアメリカ社会は「制度化された暴力」つまり「工業と農業、国内経済と国際経済、文化生活と政治生活の構造的欠陥」のもとにあり、「そのために、貧しい住民たちは生活の必要を奪われて、自分の発意と責任にもとづいて働くことも、文化的進歩や社会的・政治的生活に参与することもまったく望めないような隷属状態の中で生活している」と。

司教たちはまた、基本的権利が侵犯されているこうした状況下では「包括的で大胆な、かつ緊急で根本的な変革による刷新が望まれる」と訴え、ラテンアメリカに広がる社会的不正に対して教会が無関心であってはならず、聖職者は貧困者との連帯を強め、彼らの代弁者となるべきだと主張した。そして、貧困者を苦しめる物質的貧困は人間の不正と罪が生み出したものであり、神の御心に反するとした上で、豊かであったキリストが人々の救いのために自ら貧しくなったように、教会もまた人々の解放のために自らが貧しくなる道を選択せねばならないとした。

このようにメデジン会議以降、ラテンアメリカの教会では社会変革を求める急進的聖職者が台頭したが、その後、一九七九年一月に開催された第三回ラテンアメリカ司教協議会総会（プエブラ会議）では伝統的なカトリック体制の保持・強化を図る保守派と、カトリックの大多数を占める中道派の存在感が強まった。しかし、会議の最終文書では、急進派が社会教説の柱として唱えてきた「貧しい人々のための優先的選択」の概念が次のように明文化された。「ラテンアメリカの修道生活において『貧しい人々のための優先的選択』がますます顕著になっている。実際、周縁化された困難な地域、先住民たちの伝道村などでは多くの修道者たちが活動している。この『貧しい人々のための優先的選択』はいかなる人々をも排除するものではないが、とりわけ貧しい人々を優先し、彼らにより近くあることを目指すものである」(筆者抄訳)。

プエブラ会議には教皇ヨハネ・パウロ二世(在位一九七八―二〇〇五年)も出席している。教皇は、教会が福音宣教を通してより公正な新しい社会の建設に貢献するというラテンアメリカ司教団の主張を支持したが、一方では社会の不正義に対して暴力革命をもいとわない急進派のマルクス主義的な解決方法を否定し、解放の神学が盛んであったニカラグアを訪問した際には(一九八三年三月)、司祭や修道者が政治活動に関わらないよう警告した。ニカラグアでは七九年七月にサンディニスタ民族解放戦線がソモサ独裁政権を倒し(サンディニスタ革命)、革命政府が誕生した。この左翼政府には四名のカトリック司祭(うち二名は解放の神学者)が入閣したが、バチカンはカトリック司祭が共産主義政府の閣僚になるなど言語道断だとして、司祭らに神父か閣僚のどちらかを辞任するよう迫ったのである。政府の要職を辞任しなかった彼らは、司祭の資格停止処分を受けながらも貧しい民衆の解放と社会正義の実現を目指した(*Chicago Tribune*/伊藤、三四―三五頁)。

そのため、バチカン教理省は一九八四年、解放の神学を激しく攻撃する教書『自由の使信―解放の神学のいくつかの側面に関する指針』を発表することになる。この指針は当時教理省長官であったラッツィンガー枢機卿、後の教皇ベネディクト一六世(在位二〇〇五―一三年)の作とされ『ラッツィンガー教書』とも呼ばれる。これに対しては解放の神学者たちから強い反発が起こったため、今度はこれを抑える目的で、教理省は八六年に教書『自由の自覚―キリスト者の自由と解放に関する指針』を発表した。この『指針』では解放の神学に対する厳しい批判や警告は影を潜め、解放の神学におけるテーマの多くがあらためて肯定された。しかしバチカンはその後も各国の教会指導者に保守派司教を任命する政策を取るなど、カトリック教会の保守化は続くこととなった。

二　教皇フランシスコの社会教説

使徒的勧告『福音の喜び』

ヨハネ・パウロ二世、ベネディクト一六世という保守的な教皇の後に即位したのが、アルゼンチン出身のフランシスコである。彼が自らの教皇名として選んだフランシスコという名前は、清貧と平和の聖人アッシジのフランシスコ（一一八一［八二］―一二二六年）から取られたものであり、貧困者や排除された人々とともに生きようとする現教皇の姿勢をよく表している。以下ではカトリック教会の社会教説を大きく発展させたといわれるフランシスコの使徒的勧告『福音の喜び』（教皇フランシスコ、二〇一四、原書二〇一三）と回勅『ラウダート・シ―ともに暮らす家を大切に』（教皇フランシスコ、二〇一六、原書二〇一五）という二つの文書を通して、「貧しい人々のための優先的選択」に関するフランシスコの見解をみていくことにしよう。

『福音の喜び』においてフランシスコは、「すべてのキリスト者とすべての共同体は、貧しい人々が社会に十全に組み入れられるようにするため、彼らを解放し高める神の道具となるよう呼ばれています」（『福音の喜び』一八七項）と述べ、聖書から次の箇所を引用している。「わたしは、エジプトにいるわたしの民の苦しみをつぶさに見、追い使う者のゆえに叫ぶ彼らの叫び声を聞き、その痛みを知った。それゆえ、わたしは降って行き、彼らを救い出す。［中略］今、行きなさい。わたしはあなたを遣わす」（一八七項）。これは、エジプトの地で奴隷であったイスラエルの民の叫び声を聞いた神がモーセに語った言葉であり、解放の神学やその影響を受けたラテンアメリカの教会でよく読まれる聖書の一節（『出エジプト記』三章七―八節、一〇節）である。フランシスコは、こうした貧しい人々の叫びに耳を傾け、貧しい人々を優先するようすべての聖職者と信徒およびその共同体に求めている。

また「貧しい人々のための優先的選択」については、「教会にとって、文化的、社会的、政治的、哲学的領域に属することである以前に、信仰の領域に属すること」として位置づけており、「教会は貧しい人のための選択を『教会の伝統全体があかししている、キリスト者の愛の実践においてとくに優先されるもの』として理解」している（一九八項）。その上でフランシスコはこう述べる。「わたしたちのために貧しい者となられた神」に倣って「貧しい人のため、教会は貧しくあってほしいと思います」（一九八項）。「［イエスご自身が民のただ中に入っていくという］この模範に魅了されてわたしたちは、社会へと深く入り込み、すべての人と生活をともにし、人々の不安に耳を傾け、彼らの必要に応じて物質的にも霊的にも協力し、喜ぶ人とともに喜び、泣く人とともに泣き、他者と手を取り合って、新しい世界の建設に打ち込みたいと思っています」（二六九項）。

このように、フランシスコは「貧しい人々のための優先的選択」を抽象的な教えとしてではなく、生活の現場に根差したものとしてとらえ、貧しい人々と直接関わることによって新しい世界、すなわち神の国を実現しようと説いたのである。フランシスコ自身は、司祭時代から今日に至るまで、急進派であったことも、解放の神学に傾倒していたこともなかったが、これらの思想実践を内在化していたことはその言説からも明らかである。

社会回勅『ラウダート・シ――ともに暮らす家を大切に』

「わたしたちは、後続する世代の人々に、今成長しつつある子どもたちに、どのような世界を残そうとするのでしょうか」（『ラウダート・シ』一六〇項）。二〇一五年に発表された社会回勅『ラウダート・シ』の核心にはこの問いがある。表題『ラウダート・シ』は、神の被造物である自然をこよなく愛したアッシジの聖フランシスコ（環境保護の守護聖人でもある）の祈り「太陽の賛歌」の中の言葉「ラウダート・シ、ミ・シニョーレ」（「わたしの主よ、あなたは称えられますように」の意）から取られているが、本回勅で教皇は環境やエコロジーの問題にとどまらず、私たちが生きる世界の意味や、「この地上で人間は何のために生きるのか」という問題にも言及している。

また本回勅では、貧しい人々と脆弱な地球環境との間には密接なつながりがあることを繰り返し強調し、次のように述べている。「わたしたちは、環境危機と社会危機という別個の二つの危機にではなく、むしろ、社会的でも環境的でもある一つの複雑な危機に直面しているのです。解決への戦略は、貧困との闘いと排除されている人々の尊厳の回復、そして同時に自然保護を、一つに統合したアプローチを必要としています」（一三九項）。これは、環境悪化によるマイナスの影響をより多く被るのが社会的に弱い立場に追いやられた人々であり、実際、大気・土壌・水の汚染は貧困者の寿命を縮めているという認識に立つものである。さらに回勅ではキリスト教信仰に照らして、「自然界に対して罪を犯すことは、わたしたち自身に対する罪であり、神に対する罪でもある」（八項）と断言し、環境問題の根本には人間の罪の問題があると指摘している。つまり、神に似せて創造された人間は、自然や動植物などの被造物を管理・ケアするという責任を神から与えられたにもかかわらず、「ずうずうしくも神に取って代わり、造られたものとしての限界を認めるのを拒むことで」（六六項）、神・人・自然との間の調和を乱しているというのである。人間の生は「神とのかかわり、隣人とのかかわり、大地とのかかわりによって」（六六項）成り立っている。フランシスコによれば罪とはこれらの関わりを断絶させることであり、この断絶状態を本来あるべき姿に回復させるのが、和解である。

『ラウダート・シ』における教皇フランシスコの言説は、彼の出身であるイエズス会の新たな使命「信仰への奉仕と神との和解、人間相互の和解、被造界との和解」と共通している。一九七〇年代のイエズス会では、世界に福音を伝えるために「正義と平和の促進」および「人間の全面的な解放」の必要性を強調していたが（マシア、五一頁）、一九九〇年代には「正義」よりも「文化」を強調するようになった（李、二三二頁）。イエズス会による二〇〇八年の第三五回総会ではさらに、グローバリゼーションとともにエコロジーに関する問題意識が高まり、イエズス会の使命は「神との和解」「人間相互の和解」「被造界との和解」という三つの側面を持つ、より広い文脈で語られるようになったのである。そしてこの〇八年の第三教令においては、「正しい関係を確立することを助けるための私たちの関与は貧しい人々と社会の周辺に追いやられている人々の視点から世界を見、彼らから学び、彼らとともに、彼らのために行動するようにと私たちを招く」と記され、第二バチカン公会議以来の理念である「貧しい人々のための優先的選択」が再確認された（桑原、一四頁）。

「教会が社会に深く関わりながら人々に仕える」――第二バチカン公会議において生まれたこの新しい理念は、具体的な行動をともなうものとしてラテンアメリカの地で大きく発展した。現教皇フランシスコの社会教説の中心にもなっているこの「貧しい人々のための優先的選択」という実践は、現代のラテンアメリカ社会で深刻化している貧困者の麻薬問題にも適用されている。次節では、フランシスコの母国アルゼンチンにおけるこの問題へのカトリック教会の取り組みについて紹介する（メキシコの麻薬問題については本書第11章参照）。

三 アルゼンチンにおけるカトリック教会の実践

深刻化する麻薬問題

一九九〇年代、アンデス地域で生産されたコカインはアルゼンチンを経由してヨーロッパに密輸されるのが常であった。しかし今日、アルゼンチンは経由地であると同時にコカインの製造拠点にもなっており、アルゼンチン社会全体にコカインが出回っている。それればかりでなく、コカインの製造過程で生じる廃棄物を原料にした合成麻薬の使用が貧困層を中心に急激に広まり、深刻な社会問題を引き起こしている。

合成麻薬パコは、コカの葉からコカインを製造するときに生じる残渣に硫黄酸化物や灯油、粉砕したガラス片などを混ぜ合わせて造られる。低品質で毒性が高く、日本円にして一本五〇円程度で入手できることから、アルゼンチンでは「貧困者の麻薬」として知られている。パコを買うために自分の所持品をすべて売り払い、挙句の果てに家族から金品を盗み、家から追い出され路上で暮らす常習者もいる。あるいは、売る物がなくなると、引ったくりや窃盗、女性であれば売春をしてまでパコを入手しようとし、犯罪に巻き込まれ死亡するケースも後を絶たない

（渡部、一三〇―一三一頁）。

カトリック教会の取り組み

合成麻薬パコが最初に蔓延したのは、首都ブエノスアイレス市内に点在するスラム地区で、二〇〇〇年代初頭のことであった。アルゼンチンでビジャ・ミセリアと呼ばれるスラムが形成されたのは一九三〇年代だが、広く社会問題として認識されるようになったのは急速な都市化が進んだ五〇年代以降である。今日、ブエノスアイレスには「スラムのための司祭グループ」（一九六九年設立）のメンバーとして、二四名の「スラム司祭」がパコ撲滅とパコ依存症者の更生のために協働している。スラム司祭とは、スラムで生活しながら司牧活動に従事する聖職者を意味するが、彼らはスラム住民のためにミサや洗礼などの典礼を執り行う傍ら、政府にスラムの環境改善を要求する活動家でもあった。

二〇〇八年三月、ブエノスアイレス南端のスラム地区「ビジャ二一―二四」で「キリストの家」地区センターが誕生した。これは「スラムのための司祭グループ」によって作られた施設で、スラムに住むパコ依存症の青少年やその家族への支援を行う場である。一六年には、全国各地に広がる同様の活動を包括する組織「大家族キリストの家」（通称、ＦＧＨＣ）として再編成された。今日、全国二四州のうち二〇州で約一六〇の地区センターが活動しているが、このような活動の広がり自体、パコによる被害の深刻さを示している。現在、アルゼンチン国内では一日にパコ四〇万本が消費され、その市場規模は日本円にして年間七五億円にも上るといわれる。

この問題への対策を迫られた政府は二〇一七年に法改正を行い、これによってパコを販売する者への厳罰化と、パコ使用者の強制入院・治療が可能となった。それまで、本人の同意なしに強制的に入院させることは法的に不可能であったため、治療を拒んで命を落とす依存症者も少なくなかった。それが今回、依存症の子どもを持つ母親やスラム司祭たちの強い要求に応える形で法改正が行われたのである（*La Nación*, 2017）。

それ以前からアルゼンチン司教団はこの問題に危機感を抱いており、二〇〇七年総会では「薬物依存に関する司牧チーム」を全国六六教区すべてに設置することが決定していた。しかし、カトリック教会の取り組みが本格化したのは、フランシスコが教皇の座に就いた一三年以降である。フランシスコは教皇就任以前のブエノスアイレス大司教時代から積極的にスラムでの司牧活動を支援しており、一九九八年には「スラムのための司祭グループ」のメンバーを倍増させたことでも知られる。彼が国際的な麻薬取引や世界各地でみられる麻薬合法化の動きに強く反対しているのは、スラムにおける薬物依存の問題が彼自身にとってもきわめて身近な問題であり続けてきたからである（*La Nación*, 2016）。

「キリストの家」地区センターの一つ「ナザレの子どもの小屋」

アルゼンチンの首都であるブエノスアイレス特別区とその周辺に広がる二四の市は大ブエノスアイレス圏と呼ばれ、このエリアにはアルゼンチン総人口の約二八％が生活している。筆者が二〇一九年に訪問した「キリストの家」地区センターの一つ「ナザレの子どもの小屋」は同圏内のメルロ市（首都から西に三三キロ）にあり、カトリック教会のメルロ・モレノ教区に属している。「貧しい人々とともに生きる」という第二バチカン公会議の理念に感銘を受けた若い聖職者や修道女たちが移り住み、社会活動に献身したのは一九六〇年代のことで、以来、この地域では貧困者に対する支援活動が活発に行われてきた。以下に「ナザレの子どもの小屋」の活動を紹介したい。

この地区センターは二〇一六年に活動を開始した。近隣に住む六家族――そのうちの一人はパコ依存症により息子を亡くした母親――が依存症の青少年を救うための施設の必要性を訴えたことがきっかけである。これ以上同じような犠牲者とそれに苦しむ家族を増やしたくない、パコの蔓延と犯罪から地域を守りたいという住民たちの思いに教会も賛同し、地区センターの建設計画がスタートした。その後、メルロ・モレノ教区やカリタス（カトリック教会の社会・救援活動団体。アルゼンチンでは各教区単位で活動）の協力（資金援助を含む）と、麻薬予防撲滅計画庁（SEDRONAR）からの補助金を得て、カトリック教会の敷地の隣に造られたが、予算不足から屋根をつけて完成するまで二年近くかかったという。

「ナザレの子どもの小屋」の活動の柱の一つは食事提供である。もちろんこれは、パコ依存症の最大の要因が貧困にあるという認識にもとづく。月曜から土曜まで朝食、昼食、そしてスナック二回を無料で提供している。アルゼンチンの公立小学校は午前・午後の二部制である。午後に登校する子どもたちは、朝八時にセンターに来て朝食を取ってから午前中のプログラム（後述）に参加し、その後スナックを食べて学校へ向かう。それと入れ替わりで正午過ぎには、朝に登校した子どもたちがセンターにやって来て昼食を取り、午後のプログラムに参加した後、スナックを食べて五時には帰宅の途につく。食事はスタッフとセンター利用者である女性たち（依存症者となった青年・成人の母親や小学校に通う子どもたちの母親）がピザやパスタなどを日替わりで調理している。カリタスなどからの資金援助があるとはいえ、毎日四〇名ほどの子どもたちの食費を賄うには常に予算不足の状態にあるという。そのため、月に一度ほどのペースで「地区センター祭」を開き、バザーや出店を出して資金を補填している。

「ナザレの子どもの小屋」でのプログラム風景（アルゼンチン・メルロ市、2019年、写真提供：El galpón de los pibes de Nazaret）

「ナザレの子どもの小屋」のもう一つの柱は、さまざまなプログラムやケアの提供である。依存症となった青年や成人へのセラピー、わが子の依存症に悩む母親たちへのセラピーをはじめ、子どもたちを薬物から遠ざけるスポーツ、音楽・手工芸などのクラス、近隣住民に開放している識字・裁縫・パンづくり・ギター・鍛冶溶接などのクラスもある。それぞれ専門の講師が教えているが、どのプログラムも無料で提供されており、出入りも自由である。

初めてセンターに来る子どもに対しては、スタッフがおしゃべりをしながらその子にどのような支援が必要かを見極める。ホームレスとして路上で生活をしている子どもは感染症に罹るリスクが高く、彼らの多くが出生証明を持たないために病院にかかることもできずいる。また、母親が依存症で売春をして妊娠・出産したケースも同様で、その子どもたちの多くが極貧の生活を送っている。これらの問題への対処もセンターの大きな課題となっている。

「ナザレの子どもの小屋」は大ブエノスアイレス圏内で活動する他の地区センターとネットワークを構築しており、定期的に集まって情報の共有や相互援助活動をしている。必要なプログラムやケアを提供できるブエノスアイレス市内のセンターに子どもを移動させることもあるという。「ここでは子どもに勉強を教えることはない。趣味のクラスはあるが、子どもたちは基本的に自由にさせている。ここに来る子どもたちは貧困であるだけでなく、親からの愛情も不足しているため、センターではいつでも誰でも愛をもって受け入れる。教えるよりも寄り添うことが重要だ」とスタッフの一人は語る。これはＦＧＨＣ全体の基本方針とも一致するものだ。ＦＧＨＣでは薬物問題のみに焦点を当てるのではなく、この問題を個人、家庭、コミュニティ、そして社会の問題として理解するとともに、個人を薬物へと向かわせた複合的要因（貧困、家族や周囲からの愛情の不足、自尊心の欠如など）をも重視し、「キリストの共同体」として個人の回復に寄り添い支援することを目指している。

「依存症に苦しむ人は、新しい一歩を踏み出すために必要な支え、その愛にどこで出会うことができるのでしょうか。自分のもろさや失敗にもかかわらず、自分は許され愛されていると、どこで感じることができるのでしょうか。」これは二〇一八年にバチカンで行われた「麻薬と依存症に関する国際会議」（教皇フランシスコによって創設されたバチカン内組織「人間開発のための部署」主催）で講演したＦＧＨＣ書記官、オリベロ司祭の言葉である。彼は参加者たちにこのように問いかけ、「キリストの共同体」こそがその場所になるべきであり、私たちＦＧＨＣの地区センターは傷ついた人々を受け入れ、ともに歩むための社会的なつながりづくりの役割を果たしていると述べた。また、教皇フランシスコによる『福音の喜び』二四項を引用して、「出向いて行く」教会は苦しむ人々が助けを求めて来るのを待つのではなく、「プリメレアル」（primerearは教皇フランシスコが好んで用いる造語。一番乗りをする、の意）になって、彼らと関わり、寄り添う必要があると強調した（Olivero）。このように、「キリストの家」地区センターの支援活動はフランシスコの教説――「貧しい人々のための優先的選択」は人々の日常生活に入り込むことによって具体的になされるべきものである――の実践であるといえよう。

おわりに

「貧しい人々のための優先的選択」という概念がラテンアメリカに誕生して約半世紀になる。ここまで、その誕生に大きな影響を与えた第二バチカン公会議、その神学的裏づけを提供した解放の神学、そして第三回ラテンアメリカ司教協議会総会（プエブラ会議）でその概念が明文化されるまでの流れを確認し、教皇フランシスコの社会教説におけるその実践の推奨と、アルゼンチンの麻薬問題に対して「キリストの家」で行われている具体的実践を考察した。貧困に苦しむ人々が地上に存在する限り、カトリック教会の「貧しい人々のための優先的選択」という理念と実践は当然継続されるであろうし、格差社会が広がる世界の状況に目を転じれば、今後その重要性はさらに増すものと思われる。

最後に、「貧しい人々のための優先的選択」をその生涯の中で実践し、近年列聖・列福されたラテンアメリカの司教二人を紹介したい。一人は、二〇一九年四月に殉教者として列福されたエンリケ・アンジェレリ司教である（列福とは、カトリック教会において徳と聖性が認められた者が聖人に次ぐ福者の地位に上げられることを指す）。アンジェレリは軍事政権下のアルゼンチンで貧しい人々とともに生き、軍政の人権侵害（拉致・拷問・殺害など）を公に非難した数少ない司教であり、一九七六年軍によって暗殺された。もう一人はエルサルバドルのオスカル・ロメロ大司教（二〇一八年に列聖）で、貧しい人々の側に立ち、社会の不正や軍政の暴力を告発し、一九八〇年、ミサの最中にやはり軍によって暗殺された。キリストの姿勢に倣って自ら社会に「出向いて行き」、排除されている人々に寄り添い、死に至るまで神の愛を実践した彼らの生き方を、教皇フランシスコが称えたのはいうまでもない。

参考文献

伊藤千尋［二〇一三］「民衆とともに歩むニカラグア神父の涙」『あけぼの』五月号、三四―三五頁。

教皇フランシスコ［二〇一六］『回勅　ラウダート・シ―ともに暮らす家を大切に』瀬本正之・吉川まみ訳、カトリック中央協議会。

教皇フランシスコ［二〇一四］『使徒的勧告　福音の喜び』日本カトリック新福音化委員会訳、カトリック中央協議会。

グティエレス、グスタボ［二〇〇〇］『解放の神学』関望・山田経三訳、岩波書店。

桑原直己［二〇一八］「第二バチカン公会議とイエズス会―社会正義の問題を中心に」『哲学・思想論集』四三巻、一―二一頁。

シーゲル、マイケル［二〇一七］「社会教説とは」『神学ダイジェスト』一二三号、二―一七頁。

ソブリノ、ジョン・SJ［一九九二］『エルサルバドルの殉教者』山田経三監訳、拓植書房。

南山大学監修［一九六九］『公会議解説叢書6　歴史に輝く教会』中央出版社。

フレイレ、パウロ［二〇一一］『新訳被抑圧者の教育学』三砂ちづる訳、亜紀書房。

ベリマン、フィリップ［一九八九］『解放の神学とラテンアメリカ』後藤政子訳、同文館。

ベリマン、フィリップ［一九八五］「解放の神学と草の根教会―キリスト教基礎共同体とラテンアメリカの未来」市橋秀夫訳『新日本文学』四五八号、二九―四〇頁。

ボフ、レオナルド／クロドビス・ボフ［一九九九］『入門　解放の神学』大倉一郎・高橋弘訳、新教出版社。

マシア、ホアン［一九八五］『解放の神学』南窓社。

李聖一［二〇一三］「イエズス会教育の動向―現代イエズス会五〇年の歩みのなかで」イエズス会中東教育推進委員会編『イエズス会教育の特徴』ドン・ボスコ社、二二二―二四一頁。

渡部奈々［二〇一七］『アルゼンチンカトリック教会の変容―国家宗教から公共宗教へ』成文堂。

Chicago Tribune [1985] "4 Nicaragua Priests Stay in Government", Februrary 11.

La Nación [2017] "Cada día se consumen 400 mil dosis de paco", 7 de enero.

La Nación [2016] "El papa Francisco llamó a combatir la droga y dijo que la Argentina es un país productor", 24 de noviembre.

Olivero, Carlos [2018] Exposición "Conferencia internacional de Drogas y Adicciones, en el Vaticano", 29 de noviembre.

ウェブサイト

大家族キリストの家（ＦＧＨＣ）https://hogardecristo.org.ar/　最終閲覧日二〇二〇年八月二八日。

麻薬予防撲滅計画庁（ＳＥＤＲＯＮＡＲ）https://www.argentina.gob.ar/sedronar　最終閲覧日二〇二〇年九月七日。

日本語文献案内（映画を含む）

日本カトリック司教協議会社会司教委員会編［二〇一二］『なぜ教会は社会問題にかかわるのかＱ＆Ａ』カトリック中央協議会。カトリック教会が信徒の疑問に答えて、社会問題に関わる理由と根拠をＱ＆Ａ方式で説明したもの。巻末には政治領域に対する各国の教会の考え方を示す事例も収録されている。

松本三朗［一九九〇］『神の国をめざして—私たちにとっての第二バチカン公会議』オリエンス宗教研究所。第二バチカン公会議の背景やその精神、各憲章・教令についてわかりやすく説明されており、現代社会に対して意味のある存在になろうとする教会の姿勢を知る上での良書。

ＤＶＤ［二〇一五］『ローマ法王になる日まで』（イタリア映画、日本語字幕付き）。教皇フランシスコが一九六〇年にイエズス会に入会してから教皇に選出されるまでの半生を描く。当時のアルゼンチンの政治社会情勢を知ることもできる映画となっている。

転換点を迎えている移民問題

浦部浩之

ラテンアメリカの移民問題といえば、多くの人は米国におけるヒスパニックないしラティーノと呼ばれる人々の問題を思い浮かべるであろう。トランプ大統領は二〇一七年の就任時、米国とメキシコの国境に壁を作り、その費用をメキシコに払わせると言って物議を醸した。また同年中には前オバマ政権が制定したＤＡＣＡという移民救済制度（主に幼少期に親に連れられて米国に非合法に入国した若者に対し、一定の条件のもとで強制送還を免じ就労を許可する制度）を撤廃した。この撤廃案は二〇年六月、最高裁の判決で無効とされたが、多くの移民が不安定な状況に置かれていることに変わりはない。なお、ＤＡＣＡ対象者六五万人のうちの九割以上はヒスパニックである。

ヒスパニックは二〇〇〇年の米国の国勢調査で三五三〇万人（全人口の一二・五％）を数え、黒人（同一二・三％）を超えて国内最大のマイノリティになった。一〇年の国勢調査ではそれが五〇五〇万人（全人口の一六・五％）にまで拡大している。移民の存在を市民サービスや治安面での社会的負担と見なす風潮は根強いが、農業や製造業、サービス業などの非熟練労働を担う移民なしに米国経済は成り立たない。移民はまた、出身国にとっても不可欠な存在である。移民からの郷里送金が国内総生産（ＧＤＰ）に占める割合は、ホンジュラスで一八・九％、エルサルバドルで一七・九％、グアテマラで一〇・八％に達しており（一七年）、この資金フローは貿易赤字を埋めるとともに、低所得層の基本的な消費支出を賄っている。

ところで、米国の移民問題に隠れて見落とされがちであるが、移民はラテンアメリカ諸国間の問題でもある。二〇一八年一〇月、貧困や暴力犯罪に苦しむホンジュラスの市民がＳＮＳでの呼びかけに反応し米国に向けて行進したのを端緒に、キャラバンと呼ばれる、ホンジュラス、エルサルバドル、グアテマラ発の人々の集団移動が大量に発生した。危険と隣り合わせで移動することらの人々の最終目的地はもちろん米国であるが、通過点となるメキシコはその対応に悩んだ。相対的に発展水準の高いメキシコは中米諸国の人々にとって移住先や出稼ぎ先としての第二の選択肢であり、その受け入れのあり方はかねて重要な政策課題ともなっていた。

域内では高所得国に属するチリもまた、鉱山地帯や都市部で近隣のペルーやボリビアからの移民を多く迎え入れてきた。近年は政情が不安定なベネズエラやハイチからの移民も急増し、二〇一五年の年初に二・三％であった外国生まれ人口の割合は、一七年末には五・三％に達し、移民比率の世界平均である四・四％を超えた。チリでは経済発展とともに高齢化も進んでおり（六五歳以上人口の割合は一九九二年の六・六％から二〇一七年には一一・四％まで拡大）、少子化や核家族化も進んで、人口動態は先進国的になりつつある。チリの現政権は移民管理を厳格化して無秩序な移民流入を防ぎつつも、相対的に若い移民をチリ経済の成長の原動力として社会に取り込むとの方針を示している。

二〇一八年、国連で「安全で秩序ある正規移住のためのグローバル・コンパクト」という決議が採択された（日本を含む一五二か国が賛成、米国など五か国が反対、一二か国が棄権）。移民を世界の繁栄に貢献するものとみなし、正規移民の促進と非合法移民の減少を目指そうとするものである。世界の中でラテンアメリカほど移民によって社会の基層が形成され、たえず域内外からの移民を受け入れ、そして送り出している地域はない。ラテンアメリカは世界の移民問題の中心にあるといえる。

第9章 移行期正義の取り組みとグローバルな課題

真実・正義・記憶・和解

過去とどう向き合い、将来を構築していくのか

杉山知子

移行期正義とは、過去の人権侵害の実態を調査し、その責任の所在を明らかにし、正義を求めるプロセスである。そして、制度改革や諸事業に着手し、法の支配を確立することで同じ過ちを繰り返さないようにし、次世代に過去の教訓を伝えていくことでもある。ラテンアメリカ諸国は、真摯に過去と向き合い、人権侵害の被害者や犠牲者家族は粘り強く声を上げ、移行期正義に前向きに取り組んできた。本章では、ラテンアメリカ諸国における移行期正義の歴史的背景やその取り組みの変遷を紹介し、グローバルな課題との連携について考えたい。

写真：アルゼンチン、ブエノスアイレスにある海軍技術工科学校跡地。軍政期、海軍の秘密収容所として機能し、現在は、記憶と人権に関する博物館として、負の歴史を次世代に伝えている（アルゼンチン・ブエノスアイレス市、2018年８月、撮影：筆者）

はじめに

冷戦期のラテンアメリカ諸国は、必ずしも平和ではなかった。軍事政権下での人権侵害、自国の先住民族に対する虐殺行為、内戦などを経験した。民政移管や平和構築後、これらの国は、過去とどのように向き合ってきたのだろうか。ラテンアメリカ諸国における移行期正義とはどのようなものだろうか。どのような取り組みが、どのような経緯で進められてきたのだろうか。ラテンアメリカにおける人権侵害や政治的暴力の特徴はどのようなものだったのだろうか。ラテンアメリカ諸国における移行期正義の模索とグローバルな課題とは、どのように関連しているのであろうか。

移行期正義とは、過去の抑圧的な政治体制、内戦、あるいは国内の武力紛争下で起きた人権侵害の実態を調査し、その責任の所在を明らかにし、正義を求めることである。そして、将来、同じような行為が繰り返されることのないよう制度改革や諸事業に着手し、法の支配を確立するといったプロセスでもある（United Nations）。

それぞれの国の政治・社会状況、国際環境、人権侵害の加害者・被害者の置かれている状況により、移行期正義の取り組みも多様である。具体的には、いわゆる真実委員会の設置による真相の究明、人権侵害に関する裁判、人権擁護の徹底のための諸制度の改革、被害者個人あるいは特定集団への補償、慰霊や次世代に記憶を伝承する事業などがある[1]。近年では、人権侵害被害者の経済的、社会的、文化的権利を保障していくことも移行期正義の取り組みの領域として考えられるようになった（Arbour）。そのため、開発やジェンダー、子ども、社会におけるマイノリティに焦点を当てた政策も重視されるようになってきた。

移行期正義の研究は、その取り組みと連動し、発展してきた。一九八〇年代半ばからアルゼンチンでは、過去の人権侵害とどう向き合うのかといった政治課題に直面しており、他の民政移管後のラテンアメリカ諸国も同様の課題を抱えていた。ラテンアメリカの民主化は、米国にとっても関心事の一つであった。そのため、旧体制下での人権侵害への対処をどのようにすべきか、その罪を裁き処罰すべきか、赦すべきか、民主主義社会への移行期における政治状況を踏まえた会議を米国のシンクタンクが主催し、ラテンアメリカ諸国の政治指導者、米国やラテンアメリカ諸国の研究者による議論が展開された。のちに、これらの議論は、『移行期正義―新興民主主義は旧体制とどう向き合うのか』（*Transitional Justice: How Emerging Democracies Reckon with Former Regimes*）全三巻として公刊され、九〇年代半ば以降の学問分野における移行期正義研究の発展や世界各地における移行期正義の取り組みの基礎となっていく。二一世紀になると学術雑誌『移行期正義国際雑誌』（*International Journal of Transitional Justice*）が公刊され、法学、政治学、歴史学、文化人類学など複数の学問領域において移行期正義の研究が進められている。

移行期正義の取り組みは、その政治的、歴史的背景が多様であり、移行期正義の類型についてもさまざまな議論が出てきた。たとえば、民主制・非民主制といった政治体制の違いや、国内武力紛争の有無などの観点から移行期正義を類型化する考え方がある（大串、六―九頁）。あるいは、時間軸を重視し、体制移行期と体制移行後の体制安定期に分け、前者を移行期正義、後者をポスト移行期正義とする考え方もある（Collins, pp.21-27）。さらに、植民地時代の歴史的背景を踏まえ、社会的弱者やマイノリティにとって社会の不公正がなくなるまでのプロセスを移行期

1　「真実委員会」とは、過去の人権侵害を調査し、その特徴を分析し報告する委員会の名称である。ラテンアメリカ諸国では、強制失踪者調査委員会（アルゼンチン、ウルグアイ）、真実和解委員会（チリ、ペルー）、真実委員会（エルサルバドル、ブラジル）、歴史究明委員会（グアテマラ）、平和委員会（ウルグアイ）、政治的投獄と拷問に関する委員会（チリ）などその名称や機能は若干異なる。同様に、人権侵害の処罰を求めない法律の名称も、失効法（ウルグアイ）、服従法（アルゼンチン）、恩赦法（チリ、ブラジル、エルサルバドル、ペルー）など、その名称や性質は、国によってさまざまである。

正義とする考え方もある（細谷、三六頁）。

この章では、ラテンアメリカ諸国の事例を踏まえた先行研究に依拠し（大串／杉山／細谷／Sikkink／Skaar, et al.）、ラテンアメリカにおける移行期正義の動きについていくつかの国に焦点を当てることとする。まず第一節で、ラテンアメリカにおける人権侵害や政治的暴力の時代背景について概観する。第二節では、南米南部諸国の軍事政権期および民政移管後における移行期正義と民主体制定着後の取り組みについて見ていく。第三節では、国連が仲介し内戦が終結したエルサルバドルとグアテマラの事例を紹介する。第四節では、政府とゲリラ勢力が対峙したペルーとコロンビアの事例を見ていく。最後に、ラテンアメリカ諸国における移行期正義の取り組みについての評価や今日的課題との関係について考える。

一　冷戦期のラテンアメリカ

キューバ革命とラテンアメリカ

第二次世界大戦後に始まる冷戦の時代は、超大国の米国とソ連によるパワーの競争とイデオロギー対立という特徴を持っていた。米国は、ラテンアメリカ諸国に対し、軍事支援や経済協力、時として内政干渉をした。冷戦期のラテンアメリカ諸国は、政治的に必ずしも安定しているとはいえず、経済的、社会的には低開発の克服や経済的な自立、格差社会の是正が重要な課題であった。そして、多くのラテンアメリカ諸国では軍部によるクーデタを経験し、権威主義体制のもとでの人権侵害も数多く見られた。この背景には、一九五九年、カストロ主導によるキューバ革命後のラテンアメリカを取り巻く国際環境と、国家安全保障ドクトリンと呼ばれるラテンアメリカ諸国の軍部による安全保障についての考え方の影響があった。このドクトリンでは、軍部が対外防衛に加え、社会秩序の維持やその統治に関与していくことが、国の安全保障上重要であると考えられた。

一九六〇年代になると米国は、ラテンアメリカに限らず世界各地の開発途上国や冷戦期に植民地から新たに独立した国に対し、共産主義拡大防止の支援やそれらの国の近代化政策の促進を強化した。六一年、ラテンアメリカの経済発展や社会開発のための「進歩のための同盟」が当時の米国大統領ケネディにより提唱され、米国によるラテンアメリカ諸国への経済援助の強化が目指された。また安全保障面では、米国によって、ゲリラ戦、地下組織の政治活動の監視、大衆蜂起時の対処法、情報収集のノウハウ等についての講義や訓練がラテンアメリカ諸国の軍人に対し実施された。

これに対しキューバは、社会主義国の一員としてソ連に接近する一方、帝国主義的な米国を厳しく批判し、ラテンアメリカだけでなく、アジアやアフリカの人々に連帯を訴えた。ラテンアメリカ諸国でも、左派勢力が台頭し、革命を唱える過激な政治運動もみられ、キューバはそのような運動を支援した。また、民族主義の立場から国家主導による経済的自立を目指し、外交面では社会主義諸国との関係構築に着手する政権も誕生した。軍事クーデタで誕生したペルーのベラスコ政権（一九六八―七五年）、民主的に社会主義路線を歩むことを唱えたチリのアジェンデ政権（七〇―七三年）などである。

冷戦期における南米諸国の軍事政権

このように一九六〇年代以降のラテンアメリカ諸国を取り巻く国際環境は、各国内の政治や社会にも大きな影響をもたらした。社会の分裂、反政府勢力の過激化、軍事政権の誕生、軍政下での人権侵害、内戦などである。

ブラジルでは、一九六〇年代に入り、改革を掲げる政権と保守派が対立し、社会が二極化した。そして、六四年、軍部のクーデタにより軍政になった。既存の政党は解散させられ、市民の自由は制限される一方、経済面では、国家主導の外資導入による開発が進められた。外交面では親米路線が取られた。

チリでは、一九七〇年に発足した社会主義路線を目指すアジェンデ政権に対し、反アジェンデ派は、米国の中央情報局（ＣＩＡ）の支援を受けながら全国各地でストライキを展開し、政権運営や国民生活に打撃を与えた。一方、極左グループの「革命左翼運動」（ＭＩＲ）は、アルゼンチンの「人民革命軍」（ＥＲＰ）やウルグアイの「トゥパマロス」などのゲリラグループと共闘する姿勢をみせ、民衆動員の強化を試みた（Dinges, p.51）。反アジェンデ勢力や軍部は、アジェンデ政権の急激な左傾化や極左の武装化を恐れた。チリには、政党政治の伝統があり、長年、軍部は政治介入しないとの立場であったが、七三年九月、クーデタによって軍事政権が誕生した。当時、軍部は国の安全が脅かされている戦時下にあったと認識していた。軍政下（七三―九〇年）では、アジェンデ政権関係者を中心とする左派の政治家や政治活動家、労働組合関係者らは、危険人物と目され、取り締まりの対象となった。経済面では、それまでの路線を大きく転換し、積極的な市場経済政策が取られていった。そして、アルゼンチン、ウルグアイ、ブラジル、パラグアイなどに呼びかけ、国境を越えて活動するゲリラの撲滅を目指したコンドル作戦を展開した。

アルゼンチンでは、一九六六年から七三年まで軍政であったが、チリで軍事政権が誕生した当時は、民政であった。当時、ペロン政権（一九七三―七四年）の一部が、極右グループの「アルゼンチン反共産主義同盟」（ＡＡＡ）を使って、コンドル作戦に参加し、労働組合関係者やゲリラグループらを攻撃した。これに対し、ブエノスアイレス首都圏や地方都市では、ゲリラによる活動が過激化し、軍部や警察はその標的となった。極右グループ、左派ゲリラによる政治的暴力がエスカレートする中、軍部は再び政治介入し、七六年三月、軍事政権が誕生した。当時、軍部は、国の中に国家の安全保障上の脅威が存在し、その根絶が必須であると考えており、同時に、社会秩序回復を目指した。軍部によって安全保障上の脅威と目された人々は超法規的に逮捕され、その中には、その後行方がわからなくなった人たちが少なからずいた。遺体によって死亡が確認されたわけではなく、強制的に失踪させられたのである。軍政下（七六―八三年）での強制失踪者数は、約九〇〇〇から約三万といわれている。

米州人権委員会の活動の拡大と米州人権裁判所の設置

キューバ革命後、ラテンアメリカ諸国においても冷戦対立の構図が鮮明となる一方で、米州の地域協力機構である米州機構（ＯＡＳ）では、加盟国における人権保障の制度化が進んでいった。もともと、ＯＡＳの加盟国となる国々は一九四八年、コロンビアのボゴタで開催された米州諸国会議において米州人権宣言を採択していた。五一年、ＯＡＳは、内政不干渉を原則としつつ、地域の諸問題解決を目指す米州地域の国際機構として発足した。

ＯＡＳでは、一九五九年に米州人権委員会が設置された。同委員会は、個人の通報を受けた後、その人権侵害の状況について証拠収集のための調査を行っていた。六〇年代半ばの政情不安なドミニカ共和国、七〇年代の軍政下のチリやアルゼンチンでの現地調査がその例である。そして報告書には、人権侵害の現状、その改善に向けた勧告、さらには加害者の処罰について言及するなど、同委員会は、活動実績を上げてきた。また、六九年に米州人権裁判所の設置規定を含む米州人権条約が採択され、七八年に発効した。同裁判所に個人が直接提訴することはできないが、米州人権委員会は事件を付託することができた。

二　軍事政権下の人権侵害と民政移管後の移行期正義

ラテンアメリカにおける民主化の波と移行期正義の模索

多くのラテンアメリカ諸国では、一九八〇年代に入り民主化の波が押し寄せた。それぞれの国特有の政治的事情があり、軍事政権下における超法規的逮捕、拷問、強制失踪といった人権侵害の過去とどのように向き合うかは、大きな政治課題であった。

アルゼンチンでは、一九七六年の軍事政権発足以前から、政治的暴力がエスカレートし、人権侵害がみられたため、その当時から弁護士らが中心となり人権擁護活動を始めていた。軍政下では、大統領府前の五月広場において、家に帰ってこない子どもたちや孫たちの行方を政府に問う母親たちが集まり、「五月広場の母の会」や「五月広場の祖母の会」という組織を結成していった。アムネスティ・インターナショナルのような国際人権擁護団体や人権外交を掲げる当時の米国のカーター政権もその運動を支援した。先述のように、米州人権委員会は実地調査を行い、その報告書では人権侵害の加害者に対する処罰などに言及した。

一九八二年に勃発したフォークランド紛争（アルゼンチンではマルビナス戦争と呼ばれている。同国から約五〇〇キロの南大西洋にある諸島の領有権をめぐり同国とイギリスが軍事衝突した）の敗北、軍事政権下での経済の低迷、人権侵害への国内外からの批判などもあり、軍部の権威は失墜し、八三年、アルゼンチンは民主制へ移行した。自らも弁護士として人権擁護の活動に従事した経験を持つアルフォンシンは、大統領選の時から、人権侵害や政治的暴力の責任の所在を明らかにすることに前向きであった。そして、大統領就任後、アルフォンシンは、軍政下で制定された人権侵害行為に対する国の責任回避のための法律の無効化、強制失踪者調査委員会の設置に着手した。ブエノスアイレス首都圏や地方都市において調査が実施され、『決して再び』(*Nunca Más*)と題する強制失踪者調査委員会調査報告書は一般読者向けに市販された。そこには、軍部による組織的な人権侵害の状況やブエノスアイレスを中心に各地に存在した秘密収容所の実態が記されていた。その後の裁判では、軍政下の陸軍トップであり大統領職に就いたビデラ（七六年就任）や当時の海軍トップであったマセラが終身刑となり、政治的暴力に関与したゲリラグループのトップも禁錮刑となった。

しかし、人権侵害の被害者や犠牲者家族は、軍事政権指導者に対する裁判だけでは十分とせず、人権侵害に直接関与した軍人に対して訴えを起こした。一方、軍部関係者からすれば、自分たちは国の安全を脅かす危険分子を排除する任務に従事していたのであり、人権侵害に関与したのではないとの立場であった。そのため、民政移管後、処罰の対象となることには大いに不満であった。軍部の一部は、その不満を反乱行為という形にまでエスカレートさせ、再び軍部が政治介入をするのではないかといった政治的に不安定な状況となった。このような中で、一九八六年に訴えの期限を定める終結法が制定され、さらに軍部の指揮系統下での行動を処罰の対象外とする服従法が制定された。これらの二つの法律は、政権に対して反発する軍部側の立場を考慮した政治的妥協の結果であった。そして、アルフォンシン政権（八三―八九年）後のメネム政権（八九―九九年）では、服役中の軍部およびゲリラ関係者が恩赦となった。

ブラジル、ウルグアイでは、一九八五年に軍事政権から民政に移行した。これらの国では軍部の政治的影響力は必ずしも弱まっておらず、人権侵害の責任を厳しく問われる形で民政移管したわけではなかった。ブラジルでは、七九年に政治的活動の取り締まりに対する抵抗運動の成果として恩赦法が制定されていた。そして、民政移管後も恩赦法を無効とする動きはみられなかった。公的な真実委員会は設置されなかったが、カトリック教会が中心となり、極秘入手した六四年から七九年までの人権侵害関連の軍部裁判記録をもとに、八五年に『ブラジル版決して再び』が出版された。

ウルグアイでは、一九七〇年代初めに都市型ゲリラグループの「トゥパマロス」の活動が過激化した。七三年に軍部が政権を担うようになったが、八四年には主要な政党と軍部が、民政移管についての交渉によって、海軍クラブ合意と呼ばれる合意に達し、八五年に民政移管となった。この合意では、民政移管のスケジュールや軍部の人権侵害に対する訴追をしないことが確認された。そして、八六年、失効法が制定され、軍部による人権侵害について国家の処罰請求権は失効するとされた。八九年にこの法律の廃止を問う国民投票が実施されたが、廃止は否決されなかった。真相究明については、誘拐・暗殺および強制失踪者に関する調査委員会が八五年に議会で設置された。この調査とは別に、八九年、キリスト教系の団体である「平和と正義の奉仕協会」（ＳＥＲＡＪ）により、人権侵害についての記録として『ウルグアイ版決して再び』が出版された。このようにブラジルやウルグアイでは、積極的に移行期正義が模索されたわけではなかった。

チリでは、一九七三年のクーデタ後、軍事政権が発足した。翌年、陸軍トップのピノチェトが大統領に就任した。

クーデタ直後、チリの軍部や警察の情報担当部局が統合され、国家情報局（ＤＩＮＡ）が創設され、同機関は、国家安全保障の名のもとに暗殺や超法規的逮捕、拷問等を含む人権侵害に関与した。そして、七八年に恩赦法が制定され、チリで起きた人権侵害の加害者が罪に問われることはなかった。ピノチェトは八〇年、新たな憲法も制定した。九〇年、民政に移管し、中道左派連合のエイルウィン政権（九〇―九四年）が誕生したが、ピノチェトは九八年まで陸軍のトップであり続け、その後は大統領経験者として終身上院議員に就任することが約束されていた。このような政治的事情のもと、軍事政権下で起きた人権侵害についての詳細な調査や裁判を実施することは現実的には難しかった。エイルウィン政権発足直後に真実和解委員会が設置され、強制失踪者の調査が行われたが、軍部は非協力的であった。また、時として予告もなくクーデタ準備まがいの軍事訓練を行うなど政府に対し威嚇的な態度さえみせた。

民主主義の定着と真実・正義を求め続ける動き

冷戦期、多くのラテンアメリカ諸国は軍政を経験し、政治的には安定していなかった。そして軍政から民主制への移行期において、文民統制（シビリアン・コントロール）が十分に確立していたわけではなく、民主主義の将来も不確かであった。このような当時の政治状況を考慮すれば、アルゼンチンにおける移行期正義の取り組みは、政治的妥協がみられたとはいえ、きわめて先駆的であった。

アルゼンチンでは、時の経過とともに、民主体制が定着する中で、人権侵害の被害者や犠牲者家族は粘り強く真実と正義を求める動きを続けていた。この動きは、一九九八年、乳児誘拐等の罪で軍政指導者が逮捕されるという結果を導くことになった。軍政期、軍部の秘密収容所に収容された女性たちの中には、当時妊娠中で、収容施設内で出産したと思われた者もいた。その乳児は、軍部の斡旋で養子縁組みに出され、自らの出生について知ることはなかった。「五月広場の祖母の会」は、軍部施設に収容された者や匿名の者から極秘に情報を入手し、自分の孫の行方をつきとめ、さらには、ＤＮＡ鑑定を利用し、子どもの出生の特定を目指した。この緻密な活動が、かつて軍事政権に関わった者の逮捕につながった。ちなみに、乳児誘拐、公文書偽造、不法な養子斡旋は恩赦の範囲外であった。

その後、二〇〇三年から一五年に政権を担った二人の大統領、キルチネルやフェルナンデスは、アルフォンシンやメネムよりも二〇歳近く若く、これらの左派政権下において軍部、警察、裁判所幹部の世代交代が進んだ。また、これらの政権下において最高裁判所が人権侵害関与の関係者の処罰を制限する終結法、服従法、恩赦に対し違憲判決を下し、人権侵害の被害者、犠牲者家族による訴訟が再び可能となった。

両政権は、被害者、犠牲者家族の立場から記憶を後世に伝えていく活動を積極的に支援した。軍政下で、秘密収容所として機能した海軍技術工科学校（ＥＳＭＡ）の建物は、記憶と人権に関する博物館となり、負の歴史を次世代に伝える使命を果たしている（本章扉写真参照）。ブエノスアイレス首都圏や地方都市においても、犠牲者が生きていたことを記すプレートが通りや公共施設に数多く設置されている。「五月広場の母の会」、「五月広場の祖母の会」、民政移管後に組織化された「強制失踪者の子どもたちの会」（ＨＩＪＯＳ）も、負の歴史や人権の大切さを次世代に伝える活動をしている。

ブラジルやウルグアイにおいても進展がみられた。ブラジルでは、一九九五年に強制失踪者法が制定された。この法律によって政治的理由で強制的に失踪してしまった者が公的に認められ、遺族に対し一定の補償が行われた。二〇〇四年には、政治的なデモでの事故死や拷問後の自殺も、その認定範囲に含まれるようになった。強制失踪者の認定は、政治的強制失踪および死亡に関する特別委員会（ＣＥＭＤＰ）によって行われ、〇七年、この活動は、『記憶と真実の権利』として出版され、拷問、強姦、殺害行為、遺体の隠滅などの行為が公的に記録された。一二年には左派のルセフ政権（一一―一六年）のもとで真実委員会が設置され、一四年には人権侵害の加害者名を記載した報告書が公開されている。

チリのサンティアゴにあるLondres38（ロンドン通り38番地）は過去の人権侵害を次世代に伝える場所である。建物の前には、犠牲者の名前が刻まれたつまずきの石が埋めこまれている（2018年８月、撮影：筆者）

ウルグアイでは、二〇〇〇年に強制失踪者の再調査をする平和委員会が公的に設置された。その報告書には、強制失踪者の認定、国家機関関係者の関与、ウルグアイ人のアルゼンチンへの極秘移送、拷問の末の死亡など、詳細が記録された。また、一九八六年の失効法制定によって、人権侵害の責任を問う訴追が容易でなかった。しかし、二〇〇五年に発足した左派政権下では、経済的な犯罪、国外での犯罪、不法な乳児の養子縁組みなどの犯罪はその適用外であるとされ、大統領経験者が訴追され、有罪判決となった。ただし、〇九年に失効法廃止の是非を問う国民投票が行われたが、このときも否決されている。その一方で、同年、最高裁判所はこの法律を違憲とした。一一年、米州人権裁判所の判決でも、失効法は無効とされた。

チリにおいても大きな変化がみられた。一九九八年、軍事政権を率いたピノチェト元大統領がスペインの裁判所の要請により、当時滞在中であったロンドンで逮捕されたのである。この背景には、国境を越えた人権擁護運動の連携があった。ピノチェトは、健康上の理由により保釈され、二〇〇〇年にチリに帰国した。その後、終身上院議員ではなくなり、人権侵害の罪に問われることになった。〇五年には、陸軍が軍政下での人権侵害に対する組織的な関与を認め、謝罪した。

加えて、チリでは二〇〇三年に新たな真実委員会が設置された。政治的投獄と拷問に関する委員会である。この委員会では三万を超える人々が被害者として認定され、その後、委員会に申請できなかった被害者の要請に応じ、追加認定が行われた。アルゼンチン同様チリでも人権侵害の被害者・犠牲者家族が中心となり、かつて拷問が行われた場所を保存し、人権侵害の実態を次世代に伝えていく活動が続けられている（二二八頁写真参照）。首都サンティアゴには、一九七三年のクーデタとその後の軍事政権下での人権侵害の実態や市民の抵抗運動、民主化運動についての展示物を収めた記憶と人権博物館も開設された。

三　国連の関与および平和構築と移行期正義

アルゼンチン、ブラジル、ウルグアイ、チリの移行期正義の取り組みは、自国の民主化プロセスの中に位置づけられ、国内の政治社会的環境の中で行われ、国連の関与は限定的であった。一方、エルサルバドルやグアテマラでは、内戦終結に向けて国連が和平合意の仲介をし、内戦後の平和構築の枠組みの中で移行期正義の取り組みが進められた。

中米紛争と和平に向けたプロセス

一九七九年、中米のニカラグアでは、「サンディニスタ民族解放戦線」（ＦＳＬＮ）が独裁的なソモサ政権を打倒し、社会主義路線の政権が誕生した。急進的な革命勢力による政権誕生の影響を受け、中米紛争と呼ばれるように、中米諸国の政情は不安定となっていった。エルサルバドルでは、七九年に軍部改革派若手将校によるクーデタが起き、八〇年には国内の五つのゲリラ勢力が「ファラブンド・マルティ民族解放戦線」（ＦＭＬＮ）を結成し、活動を激化させていった。グアテマラでは、六〇年代に政府軍と左派反政府ゲリラとが対立していた。七〇年代後半から八〇年代初頭には、軍部とマヤ民族解放運動勢力との対立へと変化していった。八二年、クーデタによって誕生したリオス＝モント政権（八二―八三年）下では、軍部の部隊により先住民族に対する虐殺が行われた。軍部の指導によってマヤ系先住民族が「自警団」（ＰＡＣ）を編成し、先住民の人々が強制移住させられ収容されたモデル村では、住民間の相互監視体制が作られたりした。

これらの動きに対し、米国は、近隣の中米地域を冷戦期のイデオロギー対立の枠組みでとらえ、エルサルバドルやグアテマラの軍部を支援した。これらの軍部が、中米地域における社会主義路線の革命勢力の台頭を抑えると考えたからである。中米紛争の状況悪化にともない、周辺諸国に難民が流出するようになると、紛争の平和的解決を目指し、一九八三年、メキシコ、ベネズエラ、コロンビア、パナマの四か国がコンタドーラ・グループを結成し調停に乗り出した。そして、八七年、中米の五か国（グアテマラ、ニカラグア、エルサルバドル、コスタリカ、ホンジュラス）が、地域の和平を目指すことに合意した。この合意そのものは紛争終結を直接的に導くものではなかったが、中米紛争終結に向けた和平プロセスにおける重要な一歩であった。

内戦後の平和構築と移行期正義の試み

一九八九年は、米国とソ連が冷戦終結宣言をするという国際政治の転換期であった。米ソ冷戦の時代が終わり、国連では、国際社会の平和について、その新たな役割が重要な課題となった。当時、エルサルバドルの内戦は、政府、ＦＭＬＮともに決定的な軍事的勝利は得られず、双方が政治的解決を模索するようになっていた。そして、国連に対し、その仲介役を期待し、国連も和平合意に向け、交渉や調停を進めていった。

一九九二年、エルサルバドルの内戦は終結する。内戦終結に向けた国連主導の和平交渉の中には、内戦下における人権侵害の実態を調査し、その責任の所在を明らかにする真実委員会の設置に関する事項も含まれていた。当時、アルゼンチンやチリといった人権侵害を経験した国では、真実委員会を設置し、人権侵害の実態を公的に記録し、その責任の所在を問うことで、二度と同じ過ちを繰り返さないようにしようとする動きがみられていた。和平交渉にあたった国連も、真実委員会の設置は、将来のエルサルバドルの平和構築に不可欠であると考え、その設置に際し、国連事務総長が外国人委員を任命し、現地調査が開始された。報告書には、エルモソテで起きた虐殺事例などの具体例が記され、加害者が特定できる場合は実名が記載された。とはいえ、エルサルバドルでは内戦終結後に恩赦法が制定され、裁判で加害者が処罰されるといった動きはみられなかった。

内戦終結後、ＦＭＬＮは政党として活動をするようになり、二〇一〇年、ＦＭＬＮのフネス政権（二〇一〇―一四年）が誕生した。フネスは、一九八〇年に殺害された内戦時の人権擁護の象徴的存在であったロメロ大司教の遺族をはじめ、人権侵害の被害者らに対し、大統領として公式に謝罪した。また、一六年には最高裁判所において、恩赦法の違憲性を踏まえ、新たな法律の制定を命ずる判決が出るなど、内戦終結から二〇年近くを経て新たな進展がみられた。

グアテマラでは、冷戦初期の一九五四年、米国のクーデタ支援により、農地改革をはじめとする社会改革を目指すアルベンス政権（五一―五四年）が崩壊し軍事政権となり、六〇年、軍部の若手将校たちの反乱後、内戦となった。内戦は、三六年間続き、九六年に国連仲介のもとで、政府と「グアテマラ民族革命連合」（ＵＲＮＧ）が和平協定に署名し、内戦が終結した。この和平交渉や内戦終結後の平和構築においても、国連が関与していった。

真実の究明については、和平協定に先立ち、一九九四年、自国の歴史を踏まえた過去の人権侵害の調査を行う歴史究明委員会（ＣＥＨ）の設置が決められた。この委員会は、六〇年代までさかのぼって人権侵害の歴史的背景や具体的な人権侵害、暴力行為について調査した。とはいえ、エルサルバドルの真実委員会とは異なり、

エルサルバトル・モラサン県エルモソテの虐殺犠牲者の慰霊碑。内戦下の1981年、この地で政府軍による虐殺があった。真実委員会は、この虐殺を調査し、報告書に記載した（2020年２月、撮影：浦部浩之）

人権侵害の責任者の特定やその起訴につながるような調査は避けられ、報告書には具体的な加害者名は記されなかった。そして、将来に向けた国民の和解と寛容な文化の育成についての勧告がなされた。

ＣＥＨの報告書では一九八一年から八三年にかけてマヤ系先住民社会の破壊といった殺戮行為がみられ、ジェノサイドの特徴を持っていたことが記された。軍部の作戦として、マヤ系先住民族の共同体指導者に対する公開拷問や子ども・老人・女性を含む先住民族に対する拷問・集団レイプ・殺害、さらには住む所を追われた避難民に対する追撃などが行われていたことが明らかになった。加えて、グアテマラの軍事戦略を支援した米国の責任についても言及があった。報告書公開直後にグアテマラを訪問した当時の米国大統領クリントンは、過去の米国の対グアテマラ政策の誤りを認め、謝罪した。

この委員会とは別に、グアテマラのカトリック教会が中心となり一九九五年から九八年にかけて「歴史的記憶の回復プロジェクト」（ＲＥＭＨＩ）が進められた。この活動では、真実をできる限り明らかにし、軍部、警察、情報機関、自警団などによる恐怖のメカニズムについての分析をするとともに、死者への尊厳を重視することが目指された。被害者と文化や言語、恐怖の体験を共有する調査員が、調査対象者へのメンタルケアも踏まえた聞き取り調査をした。遺体発掘調査も進められた。ＲＥＭＨＩの報告書では、先住民族に対する虐殺の実態、女性に対する性暴力についても詳細に記された。そして、被害者に対する補償を含めた社会の再建や次世代への記憶の伝承も強調された。被害者の声が公となり、グアテマラにおける政治的暴力の実態と背景が明らかになる一方で、報告書がまとめられた二日後に、ＲＥＭＨＩの代表を務めていた司教が殺害されるという事件が起きた。当時、このような活動に従事することは、自らの生命を危険にさらすことを意味していた（歴史的記憶の回復プロジェクト編）。

グアテマラの虐殺に関する裁判については、内戦終結から一〇年以上が経って、政府と国連との協定により、グアテマラ無処罰問題対策国際委員会（ＣＩＣＩＧ）が設置された。この委員会は、グアテマラにおける警察の捜査能力および検察業務を支援し、グアテマラにおける人権侵害や組織的な犯罪行為の処罰の推進を目指した。これによって過去の人権侵害に対する処罰についても進展がみられた。一三年、かつてマヤ系先住民族に対する虐殺を指示したリオス＝モントに対し裁判が開始され、禁固刑八〇年の有罪判決が言い渡されたのである。その後、裁判の再審要求が認められたが、一八年、リオス＝モントは心臓発作のため死亡した。

四　国内武力紛争と移行期正義

ラテンアメリカにおける国内武力紛争と人権侵害

コロンビアやペルーでは、政府と特定の反政府組織が軍事的に対峙する、いわゆる国内武力紛争がみられた。冷戦の初期、コロンビアの政治は、ラ・ビオレンシアの時代と呼ばれ、政治的な対立と暴力を特徴とした。なかでも一九四八年、当時の大統領候補者の暗殺が引き金となり首都ボゴタで暴動が起き、政治的暴力が全国的な広がりをみせた。その後、短期間の軍事政権があり、一九五八年以降は二つの政党を基盤とする寡頭的な民主政治の特徴がみられたが、六〇年代になると、非合法な反政府運動や革命を目指す武力闘争が活発となった。なかでも「コロンビア革命軍」（ＦＡＲＣ）は、マルクス・レーニン主義を掲げ勢力を拡大し、長期にわたりゲリラ闘争を展開していった。

一九八〇年代になると、ＦＡＲＣは大土地所有者などの富裕層を誘拐することで得る身代金や麻薬ビジネスを活動の資金源とするようになった。そのため、大土地所有者らは、自衛のために民兵を雇い、その組織は準軍事組織の体をなし、パラミリターレスと呼ばれた（本書第10章も参照）。九〇年代に入り、パラミリターレスは、連合体として「コロンビア自警団連合」（ＡＵＣ）を結成した。パラミリターレスは、対ゲリラ防衛だけでなく、ゲリラやゲリラ協力者であるかもしれない一般市民を攻撃し、政治的暴力をエスカレートさせていった。そのような地域に住む人たちは、生命の危険にさらされ、住み慣れた土地を手放さざるを得ず、数百万を超える人々が国内避難民になったといわれている。

ペルーでは、一九六八年に民族主義路線の軍事政権が誕生し、ペルー革命と呼ばれる経済社会の構造的改革が進んだものの、その後、経済運営の行き詰まりや軍事政権内部の対立などがあり、八〇年に民政移管した。しかし、大統領選挙の当日、農村部から都市部への革命を目指す毛沢東系反政府組織「センデロ・ルミノソ」(正称、「ペルー共産党―センデロ・ルミノソ」:輝ける道)が民主政治を否定し、山岳部のアヤクチョ県において武力による闘争を開始し、先住民族たちの住む農村部を支配し、従わない村民を殺害し、勢力拡大を目指した。八二年、政府は非常事態宣言をし、事態鎮圧に向けて軍の部隊を動員したが、その結果、双方による虐殺行為がみられ、地域住民の多くが犠牲となった。また、八〇年代半ばになると、そのテロ活動はリマ首都圏にまで及んだ。「トゥパク・アマル革命運動」(MRTA)という別の反政府組織もテロ活動を始めており、首都圏の治安は著しく悪化した。

一九九〇年になり、政治的にはアウトサイダーと目されていた日系のフジモリが、変革を訴え選挙を勝ち抜き、大統領に就任した。フジモリは、議会との関係では、少数与党という苦しい立場にあり、有効的な治安対策を実施するために、九二年に憲法を一時停止し、議会や裁判所を閉鎖する、いわゆる自主クーデタを断行した。これ以後、フジモリは、独裁的な政権運営によって、テロの撲滅に成果を上げた。その一方で、テロ取締りの名のもとでの軍部や警察による人権侵害もみられた。九五年、恩赦法の制定により、八〇年から九五年までの人権侵害に関わる処罰は行われないことになった。

広範な移行期正義の取り組み

フジモリは、その独裁的な政権運営に対し国内外の厳しい批判に直面していた。二〇〇〇年、憲法で連続三選が禁じられていたにもかかわらず、フジモリは大統領選を強行し、その結果を受け政権運営を継続した。しかし、側近の汚職が明らかになると、フジモリは当時滞在中の日本から辞任を表明し、議会は大統領を罷免した。そして、フジモリ失脚後の〇一年に暫定政権のもとで真実和解委員会が発足し、一九八〇年から二〇〇〇年までの国内武力紛争とフジモリ政権下における人権侵害についての聞き取り調査や公聴会の開催、秘密墓地での遺体発掘作業が進められることになった。

真実和解委員会の調査と報告書によって、一九八三年から八四年の時期において、アヤクチョ県に犠牲者数が集中していること、死者、行方不明者のうちの七割以上が農村地域の先住民諸言語を母語とする人々であり、多くの先住民族が犠牲となったことが明らかとなった。加えて、報告書では、包括的な補償計画が勧告された。その後、政府は犠牲者登録制度の整備に着手し、個人やコミュニティに対し補償を実施していった。また、真実和解委員会は、犠牲となった地域のエンパワメントも含めた統合的な集団補償を奨励した。とはいえ、本来であれば、地方のインフラ整備や教育・医療施設の開設は、公共事業として実施されるものであるが、それが補償事業として遂行されるなど課題は残っている（Burt, pp.9-10）。

ペルーにおける人権侵害の裁判については、二〇〇一年のバリオス・アルトス事件についての米州人権裁判所の判決が注目に値する。一九九一年、リマのバリオス・アルトス地区で国の秘密部隊が一五名の住民を殺害する事件が起きた。ペルーでは、九五年に恩赦法が制定されていたため、犠牲者家族は米州人権裁判所に訴え、米州人権裁判所は恩赦法が米州人権条約に違反しており無効であるとした。その判決を受け、ペルーでは人権侵害に特化した裁判所が首都のリマに創設された。人権侵害に対する訴追が可能となったことは評価できるものの、その裁判はリマに限定されている。そのためアヤクチョ県在住の被害者にとっては、多大な時間や費用、労力を要し、訴訟も決して簡単にはできないのが現状である（細谷、五三頁）。なお、フジモリについては、〇九年、バリオス・アルトス事件など大統領任期中の人権侵害関与の責任が問われ、二五年の禁錮刑となった。

コロンビアにおける移行期正義の取り組みは、和平交渉プロセスと連動している。二〇〇二年にウリベ政権（〇二―一〇年）が誕生し、政府とＡＵＣとの間で和平交渉が開始された。パラミリタ―レスは、投降と武装解除することになった。また〇五年には、元戦闘員に対して、罪状について証言をすれば大幅な減刑となる公正・和平法が制定された。国内武力紛争についての歴史的な真相究明と犠牲者についての実態調査も進められた。その後、この歴史的記憶調査の活動は組織化され、歴史的記憶センターおよび記憶博物館が開設された。これまでの国内武力紛争での被害についての聞き取り調査が実施され報告書も刊行された。そして、一一年、拷問、強制失踪、性暴力、地雷、国内避難など広範囲におよぶ国内武力紛争の被害に対する包括的な犠牲者法が制定された。補償については、医療福祉や教育分野等を含めた個人補償と地域開発を中心とする集団補償が進められることになった。

FARCとの和平については、ウリベ政権を引き継いだサントス政権（二〇一〇―一八年）は対話路線を取り、和平項目の中に移行期正義が盛り込まれ、平和のための特別法廷の制定が含まれていた。政府とFARCとの間で交渉を重ね、和平合意に達していった。しかし、その合意の是非を問う国民投票では、政府側が譲歩しすぎているといった厳しい批判の声も少なくなく、僅差で否決された。しかし、サントス大統領は、その功績が高く評価されノーベル平和賞を受賞した（千代、二三三―二三五頁）。とはいえ、一八年、新たに大統領に就任したドゥケは、これまでの和平合意を見直す姿勢をみせ、コロンビアにおける和平の実現と移行期正義の取り組みが困難な課題であることが示された。

おわりに

過去と向き合い、真実や正義を求める取り組みは、一定の期間で終了するものではなく、継続的なものである。今日では、それが次世代への平和のメッセージともなっている。その時々の政治社会状況の影響を受けつつ、ラテンアメリカ諸国における真実と正義を求める動きは少しずつ前進してきた。なかでも第二節で見てきたように、アルゼンチンはきわめて先駆的な事例である。大統領に対する強力な世論の支持といった政治的状況下で、強制失踪者委員会による調査や軍政指導者とゲリラ幹部に対する裁判の実施を可能にしたアルフォンシンの英断とリーダシップは高く評価できる。

アルゼンチンのこの経験は、移行期正義の研究や体制移行期にある他の国の諸政策にも影響を及ぼしてきた。たとえば、一九八八年に「国家犯罪の責任について　処罰すべきか赦すべきか」と題する国際会議が米国の財団により開催された。この会議では、米国の法学者らが、アルゼンチン、チリ、韓国、南アフリカ共和国（南ア）といった権威主義体制下で人権侵害が行われた国の弁護士や学者らとともに議論を重ね、移行期正義の概念を明確化するきっかけにもなった。また、移行期正義の分野で、アルゼンチン出身者の活躍がみられるようになった。他国の真実委員会の調査にアルゼンチン出身の人権ＮＧＯ関係者が加わったり、人権侵害を受けた経験を持つ弁護士が移行期正義に特化した国際ＮＧＯの設立に携わったりした。軍政指導者の裁判を担当した検察官が、国際刑事裁判所（ＩＣＣ）の検察業務を統括したりした。南アの真実和解委員会設立関係者は、アルゼンチンを視察し、過去の人権侵害とどのように向き合うのかといった移行期正義のあり方について学んだ（Sikkink, pp.91-95）。今日においても、アルゼンチン政府は国連教育科学文化機関ユネスコ（ＵＮＥＳＣＯ）と連携し、人権講座を開催するなど世界の人権擁護啓発に積極的に貢献しようとしている。

加えて、ラテンアメリカ諸国における移行期正義の特徴として、言説として「和解」を用いることがあっても、必ずしも和解の実現を重視してきたわけではないことが挙げられる。アルゼンチンの移行期正義において「和解」という要素はそもそも含まれていなかった。チリやペルーでも、人権侵害の実態の真相究明が真実和解委員会の主な活動であった。人権侵害の被害者や犠牲者家族は、真相の究明と加害者の処罰を求め続けており、和解を求めていたわけではなかった（大串、一七頁）。同様に、真実和解委員会を設置した政権も、人権侵害の加害者と被害者との和解促進を積極的に模索していたわけではなかった。さらに米州人権委員会による人権に関する実態調査の活動実績や米州人権裁判所による判決にみられるように、ＯＡＳの人権保障の枠組みの中でも、人権侵害の実態の解明、加害者に対する処罰が進められてきた。

ラテンアメリカ諸国の移行期正義の取り組みに対する評価については議論の余地があるだろう。たとえば、公的な真実委員会による調査は、必ずしも人権侵害の実態の可視化を意味するものではない。先述のようにチリの真実和解委員会の調査は、その対象を強制失踪者に限定しており、広範な調査は実施されなかった。その後一〇年以上の時を経て、政治的投獄や拷問に関する調査が実施され、人権侵害の実態解明が進んだ。グアテマラやペルーで行われた真実委員会の活動でも、地方都市の先住民族が住む地域においての調査は、インフラ整備の悪さに加え、先住民言語を用いた聞き取り調査の困難さなどがあり、その作業は決して容易ではなかったであろう。

アルゼンチンにおいても、家族の中に失踪者がいることは、政府に従わずゲリラ活動に参加する家族がいるということを意味するとも取れるため、恥であると感じた日系一世世代がいたそうである。二〇一五年になり、『沈黙は破られた～一六人のニッケイたち』と題する失踪した日系人とその家族をテーマとしたドキュメンタリー映画が製作された。また、日系人失踪者や「日系社会失踪者家族会」の活動が若手研究者によって明らかになってきた（石田）。さらに、人権侵害の責任の所在を明らかにしていく中で、性暴力については被害者も声を上げることが決して容易でないことが明らかとなった。今日、女性のエンパワメントが重要な政治課題となり、性暴力に対する処罰や防止に向けた方策が徐々に進められている。このように人権侵害を経験した多くのラテンアメリカ諸国では、法の支配、平和構築、開発、先住民族や女性などマイノリティのエンパワメントといった課題が、移行期正義と連携し合い取り組まれるようになってきた。

参考文献

石田智恵［二〇二〇］『同定の政治、転覆する声―アルゼンチンの「失踪者」と日系人』春風社。
大串和雄［二〇一二］「『犠牲者中心の』移行期正義と加害者処罰―ラテンアメリカの経験から」日本平和学会編『体制移行期

の人権回復と正義〔平和研究第三八号〕』早稲田大学出版部、一―二二頁。
杉山知子〔二〇一二〕『移行期の正義とラテンアメリカの教訓―真実と正義の政治学』北樹出版。
千代勇一〔二〇一七〕「コロンビア革命軍との和平の背景とインパクト」『ラテンアメリカ・レポート』三四巻一号、二八―四一頁。
細谷広美〔二〇一九〕「グローバル化する移行期正義と先住民―ローカリティを代表／代弁するのは誰か？」細谷広美・佐藤義明編『グローバル化する〈正義〉の人類学―国際社会における法形成とローカリティ』昭和堂、二七―六四頁。
歴史的記憶の回復プロジェクト編〔二〇〇〇〕『グアテマラ　虐殺の記憶―真実と和解を求めて』飯島みどり・狐崎知己・新川志保子訳、岩波書店。
Arbour, Louise [2007] "Economic and Social Justice for Societies in Transition", *New York University Journal of International Law and Politics* 40-1, pp.1-27.
Burt, Jo-Marie [2018] *Transitional Justice in the Aftermath of Civil Conflict: Lessons from Peru, Guatemala, and El Salvador*, Due Process of Law Foundation.
Collins, Cath [2010] *Post-Transitional Justice: Human Rights Trials in Chile and El Salvador*, Pennsylvania University Press.
Dinges, John [2004] *The Condor Years: How Pinochet and His Allies Brought Terrorism to Three Continents*, New York: The New Press.
Kritz, Neil J. eds., [1995] *Transitional Justice* Vol.1-3, Washington, D.C.: United States Institute of Peace Press.
Sikkink, Kathryn [2011] *The Justice Cascade: How Human Rights Prosecutions Are Changing World Politics*, New York: W. W. Norton and Company.
Skaar, Elin, Jemina Garcia-Godos, and Cath Colins [2016] *Transitional Justice in Latin America: The Uneven Road from Impunity toward Accountability*, London and New York: Routledge.
United Nations [2004] "The rule of law and transitional justice in conflict and post-conflict societies : report of the Secretary-General".

日本語文献案内

杉山知子〔二〇一二〕『移行期の正義とラテンアメリカの教訓―真実と正義の政治学』北樹出版。移行期正義の概念や先行研究を検討し、アルゼンチンとチリにおける体制移行期、エルサルバドル内戦後の移行期正義の取り組み事例を中心に紹介する。

細谷広美・佐藤義明編［二〇一九］『グローバル化する〈正義〉の人類学―国際社会における法形成とローカリティ』昭和堂。
グローバル化が進む今日、国際社会において規範として正義が求められるようになってきた。国際社会の規範形成とローカルな現場との連携や矛盾などを踏まえた論文集。

大串和雄「ラテンアメリカにおける移行期正義の実践」［二〇一九］『国際問題』六七九号、一七―二五頁。ラテンアメリカ諸国の移行期正義の実践について、先進的な国、やや限定的な国、ポスト紛争型、限定的な国に分類し、その取り組みや背景を概観する。

＊本章は科学研究費助成事業による研究成果の一部である（課題番号17K03362）

紛争と平和

第10章 対話による和平の模索

数々の和平プロセスを経験するコロンビアの事例から

千代勇一

ラテンアメリカからどんな言葉を連想するだろうか？　大学生に尋ねると紛争やゲリラといった過去の暗いイメージはもはや聞かれない。ダンス、音楽、映画、スポーツ、遺跡、料理などいずれも明るいイメージで語られる。そのこと自体は大変喜ばしい一方で、この素晴らしい平和の状態が多くの人々の努力と犠牲の上に築き上げられてきたものであることも、日本の若者にはぜひ知っておいてほしい。なぜなら、平和は当たり前のように存在するものではないからである。平和の達成と維持がどれほど得がたく大変なプロセスであるかを、私たちはラテンアメリカの経験から学ぶことができる。

写真：パラミリターレス（準軍事組織）の武装放棄式典で整列する若者たち（コロンビア・バジェドゥパール市、2006年２月、撮影：筆者）

はじめに

二〇一六年八月、コロンビア政府は、五二年間にわたり反政府武力闘争を続けてきた国内最大の左翼ゲリラ組織、「コロンビア革命軍」(FARC)との間で和平合意に達した。武力闘争を続ける他の左翼ゲリラが依然存在するため、二〇万人を超える人の命を奪った国内紛争[1]がこれで完全終結したというわけではないが、コロンビアの和平達成に向けた大きな一歩として、同年一二月、当時の大統領ファン＝マヌエル・サントスにノーベル平和賞が授与された。ラテンアメリカ地域にノーベル平和賞がもたらされたのはこれが初めてではない。ほぼその三〇年前の一九八七年には、中米紛争(中米各国を巻き込んだ約一〇年にわたる反政府武力闘争)の和平合意に貢献したとしてコスタリカのオスカル・アリアス＝サンチェス大統領(当時)が同賞を受賞している。

これらの受賞は、深刻な国内紛争を平和的手段によって解決してきたラテンアメリカ地域の歩みを、象徴的に物語るものである。このことは、ラテンアメリカには和平プロセスの経験が蓄積されているということであり、その知見は世界各地の紛争解決に有効なヒントを秘めているとも考えられる。

本章では、ラテンアメリカにおける国内紛争と和平達成に至るプロセスを、主に南米コロンビアの事例を通じて考察する。紛争と平和の歩みは各国の政治、経済、社会の状況によって大きく異なるため、ラテンアメリカ全体をひとくくりにしてその歩みを語ることは困難である。そこで、長期にわたり多様な武装組織が入り乱れる複雑な紛争と数多くの和平プロセスを経験してきたコロンビアに焦点をしぼり、なぜ国内紛争が生じたのか、そしてどのように和平プロセスが推し進められ、和平が達成されてきたのか、また、その過程で人々がどのような困難や課題に直面し、それを克服してきたのかといった点を中心に明らかにする（本書第9章四節も参照）。

一 コロンビアの政治・経済の安定性と長期の紛争

コロンビアは一八一〇年のスペインからの独立から今日に至るまで、頻発する紛争と形式的には比較的安定した政治・経済状況という矛盾した状態が続いてきた国である。独立直後、支配層となった少数エリートの間で新たな国家体制のあり方をめぐって対立が生じ、一八四九年に保守党と自由党が結成されて以来、近年まで二大政党制が長期にわたって維持されてきた。両党による政治権力抗争はしばしば武力衝突を招いたが、とくに一九四八年の自由党の大統領候補ホルヘ＝エリエセル・ガイタンの暗殺に端を発するボゴタ暴動は全国に飛び火し、内戦状態となった。以後、五三年に始まる短期の軍事政権をはさんで二大政党制が復活する五八年までのコロンビアは、ラ・ビオレンシア（政治暴力）の時代と呼ばれている。自由党と保守党は軍事独裁政権の誕生を自ら引き寄せてしまったこの政治暴力に終止符を打ち文民政治の伝統を復活させるために、国民戦線という名の協定を締結した上で交互に大統領を選出し、閣僚や知事などの要職を折半して政治の安定を図った。こうして、二〇〇二年に両党以外から出馬したウリベ大統領が誕生するまでの間、この国では二大政党制が存続することとなった。長期の軍事独裁政権やクーデタが相次いだラテンアメリカ諸国にあって、短期の軍事政権を除き二大政党制が堅持されたコロンビアは、

1 コロンビアの国内紛争は世界で最も長期に及ぶものの一つであり、被害も甚大である。国立歴史記憶センターによると、一九五八年から二〇一二年までに二二万八〇九四人が死亡したが、その八一％が民間人であった。また、誘拐被害者が二万七〇二三人（一九七〇―二〇一〇年）、国内避難民が四七四万四〇四六人（一九五八―二〇一二年）、対人地雷による死者二一一九人・負傷者八〇七〇人（一九八八―二〇一二年）となっている（Centro Nacional de Memoria Histórica, 2012）。二〇二〇年八月の時点で、後述する「コロンビア国民解放軍」（ＥＬＮ）との和平は達成されていない。

少なくとも形の上では安定した政治状況にあったといえる。

経済についても、コロンビアはエメラルド、金、石炭、石油などの地下資源だけでなく、コーヒー、アブラヤシ、切り花といった農産物の生産が盛んであることに加えて、マクロ経済の安定性が特徴となっている。ラテンアメリカ諸国は一九八〇年代には「失われた一〇年」と呼ばれる累積債務危機に見舞われたが、コロンビアはデフォルト（債務不履行）もリスケジュール（債務繰り延べ）もすることなく経済危機を乗り越え、八〇年代後半からは新自由主義的な改革によって経済成長を遂げている。こうしたマクロ経済の安定は、見方を変えると少数エリートによる寡頭支配体制が独立直後から継続していることによってもたらされてきたともいえる。先述のように政党間の激しい対立はあっても、いずれの政党もエリート層によって構成されており経済的な利害は一致している。そのためどちらの政党が政権を取っても経済政策の方向性に大きな違いはなく、その結果として安定したマクロ経済運営が可能となった（千代、四七頁）。

表面的には政治権力をめぐって激しく対立する二つの政党ではあるが、経済分野では利害を共有し、また軍事政権や左派政党の出現など二大政党制の枠組みが損なわれるような事態においては協力してそれらを排除することによって、マクロ経済の安定や形式的な民主主義体制が保たれてきた（千代、四六—四七頁）。これに対し一九六〇年代以降、このような寡頭支配体制のもとで排除され抑圧されてきた人々が政府に抵抗するために結成したのが、左翼ゲリラと総称される武装組織であった。そしてすぐ後に述べるように、これらの左翼ゲリラに麻薬組織やパラミリターレスが加わって、泥沼の国内紛争へと発展していったのである。

二　コロンビアの紛争のアクター

左翼ゲリラ

一九六〇年代以降、コロンビアでは寡頭支配体制や大土地所有制など既存の政治体制および国家の諸制度から排除され、政治参加を拒まれてきた民衆、政治団体がその抑圧に抵抗するために政府に対して武力闘争を組織的に展開するようになる。これら反政府武装組織は一般に左翼ゲリラと総称されるが、こうした組織はコロンビアだけでなく、ラテンアメリカ諸国に広く形成されていった。たとえば、中米ではソモサ軍事政権を倒したニカラグアの「サンディニスタ民族解放戦線」（ＦＳＬＮ、六一年結成）、エルサルバドルの「ファラブンド・マルティ民族解放戦線」（ＦＭＬＮ、八〇年結成）、グアテマラの諸ゲリラ組織から構成される「グアテマラ民族革命連合」（ＵＲＮＧ、八二年結成）、南米ではペルーの農村部を中心とする「センデロ・ルミノソ」（「輝ける道」、七〇年結成）、都市部を中心とする「トゥパク・アマル革命運動」（ＭＲＴＡ、八三年結成）、ウルグアイの「トゥパマロス」（六二年結成）などが知られている。

コロンビアでは数多くの左翼ゲリラが形成され、それぞれの結成目的や規模などは多様であるが、大きく分けて、第一世代（マルクス・レーニン主義やキューバ革命の影響を受け、政治的イデオロギーを基盤とする組織）と第二世代（労働者や先住民族といった特定集団を基盤とする組織や民族主義、ナショナリズムにもとづく組織）に分類されている（García Durán, pp.77-87）。第一世代の主な組織としては、保守党に弾圧された自由党員や共産党員、農民が結成し、マルクス・レーニン主義を掲げる「コロンビア革命軍」（ＦＡＲＣ、一九六六年結成[2]）、キューバ革命の影響を受けた学生や労働者などが結成し、外国資本による資源の収奪などを非難する「国民解放軍」（ＥＬＮ、六四年結成[3]）、そして共産党の武闘部門「コロンビア人民解放軍」（ＥＰＬ、六七年結成）がある。第二世代の主な組織としては、大統領選挙における伝統政党の不正疑惑に抗議して結成された「四月一九日運動」（M―19、七四年結成）、暴力や土地の収奪に抵抗するカウカ県の先住民族による「キンティン・ラメ武装運動」（MAQL、八四年結成）が挙げられる。これらの組織間の関係は複雑であり、活動地域や活動時期によって共闘することもあれば敵対もした。

麻薬組織

コロンビアは一九九〇年代半ば以降、世界最大のコカインの生産国である。本来、麻薬組織は一般の犯罪組織であり、政治的な目的を有する紛争の当事者ではないが、コロンビアでは紛争と密接に結びついている。八〇年代から九〇年代にかけて隆盛した麻薬組織「メデジン・カルテル」は、幹部の家族が左翼ゲリラのM―19に誘拐されたことをきっかけとして、これに対抗するために「誘拐者に死を」（MAS）という武装組織を作った。これは後述するパラミリターレスの起源の一つと考えられ、麻薬組織と武装組織の境界を曖昧にしている。また、FARCは麻薬組織による麻薬の生産や密輸の警護を請け負うことで「税」を徴収していたが、九〇年代に麻薬カルテルが壊滅するとそのビジネスを資金源に組織を強化した。

このように麻薬ビジネスはさまざまな非合法武装組織が武力闘争を継続するための手段となって紛争は長期化したが、他方で紛争が長引く中で麻薬ビジネスが手段から目的に変容したとの指摘もある（Pizarro Leongómez, pp.37-80）。紛争は政治問題であるが麻薬は一般犯罪であり、さらにその密輸先が米国など国外であることから、後に見るようにこうした構図の広がりは和平プロセスを複雑にしている。

パラミリターレス

パラミリターレスとは一般には準軍事組織、つまり正規の軍隊ではないがこれに準ずる組織を意味するスペイン語である（英語ではパラミリタリー）。そのため、広義には国軍以外であれば合法、非合法を問わずあらゆる武装組織を含むことが可能である。しかし、ラテンアメリカにおいてパラミリターレスという言葉は非正規・非合法の武装組織に対して用いられ、さらに反政府武装組織ではなく、政府寄りの非合法武装組織や自警団を指すことが一般的である。政府に都合の悪い個人や集団に対する脅迫、拉致、拷問、暗殺など、違法行為を行う武装集団が典型的なパラミリターレスといえるが、政府との関係の有無については必ずしも明らかではない。また、主に軍事政権下の中米や南米諸国で見られたため、右派あるいは極右の民兵として位置づけられることが多いが、政権が左派の場合にもこれを批判する個人や集団を弾圧するパラミリターレスは存在する。たとえば近年ではニカラグアのオルテガ政権（二〇〇七年―）に対するデモを弾圧する組織がパラミリターレスと呼ばれている。このようにパラミリターレスはあくまでも政府に近い存在であり、政府の打倒を目指す左翼ゲリラや一般犯罪を行う麻薬組織とは本来は区別される。

コロンビアにおけるパラミリターレスとは、一九八〇年代以降、各地に形成された自警団などを起源とする武装組織の総称である。その原型は二〇世紀前半の自由党と保守党の権力闘争に見出される。四〇年代から五〇年代には保守党勢力は対立する自由党員を殺害するために「ロス・パハロス」「ロス・チュラビータス」「コントラチュスマ」といった非合法の武装集団を組織していた。しかし、六〇年代以降に左翼ゲリラが次々と結成されると、今度はこれを脅威とするエリート層が武装集団を組織するようになった。支配階級である富裕層への攻撃や活動資金の獲得を目的に農場主や牧場主さらにはその家族の誘拐、財産の略奪を繰り返す左翼ゲリラに対抗して、私兵による

2　一九六四年にはＦＡＲＣの前身となる「南部ブロック」という武装組織が結成されている。なお、後述するようにＦＡＲＣは二〇一六年に和平合意を達成した。これにより一七年に合法政党「人民代替革命勢力」（ＦＡＲＣ）を結成した。この略号は「コロンビア革命軍」と同じであるが、スペイン語の正式名称は Fuerza Alternativa Revolucionaria del Común となっている。

3　前身の「ホセ・アントニオ・ガラン旅団」は六三年に結成。

自警団を形成していったのである（千代、五一頁）。たとえば、牧場主の父親をＦＡＲＣに殺害されたカスターニョ兄弟のうちカルロスとフィデルは「コルドバ・ウラバ農民自警団」（ＡＣＣＵ）を創設し、また、身代金目的でＭ―19に娘を誘拐された麻薬マフィアのファビオ・オチョアら「メデジン・カルテル」の幹部は「誘拐者に死を」（ＭＡＳ）という武装組織を形成し、左翼ゲリラに対抗した。ほかにもエメラルド鉱山主が縄張り争いを背景として組織した私兵集団や、農民が左翼ゲリラに抵抗するために結成した自警団などがパラミリターレスの起源といえる。また、九四年には政府によって左翼ゲリラの脅威に対抗するための自警団「農村防衛のための民間警備・監視協同組合」（ＣＯＮＶＩＶＩＲ）の創設が認められ、全国各地に誕生した。これは九七年に憲法裁判所により憲法違反と判断されたが、残存してパラミリターレスとなった組織もある。

このようにコロンビアにおけるパラミリターレス＝自警団の成り立ちはさまざまではあるが、いずれも左翼ゲリラと敵対しているという点で政府と利害が一致している。また、なかには麻薬ビジネスを資金源とする組織も現れ、麻薬組織とパラミリターレスの境界は曖昧になっていった。その潤沢な資金により一部の組織は強大化し、やがて自警団の領域を越えて縄張りを広げ、次第に組織間の抗争や組織内部の権力争いを激化させていったため、最終的にコロンビアのほぼすべてのパラミリターレスが先述のＡＣＣＵのリーダーであるカルロス・カスターニョのイニシアティブによって、一九九七年に「コロンビア自警団連合」（ＡＵＣ）に統合された。

三　一九九〇年代における左翼ゲリラとの和平プロセス

小規模集団の解体

一九八〇年代後半から九〇年代にかけて、ラテンアメリカ諸国では和平達成に向けた歩みが加速した。中米ではニカラグア内戦が八七年、エルサルバドル内戦が九二年、そしてグアテマラ内戦が九六年にそれぞれ終結している。

また、南米ウルグアイでは八五年の軍政からの民政移管により「トゥパマロス」が武力闘争を終結させ、同じく南米ペルーでは九〇年代に「センデロ・ルミノソ」と「トゥパック・アマル革命運動」（ＭＲＴＡ）がそれぞれ幹部の死亡や逮捕により弱体化していった。

コロンビアでも多くの左翼ゲリラ組織が一九九〇年代に和平プロセスを通じて解体されていった。その前段として八二年に武装解除と社会復帰を定めた最初の法律が制定されている。八四年三月にＦＡＲＣと政府が和平のための停戦協定（ラ・ウリベ協定）に合意し、これにもとづき翌八五年に愛国同盟（ＵＰ）という政党を結成して合法活動への道を歩み始めた。また、この協定は他の左翼ゲリラ集団への適用が可能との条項も含まれており、八四年八月にはＭ―19およびＥＰＬも戦闘行為の停止などで政府との合意に至った。しかし、ＵＰのメンバーが数多く暗殺されたことなどにより[4]、八六年、政府とＦＡＲＣとの停戦は破棄された。また、Ｍ―19についても、八五年に同組織による最高裁判所占拠事件などの武装闘争が再び活発化したため、和平交渉は中断した。その後、八九年に恩赦と社会復帰、政治参加を認めた法律が制定され、九〇年から九四年にかけてＭ―19、ＥＰＬ、ＭＡＱＬ、「労働革命党」（ＰＲＴ）などとの和平合意が達成された。

一九九〇年代に和平合意に至った武装組織には、次頁**表1**が示すように先住民族グループのＭＡＱＬや労働組合グループのＰＲＴのように特定の地域やセクターを基盤とする小規模かつ資金に乏しい集団が多かった。またＭ―19は規模の大きい組織ではあったが、多くの犠牲者を生み出した最高裁判所占拠事件により国民の非難が強まり、政府の取り締まり強化による組織の弱体化が顕著となっていた（Aguilera, pp.132-140）。これらの集団に共通していたのはもはや武力闘争の継続が困難な状況にあったことである。政府は武器の放棄や組織の解体と引き替えに恩赦を与

4　国立歴史記憶センターによると、一九八五年から二〇〇二年の間にＵＰの少なくとも四一五三人が殺人や誘拐などの被害者となった。このうち三一二二人が暗殺、四七八人が集団虐殺された（Centro Nacional de Memoria Histórica, 2018）。主たる加害者は敵対するパラミリタ―レスや政府の治安部隊とされる。

表１　武装組織ごとの和平プロセスの概要

非合法武装組織名	武装解除（年）	政権	武装放棄者数	処罰
M-19（四月一九日運動）	1990	バルコ　（自由党）	900人	恩赦
EPL（コロンビア人民解放軍）	1991	ガビリア（自由党）	2000-2520人	恩赦
MAQL（キンティン・ラメ武装運動）	1991	ガビリア（自由党）	157人	恩赦
PRT（労働革命党）	1991	ガビリア（自由党）	200人	恩赦
CRS（社会主義革新党）	1994	ガビリア（自由党）	433-747人	恩赦
Milicias（民兵組織）	1994	ガビリア（自由党）	650人	恩赦
FFG（フランシスコ・ガルニカ戦線）	1994	ガビリア（自由党）	150人	恩赦

（出所）Aguilera, pp.132-154 / López, pp.22-23を参考に筆者作成。

え社会復帰を認めることで、和平を達成したのである。

この時期に和平プロセスが集中的に生じたのは、国内の政治状況とも直接関係している。一九九〇年から九四年は自由党政権であり、この時期に同政権はグローバルな新自由主義の流れに呼応した経済開放政策のもとで自由主義的改革を積極的に推し進めただけでなく、閉鎖的な特徴を維持し続けた自国の二大政党制に対しても、広く市民の政治参加を促すために新憲法の制定や多党制の実現に向けた法改正を行った（千代、四七―四八頁）。新憲法制定のために招集された制憲議会には先住民族などのマイノリティに加えて、M―19の元メンバーらも参加し、九一年には一八八六年憲法以来初めて新憲法が公布されている。このような国内政治の改革は、社会変革を訴えてきた左派の武装組織とりわけ組織の弱体化が顕著であった組織にとっては武力闘争の放棄の大義、すなわち恩赦を得て合法的な政治活動へと方向転換する好機となり、また政府にとっても長期の紛争を解決へと導く糸口となったといえる。

大規模集団との和平プロセスの失敗

一九九〇年代にはコロンビアにおいてほぼすべての左翼ゲリラが解体されたが、第一世代のＦＡＲＣおよびＥＬＮの二大左翼ゲリラとの和平合意は達成できなかった。両組織とも政治的イデオロギーにもとづく強固な大規模武装組織であり、とくにＦＡＲＣは麻薬ビジネスや誘拐などで得た豊かな資金によって数多くの構成員と最新の武器を備えていた。

政府は一九九九年から二〇〇二年にかけてＦＡＲＣとの交渉を進展させるために南部の一定地域から治安部隊を撤退させるなどの譲歩を行ったが、ＦＡＲＣがこれを利用して誘拐、テロ、麻薬ビジネスを続けたために、交渉は決裂した。ＥＬＮとも国内外を舞台に和平プロセスが試みられてきたが、失敗に終わっている。

政府はさらなる武装組織との和平交渉が困難な状況となったため、個人の投降を促進する方針を取った。そこで、投降を促すプロパガンダに加えて、投降者の受け入れ手続きや人道的支援のあり方を定めた法律（治安法）を制定した。

四　二一世紀の和平プロセス（1）――異例ずくめのパラミリターレスとの和平プロセス

パラミリターレスとの和平プロセスの経緯

コロンビアにおけるパラミリターレスとの和平プロセスは、二〇〇二年一二月、パラミリターレスの統合体であるＡＵＣが政府との和平交渉を行うために一方的に戦闘行為を停止すると宣言したことにより動き出した。〇三年一月に政府とパラミリターレスとの間で対話が開始され、同年七月には〇五年末までに組織を解体することで合意に達した。左翼ゲリラの場合、和平プロセスは政府との交渉を経て諸条件について合意に達した上で戦闘行為の停止、武装解除、社会復帰へと進むことが一般的であり、とくに武装組織構成員の処遇は最も重要な交渉テーマである。ところが、パラミリターレスの場合には政府との交渉が始まる前に一方的に戦闘行為を停止し、しかも構成員の処遇に関する法的枠組みの整備どころかそのための議論すら行われていない状況にもかかわらず、早々と組織解体を政府との間で合意した。

この時点で武装組織構成員に適用可能な法律といえば、個人の投降者を対象とした治安法のみであった。そのため政府は新たな法律の制定を模索する議論を開始し二〇〇三年八月に代替処罰法案を議会に提出したが、この法案には被害者救済が含まれておらず、加害者処罰が不十分な内容であったことから国内外の批判を受け、廃案となった。一方、同年一一月にはAUCの下部組織「カシーケ・ヌティバラ・ブロック」の八七〇人が武装解除を行い、これに続いて各地域の下部組織も次々と武装解除を進めていった。そして〇四年七月には、ようやく正式に、和平交渉の開始などを定めたサンタフェ・デ・ラリート合意が政府とパラミリタールレスの間で署名された。議会ではこの間もパラミリタールレスとの和平交渉を進めるための法的枠組みの整備に向けた議論が続けられ、〇五年七月に公正・和平法を成立させた。

ほとんどのパラミリタールレスの構成員は公正・和平法の成立前に武装解除されていた。同法成立後一年を経た二〇〇六年八月までには残る組織の解体も終了し、武装解除となった元パラミリタールレス構成員の総数は三万一六七一人となった（Presidencia de la República, p.99）。そして彼らの大多数は、後述するように同法に従って政府の社会復帰プログラムに参加し、大量虐殺など「人道に対する罪」を犯した者（人権侵害の加害者）のみが処罰を受けることとなった。処罰の対象となったパラミリタールレスの幹部は国内の刑務所に収監される見通しであったが、麻薬密売人の密輸先となっていた米国からの麻薬犯罪容疑の犯罪人引渡し要請にコロンビア政府が応じ、二〇〇八年五月にはほぼすべての主要幹部が米国へ移送された。最終的に、恩赦となった元構成員の社会復帰プログラムは二年間継続され、また人道に対する罪を犯した者はすべての罪を自白することを条件に五年から最長八年の刑期となった（武装組織構成員が自白せず有罪となった場合には同法の恩恵を失い、既存の刑法により裁かれることとなった）。そして米国へ移送された幹部は全員が有罪となって米国内の刑務所に収監され、パラミリタールレスとの和平プロセスは終了した。

公正・和平法の特徴

公正・和平法の特徴は、「移行期正義」の特徴である人権侵害加害者の処罰、被害者に対する補償、そして真実究明などが含まれていることにある(「移行期正義」の概念については本書第9章「はじめに」参照)。同法に移行期正義という言葉があるわけではないが、最高裁判所および憲法裁判所による同法とその関連法規の審査、判決を取りまとめた検察庁の報告書では、同法が移行期正義のモデルと位置づけられており、両裁判所の判事らも移行期正義の枠組みの中で議論していたことが明らかになっている(Fiscalía General de la Nación)。つまり政府は、公正・和平法とこれに従ってなされたパラミリターレスとの和平プロセスにおいて初めて移行期正義の概念を導入したのである。

公正・和平法のポイントは、先にふれた人権侵害加害者に対する処罰の規定、恩赦となった者に対する社会復帰プログラムへの参加義務のほか、被害者に対する補償および真相究明のための措置などを定めていることである。被害者への補償のための措置については、同法により新たに設置された全国紛争被害者補償・和解委員会(CNRR)のイニシアティブのもとで、パラミリターレスが違法に得た財産などを管理する被害者補償基金にもとづく個人補償、地域社会に対する集団補償、モニュメントの設置などの象徴的補償、そして歴史的記憶として残すための文書作成などが定められ、真相究明のための措置としては、元構成員に対する自白の義務づけに加えて、被害者の裁判への参加などが促進された。

パラミリターレスとの和平プロセスの特殊性

このようにパラミリターレスとの和平プロセスはグローバルな「移行期正義」という概念がコロンビアに初めて導入された事例であり、同国における一九九〇年代の左翼ゲリラとの和平プロセスには存在しなかった加害者処罰や被害者救済を盛り込んだという点で画期的であった。他方、いくつかの問題点も残った。まず、加害者に対する処罰の妥当性、すなわち、コロンビアの刑法では懲役六〇年が最も重い処罰であるが、公正・和平法では最長でわずか八年とされていることの妥当性についてである。また、麻薬ビジネスを目的とする政治性のないパラミリターレスをも政治犯とみなし、そうした集団を解体するために和平プロセスの枠組みを適用することの妥当性である。

後者の点については最後の第六節で考察することとする。

五　二一世紀の和平プロセス（2）――グローバルな規範が導入されたＦＡＲＣとの和平プロセス

ＦＡＲＣとの和平プロセスの経緯

半世紀以上続くコロンビアの国内紛争において最大規模を保ち続けた武装組織ＦＡＲＣとの和平プロセスは、歴代政権にとっては常に重要課題であった。ベタンクール政権下（一九八二―八六年）とパストラナ政権下（一九九八―二〇〇二年）では和平交渉が試みられ、ウリベ政権下（二〇〇二―一〇年）では米国の支援を受けて軍事的圧力をかける一方で人質交換のための対話が試みられたが、いずれも失敗に終わった。一方、ウリベ政権の後継として誕生したサントス政権（二〇一〇―一八年）は強攻策を継続してＦＡＲＣの弱体化に成功し、さらに武力闘争への批判や平和への希求を強める国内外の世論の盛り上がりも追い風となって、ウリベ政権とは異なる柔軟路線へと舵を切って和平交渉を開始した。ウリベとサントスはともに伝統的二大政党の一つである自由党を離党し共闘してきた同志であったが、ＦＡＲＣに対する強攻姿勢を貫くウリベの後継として政権に就いたサントスは次第に独自色を強め、ウリベとは和平プロセスをめぐり決別したのである。

二〇一二年二月、政府とＦＡＲＣはキューバのハバナにおいて秘密裏に予備交渉を開始し、同年八月には今後行われる正式交渉においては六つのテーマ（後述）について議論することで合意に至り、政府は翌九月にＦＡＲＣと和平交渉を行っていることを初めて公にした。そして一六年六月に双方の戦闘行為の停止が実現し、同年八月にはハバナにおいて最終合意の発表がサントス大統領、ＦＡＲＣのロンドーニョ最高司令官、ラウル・カストロ・キューバ国家評議会議長らが出席する中で盛大に行われた。

ＦＡＲＣとの和平プロセスでは、パラミリターレスをはじめとするこれまでの事例とは異なり、和平交渉の過程で加害者処罰と被害者救済、真実究明の方法などを一つひとつ議論した上で合意に至った。また、合意内容の憲法への挿入や和平に関する立法手続きの簡素化などを可能とする「和平のための憲法改正」も行った。さらに、和平プロセスの遅れに加えて国内の諸問題で支持率が低迷していたサントス大統領はこれまでの手続きの是非を国民に問うための国民投票の実施を約束した。こうしてコロンビア史上初となる和平プロセスに関する国民投票が行われることとなった。国民に直接和平プロセスの是非を問いかけることには、市民一人ひとりに国民和解の当事者として平和構築に参加していることを自覚させる重要な意味があった。

二〇一六年一〇月に実施された国民投票では、ウリベ前大統領、保守党、キリスト教福音派など反対勢力の呼びかけもあって和平合意は僅差で否決された。これにより四年半に及んだサントス政権下での和平プロセスは白紙となるところであったが、和平を求める世論の高まりもあって、政府と反対派との間で合意文書の修正協議が行われ（本章二六〇頁）、最終的にその修正案が議会で可決され有効となった。なお、政権交代の際の合意履行遵守を担保するために合意内容を憲法に挿入することについては、キリスト教福音派など反対派の主張によって撤回された（本章二六一頁）。

合意とプロセスの特徴

ＦＡＲＣとの和平交渉においては、これまでの和平プロセスにはみられなかった社会問題や平和構築に関する六つのテーマで議論が行われた。その六つとは（一）「統合的農村開発」、（二）「政治参加」、（三）「紛争の終結」、（四）「違法薬物問題の解決」、（五）「紛争被害者」、（六）「実施・検証・承認」である。なお、ＦＡＲＣ構成員の処遇については、武器の引渡し、社会復帰プログラム、政治参加のための議席の確保に関わるものは（三）の「紛争の終結」において規定され、処罰に関しては（五）の「紛争被害者」において議論された。

（一）の「統合的農村開発」はＦＡＲＣがその創設期から問題としてきた都市部と農村部の格差や土地の集中の解

消、さらに貧困層の栄養状態の改善までを含めた総合的な農村開発に関する議論であり、(四)の「違法薬物問題の解決」は、これと連動して違法作物栽培によって疲弊した地域を代替作物の生産を通じて復興することも視野に入れている。(二)の「政治参加」はFARC構成員の政治参加に限定せず、広く市民が政治参加できる環境づくりを指している。(三)の「紛争の終結」と(六)の「実施・検証・承認」は武器の処分、元構成員の社会復帰、国際社会による合意事項の検証方法など技術的なテーマであり、(五)の「紛争被害者」は被害者に対する補償、加害者の処罰を扱っている。処罰については最終的に、人道に対する罪や深刻な戦争犯罪を裁くための和平特別法廷を設置し、真相究明に関わる自白があった場合は五—八年の移動の制限および自由の制限が課せられ、自白がなく有罪となった場合は一五—二〇年の服役が課されることなどで合意に至った。

これまでの和平プロセスと比較すると、FARCとの合意内容はパラミリターレスの事例と同様に、移行期正義の概念を取り入れた「加害者への一定の処罰」や「被害者の救済」が重要な要素となっているだけでなく、政治犯罪の適用については曖昧であったパラミリターレスの場合とは異なり明確な基準が設けられたこと、それと連動して政治参加への道筋がつけられていること、そして社会問題の解決が議論されていることなどの違いがみられる。とくに(一)(二)(四)がテーマとして取り上げられたのは、この和平プロセスが非合法武装組織の解体とそれにともなう加害者処罰と被害者救済というだけでなく、五〇年以上に及ぶ武力闘争が社会正義のための闘いであったというFARCの主張を政府が受け入れたことを意味している。これらのテーマについて議論することは、長期の複雑化したコロンビアの紛争を解決し、その主要アクターを解体するためには不可欠なプロセスであったといえる。

六　二一世紀の和平プロセスの課題

この最後の節では、和平のための新しい規範や価値観がコロンビアのコンテクストの中で実践される際、どのようなやり方で着地点が模索されてきたのかを「政治犯罪と処罰」「麻薬犯罪の扱い」「新しい要素の出現」という三つの視点から考察する。

政治犯罪と処罰

コロンビアでは、移行期正義の概念の導入によって、人道に対する罪への処罰が厳格に求められるようになった。しかし、処罰の厳格化は、武装組織に和平プロセスへの関心を失わせかねない要素ともなった。ここで注視すべきは政治犯罪という概念である。まず、コロンビアでは政治犯罪は恩赦の対象であり、また一九九一年の新憲法によって外国への犯罪人引渡しが明確に禁じられている。その一方で、政治犯罪とは具体的にどのような犯罪を指すのかについて、コロンビアの法律は必ずしも明確にしていない。たとえば、政府や憲法にもとづく政治体制を武力により変えようとする行為に対する反乱罪の適用範囲は比較的わかりやすいが、憲法にもとづく政治体制の機能を一時的に阻害する行為に対する騒乱罪や、政府機関に何らかの事柄を暴力によって要求する行為に対する暴動罪の適用範囲は、それほど明確ではない。

一九九〇年代の各武装組織との和平プロセスや二〇一六年のＦＡＲＣとの和平プロセスにおいては、いずれの組織も政治体制を変える目的で武力闘争を行ってきた左翼ゲリラであったため、政治犯罪として反乱罪が適用され、その構成員に対しては原則として恩赦が与えられた。一方、実質的には二〇〇四年に始まるパラミリタ―レスとの和平プロセスにおいては、これらの組織が左翼ゲリラに対抗することを目的とした武装組織であるため、政治体制を変える意図のない、むしろ左翼ゲリラに強攻姿勢を取る政府に協力的ですらあるそうした組織に反乱罪を適用することは困難であった。しかしながら、すでに述べたように、パラミリタ―レスは政府との正式な交渉や法的枠組みの策定がなされる前に武装解除を開始しており、また、組織の全体規模や影響力の大きさから政府はこれらも和平プロセスとして扱わざるを得ない状況にあったといえる。そこで最終的にはパラミリタ―レスの犯罪の政治性に関する議論を回避して、公正・和平法以前に制定された法律（個人の投降者を対象に恩赦を与えることなどを定めた治安法）にもとづき、パラミリターレスの構成員の大多数に恩赦を与えることとなった。ただし、大量虐殺を先導するなど人道に対する罪の場合はこの対象外とされ、公正・和平法により処罰されることとなった。こうしてパラミリターレスの構成員による犯罪のほとんどは投降者個人を対象とした法律の適用により実質的には政治犯罪と同様に恩赦の対象として扱われ、その適用外とされた人道に対する罪に値する幹部らについては公正・和平法により一定の処罰がなされることで、処罰と和平の両立の問題は回避できたといえる。

なお、コロンビアは二〇〇二年に国際刑事裁判所（ＩＣＣ）ローマ規程に批准するが、その第一二四条の適用により、七年間はＩＣＣが有する管轄権を受諾しない旨宣言している。そこには、ＩＣＣによる訴追の可能性を一定期間回避すればＦＡＲＣに和平プロセスの開始を促せるという狙いがあったと推察されている（Semana）。しかし、この期間にＦＡＲＣとの和平プロセスは開始されず、結果的にこの宣言はパラミリターレスとの和平プロセスに適用された。推測の域を出ないが、パラミリターレスの和平プロセスが慌ただしく進められた背景にはこうしたＩＣＣとの関連も考えられる。

紛争下における麻薬犯罪の扱い

麻薬問題はコカインの最大消費国である米国にとっても重要な問題であり、米国は以前より麻薬犯罪者の引渡しをコロンビア政府に要請してきた。そして麻薬犯罪者は米国への引渡しを何より恐れてきた。たとえば「メデジン・カルテル」の最高幹部パブロ・エスコバルら対米引渡しの対象者とされるマフィアの構成員は、「米国の刑務所よりコロンビアの墓場を望む」というスローガンを掲げ、「引き渡されうる人々」（Los extraditables）という組織を結成してあらゆる手段で対米引渡しを阻止しようとした。

一九七九年に米国との二国間協定である犯罪人対米引渡し条約が締結されたが、同条約を規定するために八〇年に制定された法律は八六年に最高裁によって無効とされ、同年に新たに制定された法律も同じく最高裁によって翌年に無効と判断された。九一年の新憲法でも犯罪者の外国政府への引渡しが禁じられたが、九七年の憲法第三五条改正によって政治犯罪を除く引渡しは可能となった。しかし、麻薬犯罪を厳格に処罰することは和平プロセスの停滞や崩壊を招きかねず、かといって不処罰に対しては国内外からの批判がある。パラミリターレスやＦＡＲＣとの和平プロセスで麻薬犯罪の扱いが議論のテーマの一つとなったのはこうした理由による。いずれの場合も麻薬犯罪が政治犯罪か否かという点が問題となったが、これは、政治犯罪については外国政府への引渡し対象とならないという憲法第三五条の規定を踏まえてのことである。和平を達成するためには柔軟な解釈をして、麻薬犯罪は反乱や騒乱の手段であるがゆえに政治犯罪の一部とすべきだという意見が出された一方で、そうした扱いをすれば、麻薬犯罪に厳しい国際社会からの批判は免れず、またそうした理屈が通れば、誘拐や脅迫も政治犯罪とみなされてしまうという懸念も示された。

結局、その戦闘行為が政治犯罪とは認められなかったパラミリターレスの場合、麻薬犯罪も和平プロセスが優先される状況の中で裁かれることはなかった。だが、先述のように米国からの犯罪人引渡し要請に政府が応じることによって、国内で処罰した場合に予想される和平プロセスの停滞、決裂を避けつつ国外でパラミリターレスの幹部を麻薬犯罪者として裁くことができたため、結果として和平プロセスと処罰の両方を執り行うことができたといえる。他方、武力闘争が政治犯罪と認められたＦＡＲＣの場合、国民投票での和平合意の否決とその後の反対派との修正協議により、麻薬犯罪については、政治犯罪の手段として不可欠だったものは政治犯罪の一部とみなし、個人の利益を目的としたものは通常の犯罪とみなすとした。実際には両者を区別することは不可能と思われるが、少なくともこれによって形式上は麻薬犯罪の不処罰を避けた形となった。しかし、ＦＡＲＣ幹部に対する米国からの将来的な犯罪人引渡し要請の可能性については、その時々の米国政府の政治判断によると思われる。

和平プロセスの成否を左右する新しい要素の出現

二〇〇〇年初めにコロンビアでなされたこれらの和平プロセスには、二つの新しい要素がみられる。一つは国際社会の影響力の存在である。一九九〇年代までの和平プロセスには表立った国際社会の関与はみられなかったが、パラミリタ―レスとFARCのケースではその関与と役割は非常に重要なものとなった。

パラミリタ―レスとの和平プロセスでは米州機構（OAS）と国際移住機関（IMO）が戦闘員の武装放棄から社会復帰までのプロセスを支援し、オランダや米国などは間接的ではあるがパラミリタ―レスの支配地域を中心に法の支配の確立のための支援を行った。FARCとの和平プロセスでは予備的対話がキューバおよびノルウェーの両政府の仲介により行われ、また最終合意文書にはキューバ、ノルウェー、ベネズエラ、チリによる合意事項の検証が謳われ、武器の回収・登録・運搬は国連によって実施された。こうした国際社会の関与はいずれの場合も和平プロセスの履行を保証するものとして機能した。

とくに和平プロセスの危機的状況においては、その影響力は決定的であった。FARCのケースではまず、二〇一六年三月予定の最終合意の署名期限が交渉の遅れから延期となり、国民の間に和平プロセスに対する不信感が広がったときである。このタイミングで米国のケリー国務長官はFARC幹部と会談を行い、米国がこの和平プロセスを強く支持していることを、コロンビア国民の目にふれる形で積極的にアピールしたのである。次に、同年一〇月に実施された国民投票において和平合意が僅差で否決されたときである。否決により四年以上にわたり行われてきた和平交渉が無に帰すところであったが、その数日後にサントス大統領のノーベル平和賞受賞が発表された。これにより国内世論はいっきに和平プロセスの継続支持へと傾き、政府は反対派との調整を行った上で合意文書に修正を加え、最終的にこれが議会で可決されたのである。いずれのケースも厳密には公約に反するものではあったが、国際社会の影響力と柔軟な対応により和平プロセス崩壊の危機が回避されたことは確かである。

これらの和平プロセスにみられるもう一つの新しい要素は、性的マイノリティ（LGBTI［本書第4章参照］）

の扱いとキリスト教福音派（プロテスタント）の影響力の存在である。カトリック教会はこれまでもコロンビアにおける和平実現のために尽力してきた。このＦＡＲＣとの和平プロセスにおいても、最終段階で実施された国民投票に際しては投票を呼びかけながら、自らは中立の立場を保持した。これに対し、福音派教会は和平合意文書に反対する運動を積極的に展開し、これがどの程度影響したかは不明だが和平合意は否決された。福音派が反対運動を展開した理由は、それまでの和平合意にはみられなかった文言がＦＡＲＣとの合意文書の中に初めて加えられたことによる。それは、女性およびＬＧＢＴＩの紛争被害者に対して特別な配慮を求めるという内容である。福音派はこのＬＧＢＴＩへの言及が伝統的な家族の概念を脅かすジェンダー・イデオロギーであるとして問題視し、とくにこの合意内容を憲法に挿入することについては、ＬＧＢＴＩの存在が憲法によって認められることになるとして強く反発したのである。最終的にＬＧＢＴＩへの言及部分は変更されず、ただし憲法に挿入しないことで合意文書は承認された。

コロンビアにおける和平プロセスは時代の変化に応じてその形を変え、新しい課題に対しては試行錯誤しながらも常に平和への道を模索してきたことがわかる。

おわりに

本章では、ラテンアメリカの紛争と平和の歩みを理解するために、コロンビアが経験してきた長期にわたる国内紛争と数々の和平プロセスを事例に、その背景と展開について詳細に記述してきた。その際、なぜ、どのような人々により紛争が始まったのか、そしてどのように和平プロセスが行われ、どのように達成され、いかなる困難や課題に直面してきたのかという点を重視してきた。それは、コロンビアの紛争と平和の歩みが五〇年以上にわたり続けられる中で、その間に国内外の情勢や人々の考えは大きく変わってきたからである。これに応じて、一九九〇年代の和平プロセスとそれ以後の和平プロセスでは被害者の救済と加害者処罰のあり方を中心にその実践も大きく変容した。そして、加害者処罰については和平の達成と適切な処罰のあり方とのバランスをめぐるさまざまな駆け引きが行われてきた。二〇〇〇年代に入ってからの和平プロセスでは、外国や国際機関による支援をはじめ国際社会の影響を強く受けるようになったが、これらに柔軟に対応することで和平プロセスを崩壊の危機から救った事例もある。

コロンビアにおける数々の和平プロセスの実践に共通していたのは、軍事力を使った鎮圧ではなく、一貫した対話による和平の模索であった。そのためには紛争の当事者に加えて、市民、政治家、国際社会など多様な規範や価値観を持ったアクターの間でどのように折り合いを付けていくのかが常に問われてきた。そのプロセスでは政治犯罪の適用範囲や加害者処罰のあり方などをめぐり多くの課題も見出された。

長年にわたる地道な取り組みにより、ラテンアメリカ各国を襲ってきた国内紛争は概ね終結の方向に向かっている。一方、世界各地を見渡すと、今も国内紛争に苦しんでいる地域は少なくない。そのそれぞれに地域固有の文脈があり、それぞれに複雑な要素が絡み合ってはいるが、ラテンアメリカの和平への取り組みの経験は、平和の希求というその一点で、他の地域にとっても共有しうる大きな財産である。ラテンアメリカの事例は今日の「平和な日本」に対しても、国内や国家間の平和という状態が紛争回避や紛争解決への絶え間ない努力によって維持されるものであることをあらためて教えてくれる。

参考文献

千代勇一［二〇一五］「コロンビアにおける和平プロセスの政治性―国内紛争の展開から見た新自由主義改革による政治の不安定化」村上勇介編『二一世紀ラテンアメリカの挑戦―ネオリベラリズムによる亀裂を超えて』京都大学学術出版会、四三―六八頁。

Aguilera, Mario [2013] *Un pacto parcial de paz. la negociación con el M19, el EPL, el Quintín Lame y el PRT (1990-1991)*, en Regalado, Roberto ed., *Insurgencias, diálogos y negocaciones: Centroamérica, Chiapas y Colombia.*, Ocean Sur, Bogotá, D.C.

Centro Nacional de Memoria Histórica [2012]（https://www.centrodememoriahistorica.gov.co/micrositios/informeGeneral/estadisticas.html 最終閲覧日二〇二〇年八月一日）

Centro Nacional de Memoria Histórica [2018] *Todo pasó frente a nuestros ojos. El genocidio de la unión patriótica 1984-2002*（http://centrodememoriahistorica.gov.co/wp-content/uploads/2020/04/INFORME_UP_completo.pdf 最終閲覧日二〇二〇年八月一日）

Fiscalía General de la Nación [2010] *Ley de Justicia y Paz, compilación normativa y jurisprudencia*（https://www.fiscalia.gov.co/colombia/wp-content/uploads/2012/04/ley_975_de_2005.pdf 最終閲覧日二〇二〇年八月一日）

García Durán, Mauricio [1992] *De la Uribe a Tlaxcala: procesos de paz*, Bogotá, D.C.: Cinep.

López, Claudia [2016] *¡Adiós a las FARC! ¿y ahora qué?*, Bogotá, D.C.: Editorial Debate.

Pizarro Leongómez, Eduardo [2004] *Una democracia asediada: balance y perspectivas del conflicto armado en Colombia*, Bogotá, D.C.: Editorial Norma.

Presidencia de la República [2006] *Proceso de Paz con las Autodefensas -informe ejecutivo*, Presidencia de la República Oficina de Alto Comisionado para la Paz, 2006.

Semana [2009] セマナ誌インターネット版二〇〇九年一〇月三〇日付（http://www.semana.com/nacion/justicia/articulo/lo-espera-colombia-frente-corte-penal-internacional/109234-3 最終閲覧日〇二〇年八月一日）

日本語文献案内

関雄二・狐崎知己・中村雄祐編著［二〇〇九］『グアテマラ内戦後　人間の安全保障の挑戦』明石書店。一九九六年に終結したグアテマラ内戦に焦点を当て、日本外交の柱でもある「人間の安全保障」という観点から内戦後のグアテマラ復興に向けたさまざまなプロジェクトの実践を記述している。

田村剛［二〇一九］『熱狂と幻滅―コロンビア和平の深層』朝日新聞出版。この本の最大の特徴は、ジャーナリストによる現場取材にもとづき、紛争の中で生活している人々を生き生きと描き出している点にある。ＦＡＲＣの和平プロセスまで網羅している。

二村久則編［二〇一一］『コロンビアを知るための六〇章』明石書店。紛争についてはもちろん、コロンビアの歴史、政治、経済、文化、社会を概観することができる基本書である。同シリーズの各国編も一つの国の総合的な理解に役立つ。

第11章 石を動かし、国を動かす

被害者家族の連帯

メキシコ麻薬戦争の行方不明者を探す女性たちのたたかい

山本昭代

メキシコの北部国境地帯やバヒオと呼ばれる中部高原の工業地帯に、近年、自動車産業をはじめ多くの日系企業が進出している。それぞれの地域には近代的な工場やショッピングセンターが建ち、華々しい近代化がみられる一方で、周縁部には貧困地域が広がり、殺人率など全国でも最悪の状況にある。「麻薬戦争」と呼ばれる麻薬密輸組織による暴力は、とくにこの周辺地域に蔓延し、殺人や誘拐事件が起きても捜査も犯人の処罰も行われない。そのような汚職と不処罰がまかり通るなか、声を上げたのが、行方不明の息子や娘を探す母親たちだった。各地に立ち上がった女性たちのグループは互いに連帯し、国家の無作為と共犯性を鋭く突く一大勢力となりつつある。

写真：行方不明の家族の亡骸を探して山中に入るシナロア州ロス・モチスの家族会のメンバーら（メキシコ・シナロア州、2020年3月、撮影：筆者）

はじめに

かくも神から遠く、米国に近い――「メキシコの悲劇」としてあまりにもしばしば引き合いに出される言葉である。メキシコの過去も現在も、おそらく未来も、世界の覇者であり続けようとする大国のすぐ南に位置するという地理的条件抜きに語ることはできない。輸入の半分近く、輸出の八割を米国に依存するという密接な関係である一方で、両国間には一〇倍以上の賃金格差がある。三〇〇〇キロ以上にわたる米墨国境は、世界でも最も頻繁に人が往来している。

この北の隣国が、世界最大の麻薬消費国であること。これが、今日メキシコが置かれている「麻薬戦争」と呼ばれる悲劇的状況の根源にある。米国への違法薬物の中心的な供給国となったことから、そこで得られる破格のブラックマネーをめぐって組織犯罪による暴力が激化し、汚職が蔓延し、司法が機能不全に陥り、犠牲者が放置されるという現実が生じている。コカイン、ヘロイン、覚せい剤などといった麻薬の多くは、南米や東南アジア、中東などの世界でも最も困窮した地域で生産され、犯罪組織の手によって海を渡り国境を越え、金持ちの消費国に運ばれる。利益率の非常に高いグローバル商品で、年間売上高は約三〇〇〇億ドルとも推定される。麻薬の生産地や密輸の中継地にあたる貧しい国々では、しばしば地方行政機関から国のトップまで麻薬資金で買収されている。

世界一の麻薬王とも称されたメキシコの「シナロア・カルテル」のボス、「チャポ」ことホアキン・グスマン＝ロエラが、二〇一六年一月、ついに逮捕された。刑務所から二度も脱獄していたことは、日本のマスコミでも話題に上がった。チャポは米国に引き渡され、ニューヨーク州で裁判にかけられて、一九年二月、終身刑が言い渡された。

その組織は、米州全体はもとより、アジア、EU、オセアニア、アフリカ大陸の多くの国や地域で活動しており、原料の調達から商品の販売、資金洗浄、武器の調達などにおいて、世界的なネットワークを展開している。ボスのひとりが逮捕されても、このネットワークはゆるぐことはない。

日本では違法薬物の乱用に関して、過去半世紀以上、大きな社会問題にはなってこなかったが、近年とくに大麻などの使用が若者の間で増加傾向にあることが指摘されている。薬物乱用の問題は、個人の健康問題にとどまるものではない。密売には犯罪組織が関わっており、生産地や密輸の経路上で多くの人々が暴力にさらされ、命を落としている事実を知らなければならない。

メキシコでは、二〇〇六年以来十数年に及ぶ麻薬戦争の中で、何十万人もの死者・行方不明者が出ている。メキシコの治安当局は予算不足のうえ賄賂と汚職で無力化され、加害者を処罰することも、行方不明者を捜索することも、ほとんどできない状況にある。犯罪とは無関係な平穏な暮らしをしてきた市民の多くは、家族が犠牲者になってはじめて、この現実に直面し、愕然とする。

組織犯罪という強大な敵を前にして、無為無策の政府。公安当局は市民の味方ではなく、むしろ敵の側にあり、守ってもらうことなどできないという絶望感。その恐怖と絶望の中から、「家族を返せ」と先頭に立ってきたのが、被害者家族の女性たち、とくに母親たちである。そのような小規模な市民グループが国内各地に立ち上がり、やがて連帯し組織化して、国連や国際NGOの支援を取り付け、国家に要求を突きつけるようになってきた。行方不明者が七万人を超えた今（二〇二〇年七月現在）、母親たちによるグループは、国家の無作為と共犯性を鋭く追及し、改革を求めるための一大勢力になりつつある。

一　麻薬密輸の歴史

ここであらためて、世界と米国の麻薬密輸の歴史をたどって、メキシコが今日の「麻薬戦争」と呼ばれる状況に至った経緯を大まかに見てみよう。

太古の昔から人類が鎮痛剤として利用してきたアヘンは、依存性のある嗜好品としても用いられてきた。一九世紀のイギリスではアヘンは合法な薬物で、イギリスは植民地であったインド産のアヘンを大清帝国に輸出して大きな利益を得ていた。アヘン中毒の蔓延を危惧した清国がこれを厳しく取り締まるようになったため、密輸を継続させるためにイギリスが清国に艦隊を送った。これが「アヘン戦争」（一八四〇―四二年）である。麻薬取引が生み出す巨額の利益が、国家を戦争に駆り立てたのである。

同じように依存性のあるアルコールは、麻薬とはみなされず、世界の多くの地域で受容されている。だが実際には、多くの健康被害や暴力など社会問題を引き起こす「薬物」でもある。米国では一九二〇―三三年、このアルコールの製造・販売を禁じる禁酒法が施行された。法律で禁止されたことによって闇取引が始まり、ギャングが抗争を繰り広げるようになった。暴力の時代は禁酒法が廃止されたことで終わり、さらに国庫には酒税が入るようになった。かつて皮肉にも「高貴な実験」と呼ばれたこの歴史的経験は、今日の麻薬取引をめぐる暴力の問題を考えるうえでひとつの参考となるだろう。

米国の薬物使用の歴史を振り返ると、国境を隔てたメキシコの重要性が浮き彫りになる。禁酒法時代には、大量のアルコール飲料が国境の川や運河やフェンスを越えて運ばれた。第二次世界大戦の時代には、負傷した兵士のために米国ではモルヒネの需要が高まった。それまでおもな供給元であったトルコからの輸入が滞るようになると、メキシコ北部で生産されたアヘンが盛んに密輸されるようになった。

そして一九六〇年代、ベトナム戦争と北米のヒッピームーブメントの時代には、マリファナが大流行する。その需要に応えて、メキシコ各地でマリファナが栽培されるようになり、北の国境に運ばれていった。麻薬の栽培や密輸は貧しい山間部に根付き、栽培農家は地元の軍や警察、役人などに税金代わりに賄賂を渡すという腐敗の構造が定着していった。

一九七〇年代、米国では南米産のコカインが流行してくる。コカインは当初、コロンビア・マフィアがおもにカリブ海経由でマイアミなど東部の港に送っていた。八〇年代初め、米国麻薬取締局と軍がこのフロリダルートを壊滅させると、コカインはメキシコを経由して運ばれるようになる。このときから、メキシコの麻薬密輸マフィアが急成長していった。

一九九四年に北米自由貿易協定（ＮＡＦＴＡ）が発効したことにより、米墨国境地域の交通網が整備され、国境を越える物資の流通量は急拡大した。それに紛れ、さまざまな違法薬物が大量に北に流れて行くようになった。北からは現金とともに多量の武器がメキシコにもたらされる。米国内で合法的に購入された高性能な武器がメキシコに密輸されるのである。メキシコの犯罪組織が使用する武器のうち、米国からもたらされたものは七割とも九割ともいわれる。

一九九〇年代末には麻薬密輸組織は、ライバル組織との抗争や政府当局との交戦に備え、警察や軍にも対抗可能なレベルの武器を備え、高度に訓練された部隊を持つようになった。その代表が「ロス・セタス」だった。メキシコ北東部を支配する「ゴルフォ・カルテル」の武装部隊として結成されたもので、中心となったのはメキシコ陸軍特殊部隊の元メンバーらだった。こうしてメキシコ国内各地は、歴史的にまれにみる暴力的な時代に入っていく。

二　メキシコの「麻薬戦争」

二〇〇六年一二月、当時のカルデロン大統領が就任と同時に「対麻薬密輸戦争」を宣言した。軍を各地に派遣して麻薬密輸組織の壊滅作戦を展開し、各地の組織のボスらを逮捕し、また殺害した。これによって一時的に組織の活動は鎮静化したが、すぐに組織間の抗争はそれまで以上に激化した。ボスを失った組織が細分化したり、他の組織が勢力を伸ばすなどして、各地で銃撃戦が多発するようになった。こうして各組織の重武装化がさらに進む結果となった。

この時期からとくに紛争地域では、一般市民が犯罪被害に巻き込まれるケースが急増した。組織は資金稼ぎのために、恐喝、誘拐、強盗、人身売買、強制売春、みかじめ料の取り立てなど、収入源を多角化したのである。

犯罪から得られる資金は、武器の購入に使われるほか、かなりの割合が警察・軍・行政など国家当局のあらゆる部門への賄賂に充てられる。犯罪組織にとって、国家当局を賄賂によって無力化し、共犯者に仕立てることは、自分たちの仕事のために欠かせない投資である。麻薬密輸組織は、縄張りの管轄の軍や警察に賄賂を贈ることで、麻薬を積んだ車両が検問を問題なく通過でき、殺人その他の犯罪も捜査されないという保証を得るのである。

では、麻薬戦争による犠牲者の数はどのくらいなのか？　二〇〇七年一月から一九年一二月までの全国の殺人被害者数は少なくとも三〇万人以上。そのうち組織犯罪に関連するものは六割とも八割ともされる。一方、行方不明者の数は政府発表で七万人余り。この犠牲者の数は紛争下にある国にも匹敵する規模である。

メキシコでは警察への信頼度は非常に低く、九割以上の人々は犯罪に遭っても申し立てをしない。殺人事件に関しても、犯人が逮捕され有罪判決を受けることはごくまれで、二〇一八年の殺人事件の不処罰率は、全国平均で八九％にのぼる。殺人犯の逮捕はほとんど例外的といえる。しかも同年の殺人件数は〇七年以来、三倍に増加しているにもかかわらず、有罪判決が出される数は増えるどころか二〇％も減少している。

メキシコ検察庁の発表によれば、二〇一八年末の時点で、メキシコ国内では九つのカルテルと呼ばれる大規模な組織が国土の大部分を分割支配し、ほかに四五の中小の犯罪グループが、それぞれ大組織と関係を持ったり対立したりしながら各地で勢力争いを繰り返している。そのなかで最大の支配力を有しているのが、「シナロア・カルテル」と、かつてその武装組織だったものが一〇年に分離独立した「ハリスコ新世代カルテル」である。

ここまで、メキシコの「麻薬戦争」と呼ばれる暴力的状況の全体像を見てきたが、そこに生きる人々の悲劇は、数値からは見えてこない。暴力の被害者となった人々の苦しみとたたかいに視点を移してみよう。

三　ベラクルス州ベラクルス市「ソレシートの会」

「息子が突然行方不明になったとき、夜も眠れず、一晩中明かりをつけたまま、息子がいつでも帰って来られるようにと入り口の鍵もかけずにいた。私は看護師なので、息子はひどい怪我をして帰ってくるかもしれないと、応急手当の用意もしていた。映画とサッカーだけが趣味で、何も問題は抱えていなかったのに。あちこちの病院や刑務所を探しに行き、つてをたどってマフィアのボスに会いにも行った。でも何もわからなかった。」

メキシコ湾岸に位置するベラクルス州の行方不明者を探す被害者家族の会「ソレシート」（小さな太陽）のメンバー、コンチャ（仮名）に、二〇一九年三月、話を聞くことができた。当時三八歳だったコンチャの息子は、一五年一〇月、突然行方不明になった。

息子は親の家の近くで暮らし、個人商店を営んでいたが、その日、仕事で出かけたまま帰らなかった。状況から犯罪組織が関わっていることが疑われ、家族は恐怖にとらわれた。「なぜ彼が？」という問いに答えてくれる人はいなかった。警察と組織がグルなのは常識で、申し立てをすれば、ほかの家族メンバーに危害を加えられる可能性

「ソレシートの会」代表、ルシア・ディアス。2018年8－9月、日本のNGOなどが招へいし、東京・京都・大阪で講演会を行った（東京、2018年8月、撮影：筆者）

がある。コンチャの場合も、自分の家族のほかには、誰にも相談しなかったという。ソレシートの会を知り、同じ立場の人々に出会い、アドバイスを得て、被害から二年後、ようやく警察に申し立てをすることができた。

働き盛りの男性が突然、仕事先や自宅から、武装した人物らに連行され、それきりになる。若い女性が帰宅途中に、何者かに無理やり自動車に押し込まれ、連れ去られる。身代金の請求が来ることもあるし、来ないこともある。拉致の現場を目撃した人がいても、口をつぐんで話したがらないことが多い。関わり合いになることで、災厄が自分に降りかかるかもしれないからだ。そこにあるのは、計り知れない支配力を持つ組織犯罪への恐怖である。

コンチャが駆け込んだソレシートの会は、同様に息子を誘拐され、行方不明になっているルシア・ディアスらによって設立された。ルシアの息子、ルイス・ラグネスは二〇一三年六月、二九歳の時、自宅で病気で寝ていたところを何者かに拉致され、行方不明になった。ルイスは人気ＤＪで、イベントプロデューサーとしても活躍していた。要求された身代金を支払ったが、息子は戻って来なかった。

英語の同時通訳で英語教師でもあったルシアの生活は一変した。毎日警察や関係機関のさまざまな部門を訪ね、独自に捜査もした。息子の携帯電話は、ルシア自身がフリーマーケットで見つけた。警察は何の助けにもならず、結局、警察には捜査するだけの能力もやる気もなく、むしろ家族の捜査を邪魔するだけだと理解した。

ベラクルス市郊外、サンタ・フェの丘での遺体捜索作業（2018年3月、撮影：筆者）

翌二〇一四年、同じように行方不明の家族を持つ地域の女性たちがネット上でつながり、ソレシートの会が立ち上がった。報道などがきっかけで同じ立場の人々が次々に集まり、今は州の中部を中心に三〇〇人以上のメンバーがいる。ソレシートの会は、被害者家族の間で情報を交換し、法的な手続きなどを支援し、捜索活動をするだけでなく、孤立しがちな被害者家族が痛みを共有し、安心して語り合える場を作り、心理的な支えともなっている。本来被害者を支援すべき警察当局は、行方不明者が男性であれば「犯罪組織と関係していた」、女性であれば「売春をしていた」あるいは「男と駆け落ちしたのでは」と決めつけ、まともに取り合おうとしないことがよくあるのだ。

二〇一六年五月、母の日に、ソレシートの会のメンバーらがベラクルス市でデモを行おうとしていたとき、一台の車が近づき、数人の男たちが無言で女性たちに地図のコピーを手渡していった。その手書きの地図には無数の十字が描き込まれていた。警察の許可を得て自分たちで発掘作業を始めると、次々に遺体を発見した。

現場は、ベラクルス市の中心街から車で二〇分ほど、「サンタ・フェの丘」と呼ばれる新興住宅地に隣接する。近くにベラクルス港から運ばれるコンテナのための物流倉庫もある。けっして人里離れた辺鄙な場所ではない。そのような場所に、何年にもわたって、おそらく夜ごとに死体が運び込まれていたのだ。警察当局が直接関わっていたことは明らかである。

以来三年間の発掘作業により、二九八体の遺体を発見することができた。これは、ラテンアメリカの歴史の中でも秘密墓地としては最大規模のものである。だが発見された遺体のうち、身元が確認できたのは二〇二〇年四月現在も、わずか二二体のみ。検察によるＤＮＡ鑑定は遅々として進まない。

発掘作業の現場は、夏には気温が四〇度にもなる厳しい環境で、毒蛇やサソリも出る荒地である。長さ二メートル四〇センチの鉄棒を地面に金づちでたたいて打ち込み、引き抜いて、付着した土の臭いをかぐ。地中に腐敗死体があれば、独特の臭いがする。作業はボランティアだけでは限界があるので、有給の作業員らを雇い、スコップや探査棒など必要な道具も購入しなければならない。政府から資金は出ないため、ルシアたちは寄付された古着を売る店を出し、祝日にバザーでタコスなどの軽食を売ったり、くじ引きイベントを開催したりして、自力で資金を集めている。このような継続的な資金調達のシステムを立ち上げたことで、大規模な秘密墓地を発掘することが可能になった。

四　ベラクルス州コルドバのマルセラ

二〇一七年九月に訪れた同じベラクルス州の内陸の街・コルドバ市でも、勇気ある女性に出会った。コルドバはコーヒーの特産地で、コロニアル建築の建物が美しい、落ち着いた街並みの街である。しかし近年、麻薬カルテルどうしが縄張り争いをするようになり、殺人件数も行方不明者も急速に増えてきている。

マルセラ・スリタの息子、ドリアンは、二〇一二年一一月、当時三一歳の時に行方不明になった。友人とガソリンスタンドにいたところ、何者かに拉致されたのだ。白昼、目撃者もいるなかでのことだった。警察に訴えたが、なにも動いてくれなかった。その後身代金要求の電話が来て、指示されたとおりに現金を持参した。そして息子の身柄を引き渡すと言われた場所に行き、何日も待ち続けたが、ついにドリアンは戻らなかった。

マルセラはシングルマザーで、一人息子のドリアンとともに不動産業を営んでいた。二人とも犯罪とは縁のない暮らしだった。事件後、マルセラは仕事を辞め、息子の捜索と、ほかの行方不明被害者の家族の支援のために自分の時間と情熱のすべてを注ぐようになった。自分がひとりで探してずっと辛い思いをしてきたので、同じ思いの人たちの力に少しでもなりたいからだという。

ベラクルス州コルドバ市のマルセラ・スリタ。行方不明の息子の写真とともに（2017年９月、撮影：筆者）

マルセラの活動がマスコミで報道されると、匿名の情報が寄せられるようになった。あるときはレストランで見知らぬ男が紙ナプキンに描いた地図を無言で手渡していった。またSNSを通じて地図が届いたり、玄関のドアの下に地図を描いた紙が置かれていたこともあった。警察と一緒に現場に行き、相当な数の遺体が古井戸に遺棄されているのを発見した。だが検察の人手は足りず、捜索作業はなかなか進まなかった。

一方で彼女は、地元警察から嫌がらせを受けることもあった。自家用車の写真を警察に撮られたり、パトカーに後をつけられたり、警官らに自宅を見張られたりしたという。

コアウイラ州トレオン市郊外の遺骨発掘現場（2019年3月、撮影：筆者）

五　コアウイラ州「グルーポ・ビダ」

メキシコ北部、コアウイラ州の南西部に位置する工業都市トレオン。州で二番目に大きなこの中核都市は、とくに二〇一〇年代初め、犯罪組織どうしの縄張り争いの舞台となり、激しい暴力の嵐に見舞われ、州内で最も多くの死者や行方不明者が出た。「ロス・セタス」「シナロア・カルテル」「ゴルフォ・カルテル」の三つが、交通の要衝として重要なこの街の覇権を争い、報復合戦を繰り広げたのである。その後、この地域は新たに到来した「ハリスコ新世代カルテル」が支配するようになり、組織間の抗争はとりあえず下火になった。

シルビア・ビエスカと夫のオスカル・サンチェスは、二〇〇四年に行方不明になった、当時一六歳の娘のファニーを探している。娘は友人の家を訪ね、自宅に帰る途中で姿が消えた。当局に掛け合っても情報は得られず、やむなく自分たちで探し始めた。次第に地元の同じ境遇の家族らが集まり、「グルーポ・ビダ」（行動する行方不明犠牲者の会）が発足した。

シルビアらは匿名で寄せられた情報などをもとに、原野を探索し、これまで多くの遺骨を発見してきた。「犯罪グループによって遺体の処理の仕方が違う。川の向こうとこちらで変わっている」とシルビア。なかでも徹底して残虐を極めたのが、「ロス・セタス」だった。セタスは、敵や、裏切り者と疑う人を拷問し殺害すると、遺体を切断してドラム缶に入れ、ディーゼルオイルをかけて焼き、さらに残った骨片を粉砕し、地面にまき散らしたり地中に埋めたりしていたのだ。ＤＮＡすらも検出させまいという、徹底した抹殺の仕方である。

二〇一九年三月、筆者がシルビアたちに同行して訪れた遺骨発掘現場では、周辺に片方だけの古びた女物の靴や、錆びたドラム缶の欠片らしい金属片などが放置されていた。灌木が所々に生える半砂漠の放牧地の一角が、大量虐殺の現場だったことを物語っていた。

地面から焼かれた骨片の混じった土を掘り出し、ふるいにかけ、骨の欠片をピンセットで一つひとつ拾い出す。気の遠くなるような細かな作業である。しかも、昼間は気温が四〇度以上にもなる炎熱の陽射しのもと、白いつなぎの防護服を着て、長靴とマスク、ビニール手袋をつけていなくてはならない。骨片から採集できるＤＮＡはごく微量で、作業する人の汗や唾液のＤＮＡのほうが検出されてしまう可能性があるからだ。

コアウイラ州トレオン市郊外の遺骨発掘現場にて。砂から人骨の破片をより分ける作業（2019年３月、撮影：筆者）

作業は水曜から土曜まで。土曜に活動するのは、仕事を持っている人も参加しやすいようにという配慮である。シルビアによると、自分も含めて行方不明者の母親たちは多くが抑うつ状態になりがちなので、何か目標を持って忙しくしているほうがいい、という。

「この地区の遺骨の収集だけでも、今のペースでは何年かかるか」とシルビア。しかも、長年雨風にさらされた骨片のＤＮＡ鑑定は遅々として進まない。ため息の出るような長く、報われない仕事である。シルビアもときに無力感に襲われることもある。それでも、「誰かが探してやらないと。ほかに探してくれる人は誰もいないのだから」。たとえ自分たちの娘が見つけられなくても、他の人の家族でも見つけることができればうれしい、という。

シルビアらは、死者だけでなく、生きている行方不明者も探すため、各地の刑務所を訪ねる活動もしている。信じられない話だが、刑務所には収容者の個人情報が登録されていないことがあり、行方不明とされた人が刑務所にいた、ということも実際にあるのだ。

六　行方不明者家族の会が目指すもの

シルビアらにとって、行方不明の家族を見つけることが当面の目標であり、犯人逮捕や真相究明を求めるにはほど遠い状況がある。ソレシートの会のルシアも、サンタ・フェの丘の発掘開始を警察に要請したとき、「犯人の捜査は求めない、ただ家族を見つけたいだけだ」と言って交渉したという。そうしなければ、捜査が始められなかったからだ。

しかし、メキシコの行方不明者家族は皆、同じような考えなのだろうか？　行方不明被害者の家族の会が全国にいくつあるのか、正確な数は不明だが、全国組織である「メキシコ・私たちの行方不明者のための運動」のウェブページによると、この組織には三五以上の当事者団体と四〇近い支援団体が加わっており、中米三か国（グアテマラ、エルサルバドル、ホンジュラス）の団体も名を連ねている。

それぞれの団体の方向性は必ずしも一致しない。メキシコ社会人類学高等研究所（ＣＩＥＳＡＳ）研究員で行方不明者問題を研究するカロリーナ・ロブレドによると、メキシコの行方不明被害者家族の会は次の三つに分類できるとしている。

まず一つ目は、アヨツィナパ教員養成大学学生四三人行方不明事件[1]の家族の会のように、「生きて連れ去った、生きて返せ」という有名なスローガンを叫び、政府の責任を追及し、遺体の捜索には消極的な姿勢を見せるグループである。二つ目は、政府当局と交渉し、失踪者捜索を推進するための法律や制度の改正を求める全国的な組織。そして三つ目が自力で秘密墓地を探し、発掘するグループである。

一つ目のタイプのグループが叫ぶスローガンは、一九六〇―七〇年代のメキシコの「汚い戦争」と呼ばれた人権弾圧の時代にさかのぼる。この時期、多くの左翼活動家らが政府機関の手によって強制失踪させられた。このときの被害者家族の会で最も大きな影響力を持ったのが、元上院議員で社会活動家のロサリオ・イバラ率いる「ユーレカ！の会」だった。左翼組織に加わっていたロサリオの息子は七五年、メキシコ北東部ヌエボレオン州の州都モンテレイで当局に連行され、消息が途絶えた。主婦だったロサリオは同会を立ち上げ、国家の責任を追及し、上院議員として歴代の保守派大統領を鋭く批判してきた。

一方、二つ目のタイプを代表するのが、先に挙げた全国組織の「私たちの行方不明者のための運動」である。この組織は、行方不明者問題に関わる各地の団体やグループを結びつけ、政府に対する交渉窓口の役目をしている。とくに強調しているのは、捜査などあらゆるプロセスに被害者家族自身の参加を認めるようにという要求である。なぜなら行方不明者の捜査において、これまでつねに中心的役割を果たしてきたのは被害者の家族自身であり、捜査当局への不信が根強いからである。

同組織などが働きかけてきた結果、強制失踪に関する初の法律として、二〇一七年一一月、「強制失踪および民間人による拉致失踪、および行方不明者捜索全国システムに関わる一般法」が成立した。これは、行方不明事件に対して厳しい処罰を行い、捜索と補償の義務を定め、また失踪者捜索のための全国的なシステムを構築することを定めるものである。

この法律の成立の背景には、かつての「汚い戦争」の被害者家族の粘り強いたたかいがあった。一九七六年、メキシコ南西部ゲレロ州の社会活動家で、コリードと呼ばれる物語歌のシンガーソングライターでもあったロセン

1　二〇一四年九月二六―二七日、メキシコ南西部ゲレロ州イグアラ市で、アヨツィナパ教員養成大学の学生四三人が警察官らによって拉致され行方不明になるという事件が起きた。このとき偶然通りかかったバスやタクシーの乗客なども含め九人が亡くなった。翌二〇一五年一月に検察庁が事件の「歴史的事実」を発表したが、これが虚偽であることが、のちに米州人権委員会やジャーナリストらによって指摘された。事件から六年経った二〇二〇年七月現在も真相究明には至っていない。

ド・ラディジャ＝パチェコが、軍によって強制失踪させられた。ロセンドの妻や娘らが中心となって、この事件をメキシコ人権委員会に、さらに米州人権委員会に訴えた。二〇〇九年一一月、ついに米州人権裁判所はメキシコ国家による重大な人権侵害があったとする判決を出し、政府に対して根本的な改革を要求した。強制失踪に関する法律は、この判決を受けて制定されたものである。

ちなみにここで、「強制失踪」という言葉について説明する必要があろう。国連の「強制失踪防止条約」によれば、「強制失踪」は、「国の機関または国の許可、支援もしくは黙認を得て行動する個人もしくは集団が、逮捕、拘禁、拉致その他のあらゆる形態の自由のはく奪を行う行為」と定義される。メキシコでは一九九〇年代までは、政治的な理由から当局が活動家などを拉致し、失踪させるケースが多かった。だが二〇〇〇年代以降は、警察や軍はおもに犯罪組織と共謀し、その実行部隊として犯行に関わるようになった。国連の強制失踪防止条約では、強制失踪の理由には言及していない。警察や軍など国家当局が関与するものが「強制失踪」、それ以外のものが「民間人による拉致失踪」と分けられているが、現在のメキシコでは経済的な目的を背景とする犯罪である点において違いはない。

そして三つ目のタイプに属するのが、先に挙げた「ソレシートの会」や「グルーポ・ビダ」など、行方不明被害者の家族による当事者のグループである。家族らにとっては、真相究明を求めることはしばしば危険をともなう。実際、行方不明の息子や娘を探す母親らが殺害されたり脅されたりしたケースは、これまで枚挙にいとまがない。また、発掘作業に必要な掘削機を入れたり、遺体発見の訓練を受けた警察犬を派遣してもらうなど、警察当局から可能な限りの支援を引き出す必要がある。犯人逮捕に固執すると、犯罪組織と深くかかわっている当局の態度を硬化させてしまうことになりかねないのだ。不処罰がまかり通る現状の中で、なんとしても家族を取り戻したいという被害者家族の切実な思いを優先せざるをえない。

実際に、わが子が行方不明になった親は、二重、三重の苦しみを抱えることになる。いなくなったこと自体の悲しみと、どこでどうしているのか、何もわからないという焦燥感。さらに被害に遭ったのは組織犯罪に関わっていたせいだと決めつけられるなど、社会的に疎外され、偏見の目にさらされる。筆者が面談した母親たちも、毎日が拷問のようだといい、睡眠薬や精神安定剤を常用していると語る人も多かった。遺体が発見されれば、宗教にもとづいた葬儀を行い、墓地に葬ることができ、とりあえず心の整理ができる。

もちろんこれらのグループも、法整備の必要性に無関心なわけではけっしてない。それぞれの地元で協力的な政治家や人権機関とともに、行方不明者問題に関連する法律の制定や有効な運用を求め、切実な声を上げ続けている。

七　家族の会とジェンダー

強制失踪者の家族の会としては、アルゼンチンで一九七〇―八〇年代の軍事独裁下に立ち上がった「五月広場の母たち」（本書第9章二節参照）が知られるが、メキシコにおいても行方不明被害者の会で中心になって活動するのは女性たち、とくに犠牲者の母親たちである。筆者が個人的に面談できた各地の被害者家族二七人のうち、被害者の母親が二三人、父親は二人、姉妹一人、妻一人だった。姉妹の場合も、歳が離れた弟を母親代わりに面倒を見ていた、という事情があった。父親のひとりは「グルーポ・ビダ」のシルビアの夫オスカルであるが、発掘作業に参加するのはまれで、自営業の仕事の合間に妻と活動をともにしている。

「ソレシートの会」のルシア・ディアスは、なぜ会に男性の参加者が少ないのかという質問に対して、「子どもに対して責任を感じるのはつねに母親だから」と答えた。ルシアの夫も、時間があればデモに同行し、手伝ってはいるが、生活のために仕事は続けなくてはならない。夫は収入を得るための仕事、妻は家庭のことに責任を持つという、伝統的な性分業の反映も考えられる。しかしその一方で、強いリーダーシップを発揮するシングルマザーの活動家も珍しくない。

女性たちを理不尽な現実とのたたかいに駆り立てるのは、「母」としてのアイデンティティであることは確かだろう。行方不明者家族のデモで、「犯罪者にも母親がいるでしょう?」というプラカードがあった。子どもに何かあったとき、母親がどれほど嘆き悲しむか、母親を苦しませることがどれほど罪深いことか、想像がつくでしょう、という意味である。メキシコにおけるジェンダー・アイデンティティに関して、「マチスモ」と並んで「マリアニスモ」という言葉がある。女性のあり方として、聖母マリアのように子をいつくしみ、家族のために自己を犠牲にして生きるという伝統的なイメージである。メキシコでは「母の日」は五月一〇日と定められ、国民の祝日ではないものの、母親である女性は周囲から祝福を受け、遠方に暮らす子どもたちもこの日のために帰省し、母のために未明にセレナーデを奏でたりもする、家族にとって特別な日である。

近年メキシコでは、この母の日に行方不明者家族が各地で大規模なデモを組織するようになっている。わが子が行方知れずになっている母たちが掲げる「母の日に何を祝う?」というプラカードの文字は、多くのメキシコ人にとって痛みを共感させるものである。二〇一九年五月の母の日には、全国二〇の都市でデモが組織され、メキシコシティでは約二〇〇〇人が参加した。参加者は平和を象徴する白い衣服を身に着け、それぞれが探し求める息子や娘の写真を掲げて行進した。その姿は国内外のメディアに取り上げられ、メキシコにおける行方不明者問題が広く知られるきっかけにもなっている。

デモで叫ばれるシュプレヒコールの中に、「息子よ、聞いておくれ。お前の母はたたかっている!」というものがあった。そこには、苦しみに耐えて待つだけの受け身の女性像ではなく、逆境の中で立ち上がり、強大な敵に挑む、新しい女性像が見える。女性たちが立ち向かおうとしているのは、実際には無力で腐敗していながら家父長的に市民を支配しようとする国家であり、その背後にある銃と金というマチスモを体現するシンボルが牛耳る組織犯罪である。

八 国際社会に訴える

二〇一八年一二月、治安悪化と既存の保守政党の汚職や腐敗への国民の不満から、メキシコ史上初めて左派の新興政党「国民再生運動」(MORENA)のロペス゠オブラドール政権が誕生した。新政権は、「麻薬戦争は終わった」と宣言し、「銃弾ではなく抱擁」、つまり強権的に武力で抑えつけるのではなく、社会的に脆弱な階層に対して教育や就業支援を行うことで、組織犯罪から若者を遠ざけようという方針を示した。それまでの政権がとってきた、マフィアのトップを軍や警察を総動員して追い、逮捕や殺害するという方針は、むしろ暴力を激化させただけだったという認識である。

だが期待に反して組織犯罪関連の暴力は、政権二年目に入っても減少するどころかかつてないほど増加し、組織間の抗争もさらに激化した。政策転換の効果が表れるには時間がかかるのだと説明する向きもあるが、この先状況が改善する兆しは見えていない。

その間も、死者・行方不明者は日々増え続けている。なかでも待ったなしの状況になっているのが、各地の検察庁の遺体安置所に運び込まれるおびただしい数の身元不明遺体である。その数は全国で三万七〇〇〇体以上にものぼり、遺体解剖も、また身元確認に必要なサンプル採取などもされないまま、ビニール袋に入れられ積み上げられている。専門家も予算もまったく不足し、作業が追いつかないのである。

政府が手をこまねいている一方で機敏に動いたのが、行方不明者家族の会の女性たちだった。米州人権委員会や国連人権高等弁務官事務所などに、重大な人権上の問題だとして訴え、これらの国際機関からの圧力によって、二〇二〇年三月、「身元確認のための特別機構」が創設された。これは、遺体や遺骨の身元確認の専門家を国内外から募り、遺体を家族のもとに返すための作業を迅速化しようというものである。当事者の家族らが、国が自力で解決できない問題に対して、国際社会からの支援というひとつの風穴を開けたといえる。

おわりに

メキシコの組織犯罪に関して多くの著書のあるジャーナリスト、アナベル・エルナンデスは、その著書の中で、麻薬組織とのたたかいについて、「根本的なのは、カルテルと政府機関との何十年にもわたる共犯関係を断ち切ることができるかどうか」(Hernández, p.333) だとしている。政治家の選挙資金をはじめ、犯罪組織は国家当局に巨額の賄賂をばらまいており、これによって犯罪者らは処罰を恐れることなく自由にふるまうことが許されているのだ。

メキシコの今日の麻薬戦争の暴力の連鎖は、国家がこの汚職体質から抜け出すことができない限り、解決は難しい。これは容易な問題ではなく、時間をかけ相当の覚悟をもって取り組まざるをえない課題である。もとより麻薬密輸や組織犯罪の問題は、国家単位で解決できる問題ではない。解決策のひとつとして北米などでの麻薬の一部合法化などの動きはあるものの、今日の世界的な状況から見ても、根本からの解決にはほど遠いといえる。だが、動きの取れない当局に働きかけ、問題を一つひとつ解決していくための強力な推進力となっているのが、愛する家族を探す母親たちの苦しみと怒りに満ちた叫びである。国際社会はその女性たちの声に耳を傾け、連帯し、ともに国家へ圧力をかけていく必要がある。

参考文献

Hernández, Anabel [2019] *El traidor: El diario secreto del hijo del Mayo*, Grijalbo.
Robledo, Carolina [2018] "Peinar la historia a contrapelo: reflexiones en torno a la búsqueda y exhumación de fosas comunes en México"
(https://encartesantropologicos.mx/exhumacion-fosas-comunes-mexico/ 最終閲覧日二〇二〇年一一月二三日)

日本語文献案内

グリロ、ヨアン［二〇一四］『メキシコ麻薬戦争―アメリカ大陸を引き裂く「犯罪者」たちの叛乱』山本昭代訳、現代企画室。二〇〇〇年代に入って急拡大した「メキシコ麻薬戦争」の歴史から、その驚くべき残虐な実態、組織犯罪の多角化、さらに音楽や映画、信仰といったマフィアの文化も紹介する。

工藤律子［二〇一七］『マフィア国家―メキシコ麻薬戦争を生き抜く人々』岩波書店。麻薬戦争の最前線ともいうべきメキシコの地方都市を取材し、暴力の中で市民はどのように生き延びているか、いかに抵抗しているかを追ったルポルタージュ。

スレーター、ダン［二〇一八］『ウルフ・ボーイズ―二人のアメリカ人少年とメキシコで最も危険な麻薬カルテル』堀江里美訳、青土社。米墨国境の北側、ラレドに住む貧しいメキシコ系少年二人が、メキシコの麻薬密輸マフィア「ロス・セタス」の残虐な殺し屋となり、逮捕されるまでをインタビューで語る。

ウェインライト、トム［二〇一七］『ハッパノミクス―麻薬カルテルの経済学』千葉敏生訳、みすず書房。経済ジャーナリストの目から見たグローバル産業としての麻薬ビジネス。コカ栽培の現場からギャングの手打ちの方法、麻薬のオンライン販売まで、経済理論にもとづいて解説する。

第12章

国際的な地域間協力

域内協力を軸とするラテンアメリカの南南協力と南南外交

子安昭子

ラテンアメリカは南南協力を積極的に行ってきた地域である。言語や文化、歴史など域内地域としての共通性、北の大国である米国の存在、域内地域が抱える社会的課題（貧困や格差、民主主義、環境問題など）といったさまざまな背景がその理由として挙げられる。「地域の問題を地域で解決する」という考え方がラテンアメリカの南南協力の基盤にある。近年では、2015年の「持続可能な開発のための2030アジェンダ」（2015年国連採択）で示された「持続可能な開発目標」（SDGs）を達成するための南南協力が積極的に取り組まれている。ラテンアメリカの経験を通して「南」の国々の協力のあり方を理解することは、経済協力のみならず、政治、社会、文化領域を含む日本外交のあり方を考える上で、有益な示唆を与えてくれるだろう。

写真：ラテンアメリカ19か国が参加するイベロアメリカ首脳会議事務局（SEGIB）の正面入り口（出所：Wikimedia Commons）

はじめに

南南協力とは開発を目指す途上国間の資金・技術協力を指す。ブラジルとハイチといった二国間（バイラテラル）で行われたり、国連や地域間の協定を介した多国間（マルチラテラル）の枠組みを通して行われたりする。協力や支援というと先進国（＝北）から途上国（＝南）への垂直的な動きが頭に浮かぶが、南南協力は南の国同士で水平的に行われる相互協力的な性質を持つ。

ここでいう「南」というのは、大方は地理的概念と重ね合わさる。しかしながらそもそも南南協力は、第二次世界大戦後の冷戦構造の中で東西どちらの陣営にも与しないアジア、アフリカ、ラテンアメリカの非同盟諸国運動（一九六一年―）から生まれた言葉であり、その意味において南南協力の「南」は政治的な概念でもある。

ラテンアメリカは歴史的に域内の地域組織や地域統合を軸に相互に協力関係を築いてきた。共通の言語や文化を持ち、かつ北の大国である米国に地理的に近いことが、ラテンアメリカ諸国同士で互いに協力、結束してきた大きな理由の一つとされている。本章ではそうした域内協力を軸とするラテンアメリカの南南協力と域外協力を軸とする南南外交に注目し、その国際的な意義を中心に考察を進めていく。

本章の構成は以下の通りである。まず第一節でグローバルな南南協力の歴史を振り返る。続く第二節ではラテンアメリカの域内協力や域内統合の具体例として、南米南部共同市場（メルコスル）、南米諸国連合（ＵＮＡＳＵＲ）、ラテンアメリカ・カリブ諸国共同体（ＣＥＬＡＣ）を紹介するとともに、ラテンアメリカ各国が関わるバイラテラルな「南南協力」の特徴をまとめる。その特徴とは、近年の所得レベルの向上にともない、かつては主に協力を受ける側であった国が協力を担う側になっていること、あるプロジェクトでは協力の担い手である一方で、別のプロジェクトでは協力の受け手であるケースが数多く存在していること、あるいは南南協力の一つの形態である三角協力（南・南・北の協力）が活発に行われていること、などが挙げられる。二〇一五年九月に国連で採択された「持続可能な開発目標」（ＳＤＧｓ）への取り組みも、ラテンアメリカでは南南協力の一環として盛んに行われている（後出、**表4**参照）。

最後の第三節では、南南協力を含むより大きな概念として南南外交を取り上げ、二一世紀に入り中国やインドなど新興国との協力・協調関係づくりを積極的に行っている同じ新興国のブラジルの事例を紹介する。普遍主義（ユニバーサリズム）を外交理念に掲げるブラジルは、時の政権によって強弱はあるにせよ、南南協力をとりわけ域外外交の軸の一つに据えてきた。それは二一世紀初頭のルーラ労働者党政権時代（二〇〇三―一〇年）において顕著にみられた。そこでこの節では、とくにこの時代に焦点を当て、地域を越えた南の国々による連帯（グローバル・サウス）の象徴としてのＢＲＩＣＳ（ブラジル・ロシア・インド・中国・南アフリカ共和国、以下「南ア」と略記）外交および「ＩＢＳＡ（インド・ブラジル・南ア）対話フォーラム」外交を取り上げる。

第二次世界大戦直後の「南」と二一世紀の「南」は、同じ南でも、その置かれた状況はだいぶ変わってきた。ブラジルやメキシコなど、途上国から新興国へと変化を遂げた国はとくにそうである。世界貿易機関（ＷＴＯ）における新興諸国の影響力や世界二〇か国・地域首脳会議（Ｇ20）の存在をみてもわかるように、今や新興諸国抜きに地球規模の課題を議論することはあり得ない時代となっている。しかし同時に、南の国同士はかつての時代のように必ずしも一致団結しているわけではない。たとえば中国は、南の国の立場を強調する一方で、世界政治や世界経済においては米国と真正面から対峙する存在となっている。ラテンアメリカの経験を通して南の国々の協力のあり方を理解することは、世界の中で日本がどういった立ち位置にあるか、経済協力のみならず、政治、社会、文化領域を含む日本外交のあり方を考える上で、有益な示唆を与えてくれるであろう。

一　ラテンアメリカにおける南南協力の歴史

南南協力とはもともと、第二次世界大戦後に独立を果たしたアジア、アフリカ地域の国々を中心とする反植民地主義運動の中から生まれた動きである。一九五五年にインドネシアのバンドンで開催されたアジア・アフリカ会議（バンドン会議。平和と協力を討議するためにアジア・アフリカ二九か国が参加）が南南協力の起源といわれるが、ラテンアメリカ諸国は独立が一九世紀であるから、同会議には参加していない。ラテンアメリカの国々が南南協力の舞台に登場するのは一九六〇年代半ばである。

一九六四年、国連貿易開発会議（ＵＮＣＴＡＤ。南北問題の解決を目的とした国連常設機関）が設立された。そのときに誕生したのが「南」の国々による七七か国グループ（Ｇ77）であり、ここにラテンアメリカの国々も名を連ねている。ちなみにＧ77の現在の参加国数は一三〇を超えるが、第一回会議に参加した七七か国が、当時、団結して「北」に要求を行うようになったことから後にこの名で呼ばれ、今もＧ77として国際社会における「南」の意見表明の場となっている。Ｇ77を生んだＵＮＣＴＡＤの初代事務総長は国連ラテンアメリカ・カリブ経済委員会（ＥＣＬＡＣ）事務総長であったアルゼンチン出身の経済学者ラウル・プレビッシュである。

一九七〇年にはザンビアのルサカで非同盟諸国（冷戦下での東西両陣営いずれにも与さない連帯を目指した国々）による第三回首脳会議（ラテンアメリカ・カリブ諸国からは全三三か国中二六か国が加盟し、非加盟のアルゼンチン、ブラジル、コスタリカ、エルサルバドル、メキシコ、パラグアイ、ウルグアイの七か国はオブザーバーとして参加）が開催され、南南協力が目指す方向性として「集団的自力更生」の概念が初めて打ち出された。集団的自力更生とは、先進国に依存せず、途上国が結束し、国際社会の中で自立的な行動を目指すという意味である。こうしてラテンアメリカを含めた南の国々は、Ｇ77や非同盟諸国運動、あるいは国連システムを通じ、経済的自立のために貿易や開発に関する問題を協議し、相互に協力する動きを作り出していった。

他方、域内の枠組みにおいては、ラテンアメリカでは一九六〇年代から七〇年代にかけて地域統合の動きが活発化した。六〇年のモンテビデオ条約の調印を経て、六一年に域内の貿易自由化を目指すラテンアメリカ自由貿易連合（ＬＡＦＴＡ。その後八〇年に域内共同市場を最終目標としてラテンアメリカ統合連合［ＡＬＡＤＩ］として改組、翌八一年発足）と中米共同市場（ＣＡＣＭ）が、そして六八年にはカリブ自由貿易連合（ＣＡＲＩＦＴＡ、現在のＣＡＲＩＣＯＭ）、六九年にはアンデス共同市場（ＡＮＣＯＭ）が発足した。さらに七〇年代に入ると、七四年にラテンアメリカエネルギー機構（ＯＬＡＤＩ）、七六年にラテンアメリカ経済機構（ＳＥＬＡ）が設立され、地域全体に共通する経済的社会的課題を議論する場が形成された（堀坂、五四頁）。

一九七〇年代にはまた、資源ナショナリズムの世界的な高まりの中で、貿易や投資、援助をめぐって途上国から先進国に強い要求がなされるなど、途上国間で結束する動きがみられた。その象徴的な事例が、七四年に国連本会議で採択された「新国際経済秩序（ＮＩＥＯ）樹立宣言と行動計画」、および七八年にアルゼンチンのブエノスアイレスで開催された途上国の技術協力に関する会議（参加国一三八か国）によって採択された「途上国間協力の推進と実施のためのブエノスアイレス行動計画」（ＢＡＰＡ）である。ＢＡＰＡには途上国間の技術協力の促進に加え、南南協力に関わる四つの行動指針（①水平的、②主権尊重、③非干渉、④互恵的）が盛り込まれた。ＢＡＰＡではまた、地域組織の強化についても言及された（SEGIB, 2018a, p.48）。今日、ＢＡＰＡが南南協力の指導的文書と位置づけられている理由はここにある（ちなみにＢＡＰＡが採択された日、九月一二日は「国連南南協力の日」となっている）。

ＢＡＰＡ採択四〇年を記念し、二〇一九年三月には第二回国連南南協力会議（ＢＡＰＡ＋四〇）が、採択の場となったブエノスアイレスで開催されている。また、これに合わせて国連ラテンアメリカ・カリブ経済委員会（英語略称ＥＣＬＡＣ、スペイン語略称ＣＥＰＡＬ）が『ラテンアメリカ経済見通し二〇一九年』（*Latin American Economic*

Outlook 2019）を発表している。この報告書は経済協力開発機構（ＯＥＣＤ）やＥＵ、アンデス開発公社（ＣＡＦ）と共同で作成したもので、そこでは新たな国際協力のパラダイム構築に向けた包括的な多国間主義（inclusive multilateralism）の必要性が説かれた（ECLAC）。報告書はラテンアメリカ域内の南南協力の実績を高く評価するとともに、二〇一五年に採択された一七のＳＤＧｓ目標（ゴール）の達成を視野に入れ、域内外とのいっそうの連携強化を強調するものとなった。

話をラテンアメリカの南南協力の歴史に戻そう。南南協力が活発化した一九七〇年代半ば以降、ラテンアメリカ各国は軍事政権による内政の混乱や社会不安を抱えるようになった。八〇年代に入り、民主化を果たしたものの債務危機に見舞われ、「失われた一〇年」と呼ばれる長期に及ぶ経済危機に陥った。その影響を受け南南協力も停滞した。まさしくこの時代のラテンアメリカは南南協力においても「失われた一〇年」であったといえよう。それでも、地域統合にてこ入れする動きとして、八〇年代には先述したようにＬＡＦＴＡからＡＬＡＤＩへの改組がなされ、八七年にはＳＥＬＡの中に地域間協力に関する対話スペースが設けられるなど、地域協力の取り組みは続いた。

地域統合の動きが再度脚光を浴びるのは一九九〇年代である。この時代、ラテンアメリカの多くの国は金融と貿易の自由化に再び舵を切った。地域統合はグローバル化に対応して国際市場に参入するための一つの手段と考えられた。九四年の北米自由貿易協定（ＮＡＦＴＡ）の発効に続き、九五年には南米南部共同市場（メルコスル）がアルゼンチン、ブラジル、ウルグアイ、パラグアイの四か国によってスタートした。地域貿易協定メルコスルは通商の枠組みを超えた南南協力、すなわち民主主義や人権、貧困など域内地域が共通して抱える政治・社会問題に取り組む南南協力の一形態とみることもできる（メルコスルについては次節であらためてみていく）。九〇年代にはほかにもアンデス共同体（ＣＡＮ）、中米統合機構（ＳＩＣＡ）が六〇年代の地域統合を改組改変する形で作られ、域内協力が再活性化された。

ラテンアメリカ地域の枠組みを超えた一九九〇年代の動きとして注目されるのが「イベロアメリカ首脳会議」で

ある。第一回会議は九一年七月、メキシコのグアダラハラで開催された。参加国は欧州のスペイン、ポルトガル、そして中南米のうちのいわゆるイベロアメリカ諸国（スペイン・ポルトガル語圏の国々）一九か国であった。共通の言語や文化を持ち、民主主義や平和、あるいは貧困撲滅など基本的な価値観や課題を共有する二つの大陸をまたいだ地域間枠組みとして創設され、二〇〇四年には欧州イベリア半島の小国アンドラも加わり、参加国は計二二か国になった。第一回会議の最終文書においては、「協力」と「連帯」にもとづく対話の重視が参加国によって承認された。

イベロアメリカ首脳会議事務局（SEGIB）によれば、ラテンアメリカの一九九〇年代は南南協力が積極化する分水嶺であった（SEGIB, 2018a, p.50）。ラテンアメリカ主要国で援助庁が作られたのはこの時代である（ブラジル、チリを先頭に、コロンビア、メキシコ、ペルー、ウルグアイなどが続いた）。国際的には先進諸国の「援助疲れ」や援助効果に対する疑問が表出していた。また、国連開発計画（UNDP）による人間開発指数（HDI）や持続可能な開発（八七年、国連の「環境と開発に関する世界委員会」において提唱）など、環境と人間社会の調和を目指す新しい開発へのアプローチが登場し、さまざまな国連の会議において貧困や格差、環境やジェンダーといった地球的課題を南南の視点から議論することの重要性が指摘された時期でもあった。これらの事象がラテンアメリカ域内の南南協力にとっては大きな弾みとなった。

二一世紀に入ると、ラテンアメリカの多くの国で左派政権が登場した。これにより域内の各国間では共通する経済的、社会的課題の解決に向けて、地域統合や地域機構を軸に結束する動きが再び強まり、南米諸国連合（UNASUR）やラテンアメリカ・カリブ諸国共同体（CELAC）といった地域間協力の新たな枠組みが登場することになった。二〇〇〇年代の最初の一〇年間をみると、先進国によるラテンアメリカ地域への政府開発援助（ODA）の割合は世界全体で二〇〇一年の一〇%から、一〇年の四・一%へと大きく減少した（SEGIB 2018a, p.58）。これは、先述した先進国の「援助疲れ」にもよるが、ラテンアメリカ諸国が域内の南南協力によって自ら作り出した経済的、社会的成果の一つでもあったといえよう。こうした流れの中で、域内の南南協力への期待、必要性はいっそうの高まりをみせた。その結果、ＳＥＧＩＢは二〇〇七年以降毎年『イベロアメリカ諸国南南協力報告書』を公表するようになった。

グローバルな南南協力に関わる動きとしては、二〇〇〇年と〇五年にＧ77主催の南サミットがそれぞれキューバとカタールで開催された。また〇九年には一九七八年に採択された「途上国間協力の推進と実施のためのブエノスアイレス行動計画」（ＢＡＰＡ）の三〇年を記念するナイロビ会議が開催され、「ミレニアム開発目標」（ＭＤＧｓ。二〇〇〇年に国連ミレニアムサミットで採択された一五年までの国際開発目標）達成における南南協力の役割が取り上げられた。さらに、一二年の国連決議により、「南南協力特別ユニット」が新たに「国連南南協力室」に名称変更された。そして一五年に採択されたＳＤＧｓでは南南協力の重要性が高く評価され、次節で述べるように、ＳＤＧｓの目標達成はラテンアメリカの南南協力においても強く意識されるに至っている。

二　ラテンアメリカ域内における「南南協力」の舞台
――多国間（マルティラテラル）と二国間（バイラテラル）

この節では、一九九〇年代から二一世紀初頭にかけて展開してきた多国間（マルティラテラル）の枠組み、すなわち地域貿易協定「南米南部共同市場」（メルコスル）や、域内の協議メカニズムである「南米諸国連合」（ＵＮＡＳＵＲ）および「ラテンアメリカ・カリブ諸国共同体」（ＣＥＬＡＣ）、また、二国間（バイラテラル）の枠組みにもとづく多様な南南協力を紹介する。なお、ＵＮＡＳＵＲについては二〇一八年四月以降、後述の通りの理由で機能停止状態にあるが、ラテンアメリカ域内の地域協力の特徴を理解する上で重要なので、簡単にふれることとする。

南米南部共同市場（メルコスル）

一九九一年三月、九四年末までの域内関税撤廃を目指すアスンシオン条約にアルゼンチン、ブラジル、パラグアイ、ウルグアイの四か国が署名し、九四年一二月のオウロプレット議定書（関税ならびに非関税障壁の撤廃による域内の貿易自由化、対外共通関税の設定、マクロ政策の協調）の調印をもって、九五年一月一日、メルコスルは関税同盟として正式にスタートした。正規加盟国は右の四か国であり、準加盟国としてチリ、コロンビア、エクアドル、ガイアナ、ペルー、スリナムの六か国が参加している。二〇一五年に加盟議定書に署名したボリビアについては、加盟各国議会の批准待ちの状態が二〇年八月現在も続いている（ウルグアイとベネズエラが批准済み）。またベネズエラは〇六年に加盟申請し、一二年に加盟が認められたが、一三年以降続くマドゥロ政権の強権政治を理由に、一七年八月、メルコスル加盟条件を定めた「ウシュアイア議定書」にもとづき資格停止処分となっている。

メルコスルの最高機関は各国の外相や経済相によって構成される共同市場理事会であり、年二回、首脳会議に合わせて理事会会議を招集する。事務局はウルグアイのモンテビデオにある。議長国はアルファベット順に半年ごとに交代する輪番制である。

一九八〇年代後半、民主化を果たしたアルゼンチンとブラジルが経済危機の打開のために、それまでのライバル関係を解消し、協力関係の構築に動き出したことがメルコスル形成の原点である。その際両国は、南米南部の地域がともに発展していくことの重要性を強調し、周辺の中小国パラグアイとウルグアイに参加を促した。メルコスルに先行する形で九四年一月一日にはカナダ、米国、メキシコによる北米自由貿易協定（NAFTA。現、米国・メキシコ・カナダ協定［USMCA］）が南北協力としてスタートした。そうした動きに対して、メルコスルは南の国同士の統合を目指す南南協力として位置づけられた。

メルコスルは関税同盟に分類される地域貿易協定である。しかし、域内諸国の人の移動の保証（加盟国内はパスポートなしで移動可）や、教育、雇用、社会保障など社会的制度の整備にも共同して取り組んでいる点で、加盟国同士の政治・社会的な結束強化を目指す性質も有している（ブラジル外務省ホームページ、最終閲覧日二〇一九年一一月一七日）。

南米諸国連合（UNASUR）

UNASURは南米大陸部一二か国（アルゼンチン、ブラジル、チリ、コロンビア、パラグアイ、ペルー、ウルグアイ、ボリビア、エクアドル、ベネズエラ、ガイアナ、スリナム）すべてが参加し、政治、経済、文化、社会など多面的な統合を目指して設立された地域機構である。UNASURの前身は二〇〇四年の南米首脳会議で創設された南米共同体である。〇七年にUNASURに改称したのち、翌〇八年五月のUNASUR臨時首脳会議で設立条約を採択した。同条約第二条には、設立の目的として、「政治対話、社会政策、教育、エネルギー、インフラ、金融、環境を優先課題として、社会経済的不平等の根絶、社会的包摂や市民参加の実現、そして民主主義の強化および加盟国の主権と独立を強化する枠組みにおいて国家間の不均衡を減らすこと」が謳われた。原則年一回の首脳会議、半年に一回の外相会議の開催が定められ、メルコスル同様に議長国は輪番制にもとづき、年単位で交代するシステムであった（上智大学イベロアメリカ研究所編、一四一頁）。

二〇一八年四月、先述したベネズエラのマドゥロ政権への対応をめぐり、UNASUR加盟一二か国のうち六か国（アルゼンチン、ブラジル、チリ、コロンビア、パラグアイ、ペルー）が参加停止を表明、その後UNASURは機能停止の状態が続いている。一九年三月、チリで開催された南米統合首脳会合で「新しい南米統合を推進する地域枠組み」としてPROSUR（Foro para el Progreso y Desarrollo de América Latina）の設立が発表された。第一回会議には開催国のチリをはじめ、ベネズエラを除くすべての南米諸国が参加し、会議の最終宣言には八か国（アルゼンチン、ブラジル、チリ、コロンビア、エクアドル、パラグアイ、ペルー、ガイアナ）が署名した（ジェトロ）。

ラテンアメリカ・カリブ諸国共同体（CELAC）

ＣＥＬＡＣは二〇一一年一二月、すべてのラテンアメリカ・カリブ地域三三か国による首脳会議で誕生した。メルコスルやＵＮＡＳＵＲが南米諸国による地域枠組みであるのに対して、ＣＥＬＡＣはカリブ諸国を含むメキシコ以南のすべての国が参加する地域枠組みである。政治、経済、社会全般にわたる地域協力を対話重視で進める点ではＵＮＡＳＵＲと共通しているが、ＵＮＡＳＵＲのような条約や機構は持たない。

ＣＥＬＡＣの原点をなすのは、一九八三年に中米紛争解決のために集まった「コンタドーラ・グループ」（パナマ、メキシコ、コロンビア、ベネズエラ）と、これに賛同して八五年に結成された「コンタドーラ支援グループ」（ペルー、アルゼンチン、ブラジル、ウルグアイ）であり、さらにその両グループが合同して八六年に作られた八か国グループ（九〇年に、リオ・グループに改名）である。リオ・グループに改名したときにチリ、パラグアイ、ボリビアなどが同グループに加わり、その後も順次、キューバを含む全ラテンアメリカ・カリブ諸国に加盟国を拡大させていった。

ＣＥＬＡＣは「地域の問題を地域で解決する」というリオ・グループの精神を引き継ぎ、域内の政策協議を目的として（米国やカナダを入れない形で）、同グループを発展的に改組して創設されたものである。これまでに原則年一回の首脳会議を参加国のいずれかの国で開催してきた（二〇一三年チリ、一四年キューバ、一五年コスタリカ、一六年エクアドル、一八年ドミニカ共和国）。日本やＥＵ、中国など、域外の国や地域との対話を行ってきたこともこの共同体の特徴である。

二国間（バイラテラル）による「南南協力」

ここでは主に『イベロアメリカ諸国南南協力一〇年』（SEGIB, 2018a）および『イベロアメリカ諸国南南協力報告書』（SEGIB, 2018b）をもとにして、五つの点（南南協力における各国の役割、実施対象分野、ＳＤＧｓとの関係、三角

表1　イベロアメリカ首脳会議参加国（22か国）による南南協力プロジェクトの件数とその内訳にみる立ち位置（2006－15年）

国名	受け手	両方	担い手	合計
アンドラ	0	3	0	3
アルゼンチン	85	160	532	777
ボリビア	318	122	3	443
コスタリカ	250	121	49	420
キューバ	185	47	454	686
エクアドル	229	133	68	430
ホンジュラス	180	96	1	277
メキシコ	88	170	569	827
ニカラグア	176	86	2	264
ポルトガル	0	26	0	26
ドミニカ共和国	167	84	2	253
ウルグアイ	114	112	70	296
ブラジル	44	124	683	851
チリ	46	142	366	554
コロンビア	167	169	262	598
スペイン	0	60	70	130
エルサルバドル	342	99	10	451
グアテマラ	223	101	1	325
パナマ	125	99	4	228
パラグアイ	214	89	8	311
ペルー	179	176	37	392
ベネズエラ	135	57	128	320
合計	3267	2276	3319	8862

（出所）SEGIB, 2018a, pp.72-73より筆者作成。

協力、域外への協力）に注目しながらイベロアメリカ諸国内での南南協力の内容とその特徴をみていく。ここで述べるイベロアメリカ諸国とは、イベロアメリカ首脳会議に参加するスペイン、ポルトガル、アンドラを含む二二か国であるが、ここでは、主にラテンアメリカの一九か国の特徴として言及することもある。

まず一点目は南南協力におけるラテンアメリカ各国の役割である。**表1**は二〇〇六年から一五年に行われた各国の南南協力プロジェクトを「受け手」「担い手」そして受け手と担い手「両方」の三つに分けてまとめたものである。この期間に最も積極的に南南協力を行った国、すなわち、主として南南協力を供与する側（＝担い手）であったのはブラジルとメキシコであり、次いでアルゼンチン、キューバ、チリ、コロンビアである。エルサルバドル、ボリビア、コスタリカなどは主に南南協力の受け手であるが、それぞれ一〇、三、四九件と数的には少ないものの、担い手として参加したプロジェクトもある。イベロアメリカ首脳会議に参加する二二か国のうち欧州の三か国（スペイン、ポルトガル、アンドラ）を除き、ラテンアメリカのすべての国は南南協力の受け手かつ担い手であることがわかる。ラテンアメリカ諸国が互いに助け合う構図はこうした数字からも証明されている。

二〇一六年に行われた同南南協力プロジェクトの地理的配分を担い手および受け手ごとに示したのが**表2**である。

担い手の上位三か国はメキシコ、アルゼンチン、チリであり、〇六年から一五年の一〇年間と比べて、ブラジルが順位を下げている。受け手の上位三か国はエルサルバドル、メキシコ、コロンビアで、過去一〇年間と比べてメキシコの件数が増えている。いずれにしてもラテンアメリカの国々は、**表1**で示された〇六―一五年の状況と変わらず、受け手、担い手の両面で相互に協力し合う地域であることがわかる。

二〇一六年の状況をみると、メキシコやアルゼンチンは担い手として主要なアクターである反面、受け手としても上位に位置している点が興味深い。一方、ブラジルやチリは受け手としてはマイナーな存在であり、依然としてその役割の中心は担い手の側にあるのが確認できる。次節であらためて取り上げるが、ブラジルはチリと同様、ラテンアメリカの南南協力の（担い手としての）代表的な存在であるといえよう。

さて、二点目は南南協力プロジェクトの実施対象分野である。二〇〇六年から一五年の状況は次頁**表3**の通りである。上位三分野は保健・医療、公共政策・公的制度、農業である。SEGIBによると、保健・医療分野の協力では、医薬品の開発や医薬品の入手ルートの保証、子どもや高齢者の疾病・栄養不良の撲滅、普遍的な保健サービスの拡充、臓器提供や臓器移植のノウハウの共有などの取り組みが中心である。

表2　同南南協力プロジェクトにおけるラテンアメリカ諸国（19か国）の地理的配分（2016年）

担い手			受け手		
国名	件数	%	国名	件数	%
メキシコ	155	22.8%	エルサルバドル	106	15.6%
アルゼンチン	110	16.2%	メキシコ	58	8.6%
チリ	97	14.3%	コロンビア	56	8.3%
ブラジル	76	11.2%	アルゼンチン	49	7.2%
コロンビア	68	10.0%	ボリビア	42	6.2%
キューバ	66	9.7%	ウルグアイ	41	6.0%
ウルグアイ	34	5.0%	パラグアイ	40	5.9%
コスタリカ	19	2.8%	ホンジュラス	37	5.5%
エクアドル	18	2.6%	チリ	36	5.3%
ペルー	16	2.4%	キューバ	34	5.0%
ボリビア	8	1.2%	エクアドル	31	4.6%
パラグアイ	5	0.7%	ペルー	29	4.3%
エルサルバドル	2	0.3%	コスタリカ	28	4.1%
ホンジュラス	2	0.3%	ドミニカ共和国	25	3.7%
グアテマラ	2	0.3%	グアテマラ	19	2.8%
ドミニカ共和国	2	0.3%	ニカラグア	13	1.9%
ニカラグア	0	0.0%	パナマ	13	1.9%
ベネズエラ	0	0.0%	ブラジル	12	1.8%
パナマ	0	0.0%	ベネズエラ	9	1.3%

（出所）SEGIB, 2018b, pp.7-8より筆者作成。

表３　同南南協力プロジェクトの実施対象分野（2006－15年）

分野	件数
保健・医療	607
公共政策・公的制度	531
農業	518
社会サービス・政策	268
教育	266
環境	202
工業	136
文化	126
エネルギー	112
科学技術	110
水の供給・衛生	90
災害管理	87
ビジネス	67
漁業	66
雇用	56
資源採掘	44
その他	204

（出所）SEGIB, 2018a, p.79より筆者作成。

公共政策・公的制度の協力では、個々の政策の管理と監視、査定能力の向上、セーフティネットや国防の強化のほか、人権に関わるプログラムとしてはとくに、劣悪な労働環境（児童労働、人身売買など）をなくすためのプロジェクトに重きが置かれている。また農業分野の協力では、土地利用の改善や土壌の改良、伝統的作物の生産改善、家族経営や小規模農家への支援、害虫駆除や植物保護のための技術開発等のプロジェクトが実施されている（SEGIB, 2018a, p.79）。

三点目はラテンアメリカの南南協力と「持続可能な開発目標」（ＳＤＧｓ）一七項目との関係である。二〇一五年九月に、国連総会において「持続可能な開発のための二〇三〇アジェンダ」が採択され、「ミレニアム開発目標」（ＭＤＧｓ）に代わる国際的な開発目標として、一七の目標（ゴール）と一六九のターゲット（具体的取り組み）を含むＳＤＧｓが策定された。一七の目標は**表４**の通りである。

ＳＥＧＩＢによると、二〇一三年から一五年に実施された同域内における二国間南南協力プロジェクト一一〇五件のうち、全体のほぼ三分の一に相当する三四八件がＳＤＧｓ目標２（飢餓をゼロに）とＳＤＧｓ目標３（すべての人に健康と福祉を）の達成に焦点を置いたものであり、全体の一割強に当たる一三〇件がＳＤＧｓ目標16（平和と公正をすべての人に）に関係するものであった（SEGIB, 2018a, p.81）。一六年に実施された同南南協力をみても、ＳＤＧｓ目標２（飢餓をゼロに）とＳＤＧｓ目標３（すべての人に健康と福祉を）はほとんどの国において重点的に取り組まれている。ほかに重視されたものはＳＤＧｓ目標４（教育）、ＳＤＧｓ目標８（経済成長と生きがいのある雇用）、ＳＤＧｓ９目標（産業、インフラ、イノベーション））であった（SEGIB, 2018b, p.6）。

表4　「持続可能な開発目標」（SDGs）の目標（ゴール）

目標1	あらゆる場所のあらゆる形態の貧困を終わらせる
目標2	飢餓を終わらせ、食糧安全保障及び栄養改善を実現し、持続可能な農業を促進する
目標3	あらゆる年齢のすべての人々の健康的な生活を確保し、福祉を促進する
目標4	すべての人々への包括的かつ公正な質の高い教育を提供し、生涯学習の機会を促進する
目標5	ジェンダー平等を達成し、すべての女性及び女児の能力強化を行う
目標6	すべての人々の水と衛生の利用可能性と持続可能な管理を確保する
目標7	すべての人々の、安価かつ信頼できる持続可能な近代的エネルギーへのアクセスを確保する
目標8	包摂的かつ持続可能な経済成長及びすべての人々の完全かつ生産的な雇用と働きがいのある人間らしい雇用（ディーセント・ワーク）を促進する
目標9	強靭（レジリエント）なインフラ構築、包摂的かつ持続可能な産業化の促進及びイノベーションの推進を図る
目標10	各国内および各国間の不平等を是正する
目標11	包摂的で安全かつ強靭（レジリエント）で持続可能な都市および人間居住を実現する
目標12	持続可能な生産消費形態を確保する
目標13	気候変動及びその影響を軽減するための緊急対策を講じる＊
目標14	持続可能な開発のために海洋・海洋資源を保全し、持続可能な形で利用する
目標15	陸域生態系の保護・回復、持続可能な利用の推進、持続可能な森林の経営、砂漠化への対処、ならびに土地の劣化の阻止・回復及び生物多様性の損失を阻止する
目標16	持続可能な開発のための平和で包摂的な社会を促進し、すべての人々に司法へのアクセスを提供し、あらゆるレベルにおいて効果的で説明責任のある包摂的な制度を構築する
目標17	持続可能な開発のための実施手段を強化し、グローバル・パートナーシップを活性化する

＊国連気候変動枠組み条約 (INFCCC) が、気候変動への世界的対応について交渉を行う基本的な国際的、政府間対話の場であることを認識している

（出所）外務省『（仮訳）我々の世界を変革する―持続可能な開発のための 2030 アジェンダ』（https://www.mofa.go.jp/mofaj/files/000101402.pdf 最終閲覧日2019年11月23日）。

四点目は三角協力についてである。三角協力とは、ある途上国が他の途上国に対して協力を行う際に、パートナーとして先進国や国連機関が資金面や運営面で支援に加わることをいう。ラテンアメリカ域内の南南協力でも三角協力は実施されており、SEGIBによると二〇〇六年から一五年の一〇年間は約六〇件であったのに対して、一六年では一年間だけでその二倍強の一三七件に上ったと報告されている。そのうちブラジルやチリがそれぞれ一九件、メキシコ、コスタリカ、エルサルバドルがそれに続きそれぞれ一五件前後のプロジェクトに参加した（SEGIB, 2018b, pp.10-11）。

二〇一六年において、ラテンアメリカの国々とパートナーを組んで三角協力に参加した主な先進国は、ドイツ、スペイン、ルクセンブルクであり、加えて国連食糧農業機関（FAO）をはじめ、国連開発計画（UNDP）、国連教育科学文化機関ユネスコ（UNESCO）、

表5　イベロアメリカ諸国が担い手となって行われる域外南南協力の地域区分（2016年）

対象地域（プロジェクト数）*	主な担い手（プロジェクト数7件以上を抽出）	主な受け手**
アフリカ（91）	キューバ（52）、アルゼンチン（18）	アンゴラ、南アフリカ共和国、モザンビーク、ナミビア、ボツアナ、ガーナ、コートジボアール、ギニア・ビサウ
アジア（61）	アルゼンチン（20）、キューバ（18）	ベトナム、中国、ミャンマー、タイ、フィリピン、カンボジア
非イベロアメリカのラテンアメリカ・カリブ（130）	キューバ（34）、メキシコ（19）、アルゼンチン（14）	ガイアナ、ベリーズ、ハイチ、ジャマイカ、スリナム
オセアニア（10）	キューバ（7）	ツバル、キリバス
中東（17）	キューバ（7）	シリア

＊その他として５件を加え、合計314件になる。
＊＊主な受け手としては、アフリカとアジアは５件以上、非イベロのラテンアメリカ・カリブは７件以上、オセアニアと中東は２件以上のプロジェクトを抽出した。
（出所）SEGIB, 2018b, pp.15-20より筆者作成。


国連児童基金ユニセフ（ＵＮＩＣＥＦ）といった国連機関もパートナーとして名を連ねている。

　また地域組織の中では、米州機構（ＯＡＳ）や米州開発銀行（ＩＤＢ）、アンデス開発公社（ＣＡＦ）が三角協力の主要なパートナーであり、先述したメルコスルやＵＮＡＳＵＲが参加する事例もある。

　一方の三角協力の受け手上位三か国はエルサルバドル、パラグアイ、ボリビアであり、以下ドミニカ共和国、ホンジュラスと続いている。

　最後の五点目は、イベロアメリカ諸国が南南協力の担い手となって行われる域外協力である。二〇一六年には三一四のプロジェクト（二国間協力二六五件、三角協力一六件、地域組織を通した協力三三件）が行われ、その受け手の対象地域では、非イベロアメリカのラテンアメリカ・カリブ（すなわちハイチ、カリブ諸国）が最も多く（一三〇件）、次いでアフリカ（九一件）、アジア（六一件）と続いている（**表5**参照）。

三　南南協力から南南外交へ――ＩＢＳＡとＢＲＩＣＳの中のブラジル

冷戦終結後、途上国とりわけラテンアメリカの国々では、グローバリゼーションの波に巻き込まれつつも、一方でそれに適応あるいは対応するために、域内協力や域内統合を中心とした南南協力を積極的に行ってきた。また、世界的には、二〇世紀末から二一世紀初頭にかけて生じた国際経済情勢の変化（たとえば中国経済の好況や資源価格の上昇など）に後押しされる形で、いくつかの国々が国内景気を回復させ、購買力を持った新しい中間層の出現による消費ブームを引き起こし、「新興国」として次第に存在感を示すようになった。ブラジルもそうした新興勢力の一角を占める国である。

「新興国」という言葉は、新興工業国や新興援助国といった表現で、中進途上国を指す概念として一九八〇年代から使われ始めた用語だが、二〇〇〇年代以降は、政治、経済そして軍事面で飛躍的に力をつけてきた国々を特定する言葉として用いられている。その中でもとくに着目されているのが、ブラジル、ロシア、インド、中国の英語表記の頭文字ＢＲＩＣ（もしくはＢＲＩＣ*s*）の四か国、二〇一一年以降はこれに南アの頭文字を加えたＢＲＩＣＳの呼称で知られる五つの新興大国である。ＢＲＩＣ（ＢＲＩＣ*s*）は、もともとは二〇〇一年一一月に米国ゴールドマン・サックス社のエコノミスト、ジム・オニールが作成した投資家向けレポートの中で使われた言葉である。

リーマンショックから約一年後の二〇〇九年六月、ＢＲＩＣ（ＢＲＩＣ*s*）の首脳が集まり第一回サミットを開催し、一一年以降は南アを加えたＢＲＩＣＳとして、一九年現在、一一回のサミットを行ってきた。今やＢＲＩＣＳという語は、新興国間による一つの「外交の場」を示す言葉にもなっている。ブラジルはこの間三度、サミットの開催国となっている（一〇年、一四年、一九年）。なかでも一四年の第六回サミットは、ＢＲＩＣＳ銀行（英語の略語でＮＤＢ。新興国のインフラや持続可能な開発を目的としたプロジェクトに融資を行うべく、

ＢＲＩＣＳ五か国がそれぞれ一〇〇億ドル出資して設立した銀行）の創設が正式に決まった場として注目された（堀坂ほか、二〇一七—二〇九頁）。一九年の第一一回サミットでもＢＲＩＣＳ銀行の運営は重要なテーマであった（現在、ブラジル、中国はＢＲＩＣＳ銀行への参加国をＢＲＩＣＳ以外にも広げる提案を行っているが、インドやロシアは否定的である）。

ブラジルは二〇〇三年から一六年までの左派政権時代を通して、熱心に新興国外交に取り組んできた。とくに〇三年から一〇年の八年間、労働者党のルーラ大統領は、ラテンアメリカのリーダーとして、また途上国のリーダーとして、中国やインド、南アとの外交関係の強化に注力した。ルーラ大統領の新興国外交には、ブラジル製品の販路拡大や市場確保など、自国の経済や通商目的とともに、新興国同士の連帯を強化し、先進国主導による従来の国際政治経済秩序を途上国にとってより公正なものに改革していく狙いがあった。国連安保理改革への積極的な行動も、あるいはＷＴＯの場において先進国の農業補助金撤廃を要求した貿易版G20（アジア、アフリカ、ラテンアメリカの農業を主要産業とする二〇か国）の活動も、そうした目的のもとに行われた。

二〇〇三年六月の「ブラジリア宣言」を経て誕生した「ＩＢＳＡ（インド・ブラジル・南ア）対話フォーラム」も、そうしたブラジルの新興国外交において重要な軸となっている。ＩＢＳA対話フォーラムの第一回首脳会議は二〇〇六年であり、ＢＲＩC首脳会議よりも三年早く始まっている。今日でこそブラジルはＢＲＩＣＳ外交を重視しているといわれるが、もともとはむしろ、中国抜きの南南外交の場であるＩＢＳA対話フォーラムに熱心であった。同フォーラムの目的は、アジア、アメリカ、アフリカの三つの大陸にある国々の相互理解や協調（つまり南南協力）を促進するとともに、共有する価値観のもとに地球規模の課題を解決していくところにある。その核となる国が、多民族・多文化国家で民主主義国家のインド、ブラジル、南アであるという位置づけである。

ＩＢＳA対話フォーラムの首脳会議は二〇〇六年から一一年まで計五回開催された。外相会議は一一年で一度中断したが、その後一四年に再開し、近年では一七年、一八年と連続して開催されている。二〇年一一月現在継続中のワーキンググループは、「防衛」「観光」「貿易と投資」「ブルーエコノミー（経済成長とともに生態学的に持続可能な発展を目指す経済）」「エネルギー」（ブラジル外務省ホームページ、最終閲覧日二〇一九年一一月二三日）の五つである。

ＩＢＳＡ対話フォーラムの南南協力の側面は、二〇〇四年に創設された「貧困・飢餓撲滅のためのＩＢＳＡ基金」に最もよく表れている。同基金は、内戦などによって国内の社会インフラが破壊され、疲弊した下位低所得国に対してなされるプロジェクトに資金提供を行うのがその役割である。一二年に、国連南南協力室はＩＢＳＡ基金の活動に対して「南南協力と三角協力チャンピオン賞」を授与している。

おわりに

本章はラテンアメリカの南南協力について、主に域内地域協力における各国の取り組みの流れとその特徴をみてきた。ラテンアメリカの南南協力はこれまで三つの形態を軸に、すなわち二国間（バイラテラル）協力、三角協力、そして国連や地域間の協定を通じた多国間（マルティラテラル）の枠組みの中で展開されてきた。その活動は域内にとどまらず、アジアやアフリカの国々との南南協力や、ブラジルのようにＢＲＩＣＳやＩＢＳＡ対話フォーラムを通じた新興国間の南南外交を含む多様な形態を持つものであった。

南南協力の四つの行動指針を定めたＢＡＰＡ採択（本章二九一頁）から四〇年を迎える今、ラテンアメリカ各国は政治経済をめぐるさまざまな問題に直面している。ベネズエラでは事実上二人の大統領が存在するという政治の混迷と壊滅的な経済不況の中にあって、人口の一割に相当する四五〇万以上もの人々が国外流出民となっている。ボリビアでは二〇〇六年以降長期政権を続けていたモラレス大統領が四選を決めた大統領選で不正が発覚し、辞任に追い込まれた。そして比較的安定しているといわれてきたチリでも、地下鉄運賃値上げをきっかけに、拡大する貧富の格差など政治や社会に不満を持つ学生や市民による反政府デモが起きている。また、アルゼンチンの政治がわずか四年間で右派（マクリ政権）から左派（フェルナンデス大統領率いるペロン党政権）へと旋回したことがメルコスルにどう影響するのか、これについても不透明な状態が続いている。

こうした政治経済の不安定化についてはここでは詳細な分析はできないが、その大きな要因の一つはラテンアメリカ各国が抱える貧困や格差、自然環境破壊の問題であろう。一九九〇年代以降のラテンアメリカは多くの国で所得水準が上昇し、かつては専ら援助を受ける側であったのに対して、今日では援助を供与する側に代わってきている。しかしながらその一方で課題も多い。国連ラテンアメリカ・カリブ経済委員会のアリシア・バルセナ事務局長によると、ラテンアメリカは今日、相互に関係する四つの課題＝「開発の罠」に直面しているという。すなわち「社会的脆弱性」（脆弱な中間層）、「低い労働生産性」、「制度に対する信頼の低さ」（とくに教育や保健医療制度）、「環境面での脅威」（カリブ海地域の自然災害やアマゾン熱帯雨林の伐採など）である。

こうした課題を克服するために、ラテンアメリカは引き続き国連機関や先進国と協力しながら南南協力、とりわけ域内協力に多様な形で取り組んでいくことだろう。日本にとってもラテンアメリカの国々は歴史的に重要な外交パートナーであり続けてきた。二一世紀もすでに二〇年目に入った今、日本は南南協力をめぐるラテンアメリカのこれまでの経験に学びながら、この地域が抱える多様な問題と世界や日本が抱えるさまざまな問題との底通性を認識した上で、この地域とのさらなるレジリエントな（強靭な）関係を構築していくべきであろう。

参考文献

ジェトロ［二〇一九］「南米統合のための新枠組み『ＰＲＯＳＵＲ』が発足」『ビジネス短信』二〇一九年三月二六日。
上智大学イベロアメリカ研究所編［二〇一五］『上智大学イベロアメリカ研究所創立五〇周年記念シンポジウム報告書　アジア太平洋時代のラテンアメリカ』上智大学イベロアメリカ研究所。

堀坂浩太郎［二〇一四］「ラテンアメリカの地域主義」菊池努・畑惠子編『ラテンアメリカ・オセアニア』ミネルヴァ書房、四五―六六頁。
堀坂浩太郎・子安昭子・竹下幸治郎［二〇一九］『現代ブラジル論―危機の実相と対応力』上智大学出版。
ECLAC [2019] "ECLAC Reaffirms Need to Create New Instruments and Spaces for Cooperation at BAPA+40 Conference," Press Release, March 30, 2019.
SEGIB [2018a] *Una década cooperación sur-sur en Iberoamérica*, Madrid: Secretaría Geral Iberoamericana.
SEGIB [2018b] *Relatório da cooperação sul-sul na ibero-américa 2018 (resumo executivo)*, Madrid: Secretaría Geral Iberoamericana.

ウェブサイト

ブラジル外務省 http://itamaraty/gov.br

日本語文献案内

菊池勉・畑惠子編［二〇一二］『ラテンアメリカ・オセアニア』ミネルヴァ書房。グローバリゼーションの波の中で、ラテンアメリカ・カリブ諸国はさまざまな課題に地域としてどのように取り組んできたのか。政治、経済、社会、安全保障など各方面から分析した一冊。

後藤政子・山崎圭一［二〇一七］『ラテンアメリカはどこに行く』ミネルヴァ書房。ラテンアメリカの地域統合や地域主義を歴史的に分析した章を含み、二一世紀初頭のラテンアメリカが直面する問題を幅広く分析した一冊。

堀坂浩太郎・子安昭子・竹下幸治郎［二〇一九］『現代ブラジル論―危機の実相と対応力』上智大学出版。現代ブラジルの政治経済状況と、それを取り巻くこの国の国際関係を、新興国外交や域内外交を含めて詳細に分析した一冊。

政治体制と経済発展

第13章 民主主義と資本主義との複雑な関係

ラテンアメリカの経験に学ぶ

出岡直也

民主主義と資本主義（市場経済）の関係は、現代世界で最も重要なテーマの一つである。発展途上国に民主主義でない国が多いのは、民主主義と資本主義とが相容れにくい性格を持つことの現れだろうか。いわゆる先進国における両者の「妥協による幸せな結婚」が、世界史で例外的な状態だとすれば、非常に困難だと思われるそこへの転換は、どうすれば可能になるのだろうか。それらの問いを考えるのに、ラテンアメリカ諸国の事例は恰好の題材を提供する。1980年代までは民主主義の失敗を繰り返し、それ以後は民主主義を維持する国が多く、その一部は先進国的な経済に近づきつつあるかもしれないからである。本章は、民主主義と資本主義の関係をめぐってラテンアメリカ諸国の経験から学べることを仮説として紹介したい。

写真：1845年以来チリの大統領府であり、1973年クーデタの際には空軍の攻撃も受けたモネダ宮殿（チリ・サンティアゴ市、2010年９月、撮影：浦部浩之）

はじめに

ラテンアメリカのいくつかの国を旅し、短い期間だが住んだことのある筆者は、そこでこそ味わえる重要な経験をしてきた。一九八四年三月から一年間アルゼンチンに滞在したときは、前年の一二月に終わった軍事政権が行った人権侵害のすさまじさによって同国が大きく変化した時期であり、その変化を身を持って感じることができた。人々の間には〈民主主義をとにかく守っていこう〉とする意識が広く行きわたり、その状況は感動的であった。逆にいえば、七〇年代までのアルゼンチンでは、少なからぬ人々が、国の苦境にあっては軍事クーデタや軍政を容認する意識を持ち、あるいは、大きな変革を目的として、民主主義のルールを破る暴力革命を支持していた。同時に特徴的だったのは、民主主義自体の価値が決定的に意識されていたその時期でさえも、その際の民主主義の騎手であったアルフォンシン[1]が、民主主義を正当化するスローガンとして生活の改善を掲げていたことである。「民主主義では、食べられ、病気を治せ、教育ができる」（Con la democracia, se come, se cura y se educa）とされた。

また、「発展途上国」とされる中では非常に豊かだったメキシコ（一九九四年に経済協力開発機構［ＯＥＣＤ］の加盟国になった）に二年間住んでいたとき、九〇年に米国へと歩いて渡り、両国の違いを体感した。米国は経済的に豊かな国の代表であると同時に、いわゆる「先進国」の中でも経済格差が大きいとされる国である。それでも「先進国」と「発展途上国」とでは、「普通の人々」の生活が決定的に異なることを感じさせられた。それは、発展途上国から先進国へと移行するのを妨げる壁が存在するのではないかという印象とも結びついた。その国境に本物の壁を築くことを唱えたトランプが米国の大統領になったことは、筆者には象徴的にも思える。国境を越える人々の移動を物理的な「壁」によって食い止めようとすること（が先進国において支持を集めること）は、〈発展途上国が先進国になることを防ぐ、見えない「壁」があるがゆえに起こる人々の移動〉を前提とした現象に思えるのである。

日本に住む読者の中には、たとえ飛行機での移動にせよ、「先進国」日本と発展途上国との違いを肌で感じた経験を持つ人が少なくなかろう。より少数だろうが、経済的に豊かでない国では、生活を良くしてくれる独裁者が広く支持される場面に接した人もいるだろう。変革を求める人々が多い状況にある発展途上国に旅行した人の中には、貧困や経済格差が対立を生み、民主主義が困難であるという印象を持ち、または、民主主義が危うくなる雰囲気を味わった人もいるかもしれない。

こうした個人的な経験・印象はどれも、民主主義と資本主義（市場経済）との関係に関わっている。そして、それらの場面に現れる政治と経済の関係は、社会科学の重要なテーマであり続けている。そのテーマを掘り下げていくために、ラテンアメリカ諸国について知ることがとても有益である。この地域の多くの国は、一九八〇年代までは民主主義の継続に失敗しており、それ以後は一転して民主主義の維持に成功している。その政治史から学べることは多く、それを示すのが本章の目的である。なお、本章では、比較政治学の多数派の立場であろう定義に従い、政権交代を可能にするほどの競争性を持つ定期的な普通選挙がある政治体制を「民主主義」と呼んでいることを断っておきたい。

1　民政移管の際の大統領選挙で勝利して大統領（一九八三—八九年）になった。

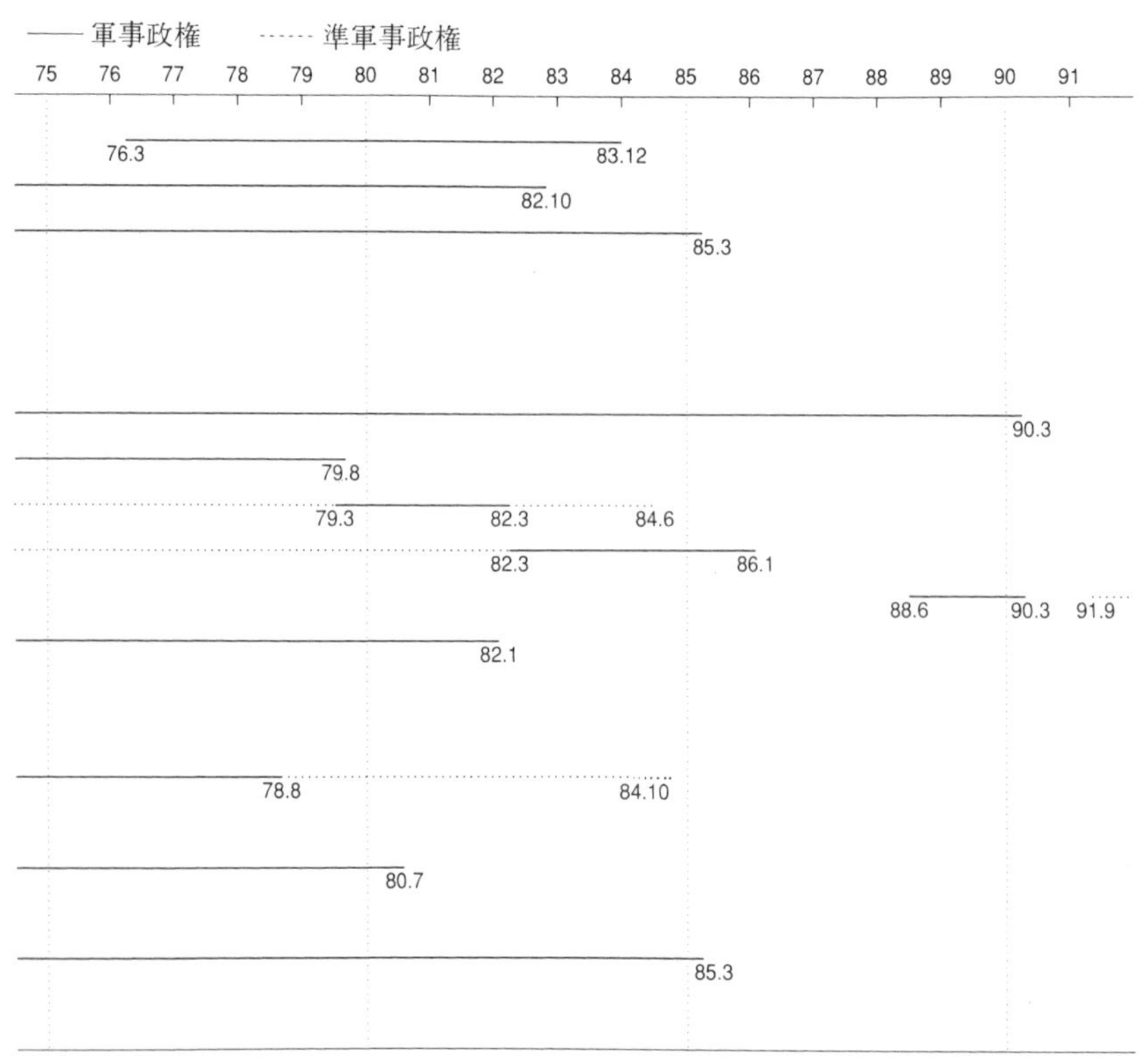

を筆者が延長。

一 〈発展途上国における民主主義と資本主義的経済発展の両立の困難〉を代表した時代のラテンアメリカ

ラテンアメリカは、発展途上国とされる中では経済的に豊かな国が多かったこともあって、〈発展途上国から先進国への「壁」を越えられない限りは、民主主義と資本主義的経済発展の両立が困難である〉ことを代表的に示す地域であった。民主主義と市場経済とは本質的に結びついているという議論がしばしば提出されているが、発展途上国については、それを否定する議論が通説的であった時代がある。その主要な理論において主な事例となったのはラテンア

図１　ラテンアメリカにおける軍政・民政の推移（1960〜1992年）

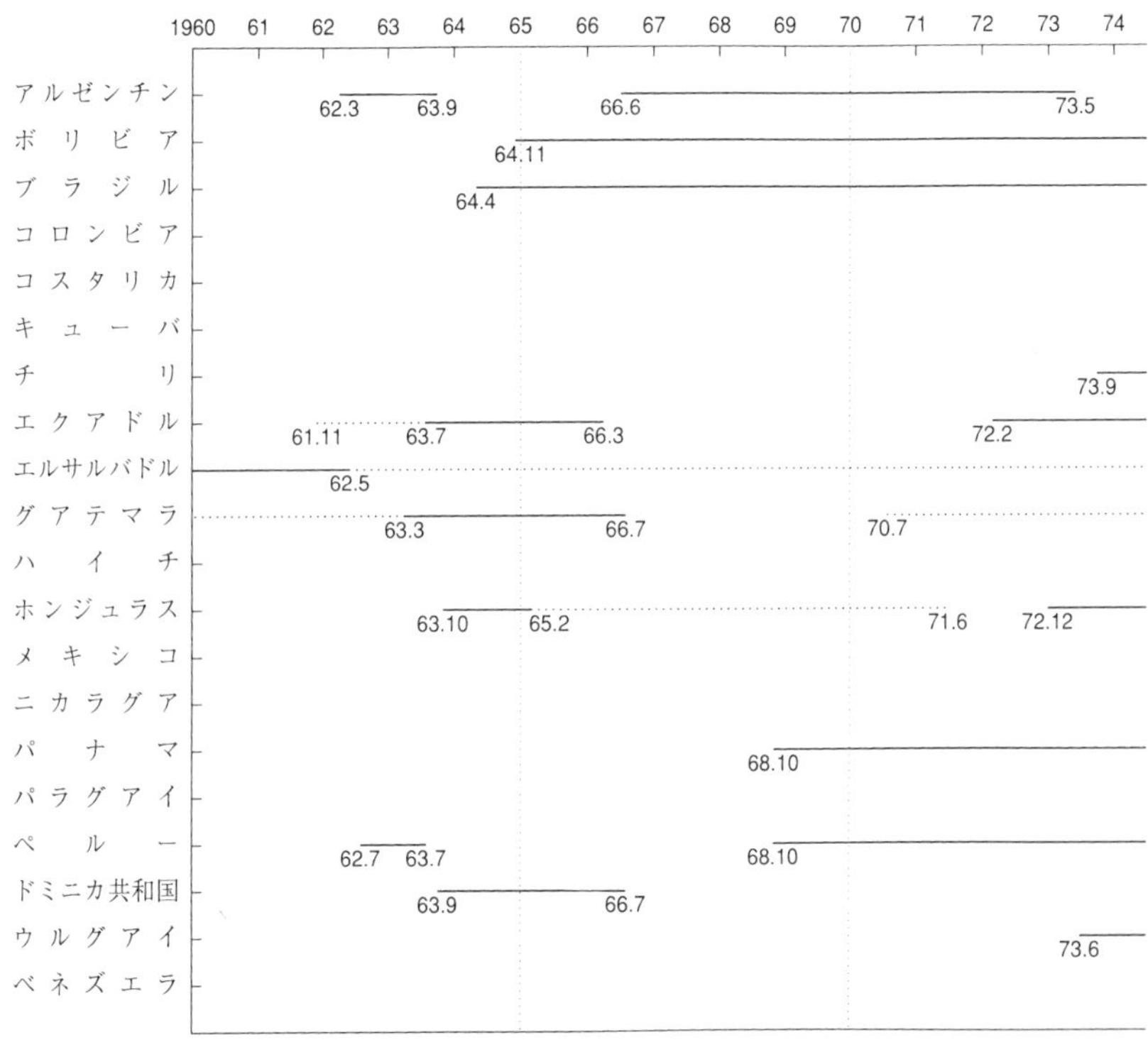

（出所）細野昭雄・恒川惠市『ラテンアメリカ危機の構図―累積債務と民主化のゆくえ』（有斐閣選書、1986年、175頁）

メリカの国々であった。

ラテンアメリカにおける民主主義の失敗は、ほとんどの国で民主主義と軍政が交代する形を取った。その状況は**図1**で確認することができる。図では軍政の線がない国やその線が短い国のうちの多くでも、この期間（一九六〇—九二年）、軍政とは異なる形の非民主主義の政治体制が続いていた。キューバ、メキシコでは一党支配、ハイチ、ニカラグア、パラグアイ、ドミニカ共和国では個人独裁（パラグアイは軍政・一党支配との混合形態）である。すなわち、民主主義がこの時期に継続していたのは、コスタリカとベネズエラ、そして、そうでないとする議論も強いコロンビアのみだった。民主主義の安定に成功しなかった諸国の中でも、アルゼンチンやブラジル、チリやウルグアイでは、経済発展が進展しており、かつ、民主主義の時代がある程度続いた後に、長期の軍事政権が登場した。一種の境界事例であったため、これらの国の経験から、発展途上国では民主主義と資本主義的経済発展とがなぜ両立しにくいのか、その理由が発見されることが期待される。

ラテンアメリカにおいて民主主義が維持できないことを、民主主義が続くか、断続的に民主主義である時代もあったことを前提として説明する通説的といえる解釈となったのが、アルゼンチン出身の政治学者オドンネルが提出した理論（O'Donnell など）である。この理論は、ブラジルの社会学者カルドーゾ（後のブラジル大統領、在任一九九五―二〇〇二年）などの従属論の議論を発展させ、政治学の理論・概念を組み入れたものである。筆者なりに単純化すれば、次のようになる。従属経済においては、まず輸入代替工業化[2]の軽工業段階では、その生産の拡大がその製品の市場である労働者などの購買力の拡大と相互補完的であるために、所得再分配の政策を採ることによって、労働者などを含む支持基盤を持つ政権の存立が可能であり、それゆえ民主主義の形態で政治が行われうる（第二次世界大戦後の先進諸国で、重化学工業の発展とケインズ主義福祉国家が相互補完的であったことと相似性がある）。それに対して、重化学工業段階に達すると、二つの理由で、工業化の進展には労働者などの「排除」が望ましくなり、長期的な非民主主義体制がその役割を担うものとして登場する。第一に、工業化の進展には所得の集中が望ましく、そのためには政治にすでに編入されていた労働者階級などの要求（労働者などを代表する政権が選挙で成立するようになっていたことや労働運動等が強力になっていたことなど）を抑える必要がある。第二に、重化学工業化には多国籍企業の参入が重要になるが、そのためには選挙で急進的な政権が成立しうることなどの政治的不安定を避けるのが望ましい。以上のようなオドンネルの理論は、それが提出されたときに南米で最も工業化が進んでいたブラジルとアルゼンチンが長期軍政であったことを証左として構築されたものだが、その後、これらの国に次いで工業化が進んでいると考えられたチリとウルグアイもまた民主主義から長期軍政に移行したことで、その説明力がさらに顕著に認められるようになる。それは、他の地域の発展途上国にも適用される人気の理論となった。

少し専門的になるが、オドンネルの理論は生産に関する経済の論理を中核として持ち、あたかも経済の要請自体が――人々の選択・行動を規定して――政治を決めると考える傾向があり、決定論的であった[3]。したがって、次節で述べるように、民主化・民主主義維持の時代の到来を説明できないとして強く批判されるようになるよりも前から、この理論の欠点は指摘されていた。同じ南米でもコロンビアのように明確な非民主主義体制にはならずに工業化を進めた諸国もある。また、軍政になった諸国でも、軍政が始まったタイミングはオドンネルの理論では説明できない。

それに対して、同時期に提出されていた、日本では「開発独裁論」として普及した議論（の一バージョン）は、理論として「ゆるい」分（オドンネルの理論のような精緻さを欠き、当時は政治学者の間では影響力が小さかったが）、説明力が大きいと考えられる。この議論は、発展途上国では所得再分配を求める人々の声を抑えて経済運営をしなければ経済発展は実現し得ず、それゆえ、経済発展には非民主主義が必要になる、とする。これは、二〇世紀末の頃から政治学でほぼコンセンサスになっている〈経済的に豊かでない国は民主主義を維持しにくい〉という知見とも合致する。開発独裁論を、人々の実際の選択や行動を介して理解すれば、説得的な議論となろう。すなわち、〈経済発展には非民主主義が必要である〉との考えを持って、政治指導者・政党・軍などが非民主主義的な統治を始めるという説明である。

では、なぜ南米で相対的に工業化が進んだ段階の諸国では、オドンネルの理論に合致するように、それまで民主主義であったものが、一九六〇―七〇年代に軍のクーデタで倒される経緯をたどったのだろうか。まず、六〇年代

2 それまで輸入していた物を自国生産に替えていく形で進む工業化のこと。工業製品を輸出する形で工業化を進める輸出指向工業化と対照される。

3 オドンネルの元来の理論は輸入代替工業化の資本財部門への「深化」のみを重視したものだが、これを修正して、耐久消費財部門の生産や一次産品加工による発展も含めたカウフマンの議論（Kaufman）も生産重視であり、ここで述べている欠点を共有する。

以前に、民主主義が続いたり、断続的に存在していたのは、ラテンアメリカでは民主主義を正しいとする考えが強かったことが重要な要因だろう。そして、軍政が増える六〇年代以後については、多くの人々が強い所得再分配を求めて、大きな変革を支持する方向に変化したことが重要だったと考えられる。その時期のラテンアメリカ諸国では、キューバ革命（と世界的な政治）の影響で、社会主義を目指す革命が追求された[4]。また、とくにチリの事例で明らかだが、「革命の時代」ゆえに、あるいは経済発展の進展によって、それまで伝統的な社会関係のもとで抑えられてきた人々（小農民や都市貧困層）の再分配要求が解放されたことも重視すべきである。

これらのことから、発展途上国の特徴は（ある程度豊かになっていた諸国も含め）、〈多くの人々が潜在的に強い所得再分配を要求することにより、民主主義の維持が困難になるほどに、豊かではなく、不平等も大きな経済〉であると考えられよう。「潜在的に」としたのは、人々の政治意識や政治勢力の配置によっては、人々の再分配要求が抑えられている場合も多いためである（これについては次節で詳述する）。以上述べた議論は、経済が政治を決めるのではなく、経済の規定性にはある程度の幅があることを前提とした議論であることに注意してほしい。付言すれば、先に述べたように、開発独裁論が説くような考えを政治指導者が持った場合には、その議論自体が非民主主義を登場させる大きな要因になった（開発独裁論は非民主主義政治を正当化する傾向を持っていた）。社会科学の理論自体が、経済の論理が人々の意識と選択を媒介にして政治に影響を及ぼす要因になるのである。

二　ラテンアメリカにおける「民主主義の時代」の意味

図1に示されている通り、ラテンアメリカでは一九七〇年代末から次々に軍政が終わる。また、軍政以外の非民主主義体制のほとんども同時期に民主化した（メキシコで一党支配からの政権交代が起こるのは二〇〇〇年と遅れ、ハイチでは独裁政権の倒壊後も不安定が続き、キューバでは共産党の一党支配が継続するが）。民主化それ自体よ

りも重要なのは、そのように成立した民主主義が、多くの国で現在まで続いていることである。ラテンアメリカでは民主化自体はそれ以前にも多く起こっており、民主主義の失敗の多くは〈再び軍事クーデタが起こること〉だったのだから、これは決定的な転換だといえる。

ラテンアメリカ諸国で民主主義が維持されるようになったことは、前節で述べた〈発展途上国における民主主義と資本主義的経済発展の両立の困難〉と矛盾しているようにもみえる。しかし、いくつかの要因が、前節で述べた論理と矛盾しない形で、〈ラテンアメリカの多くの国における民主主義の維持〉——この地域全体の強い傾向として民主主義が維持される時代が来たこと——を説明する。

冒頭で紹介したアルゼンチンなど、一部の国では、極端に抑圧的な軍政の経験が民主主義を維持しようとする傾向を強めた。域内ではそれらの国がリードし、また、世界的にも民主主義の正統性が格段に高まったことで、ラテンアメリカは軍のクーデタが国際的に強い非難を集める時代を迎えた。社会主義の人気の失墜も、非民主主義の政治が容認されにくい時代を作った。冷戦の終わりに近づいていくこの時期、一党制と結びついた社会主義経済体制の失敗はもはや決定的となり、第二次世界大戦後の世界で正統性を持ち得てきた（少なくとも正統性を主張してきた）非民主主義体制の選択肢の一つがほぼ失われた。同じ理由で、社会主義を求めての暴力革命の正統性も決定的に失墜した。

これらの現象と同時に本章が重視したいのは、民主主義と資本主義の関連の論理そのものからも、ラテンアメリカの多くの国で民主主義が維持されるようになった傾向を説明しうることである。すなわち、発展途上国において民主主義が維持されやすくなったことを説明する二つの議論が、説得力を持って提出されている。

4　この時代のラテンアメリカ諸国で軍政が多く成立したことの説明として強い説得力を持つものが、ハーシュマンの議論（Hirschman）とウェイランドの議論（Weyland）である。両者は非常に異なる理論潮流に属するが、ともに、ここで述べた解釈の一部になりうる議論である。

まず重要なのは、所得再分配政策を行う政権を成立させうる民主主義（的選挙）が、富裕層や企業にとって忌避されるべきものではなくなったという議論である。グローバル化の進展によって資本の移動の可能性が飛躍的に高まったため、政権が強い再分配政策を採ったとしても、富裕層や企業が資産・資本を国外に逃避させること（自国経済での投資控えを容易にする国外への投資）が容易になったというのがその理由とされる。その論理を示し、検証した重要な研究（Boix）などがある。後記するように、この力学は、この時期になって、各政権が（大きな再分配を期待させた候補が政権に就いた場合も含めて）急進的な所得再分配を控える傾向が強くなった要因としても重要であり、その形でも民主主義の維持に寄与する。

次に、富裕層や企業が拒否するような社会主義などの急進的な選択肢が、民主主義（的選挙）で選ばれにくくなったという議論も重要である。そのような政治の穏健化の説明として――つまり、先に述べた〈社会主義などの人気失墜〉のみでなく、また、その人気失墜の理由として挙げられることとして――、社会経済構造に関わる要因が指摘されている。産業構造の変化と新自由主義化という相互に原因でも結果でもある変化により[5]、労働運動に組織化されてまとまっていた労働者たちの多くが安定した雇用を失った。また、正規雇用が維持された労働者の間でも分断が起こり、労働組合への組織化も弱まった。ここではとくに労働者を重視して紹介したが、こうしてばらばらになった――原子（アトム）化した――ことで、豊かでない人々がその利益を追求する力が弱くなった。この議論は「原子化仮説」とも呼ばれる[6]。原子化仮説は、ラテンアメリカ諸国の状況を説明する通説的な解釈となったものの、その後強い批判を集めた。その批判が主要な証左の一つとして挙げたのは、一九九〇年代末以降の左派政権の続出であった。しかし、左派政権が少なからぬ国で続いた時期は二〇一〇年代半ば頃までには終わり、やはり、新自由主義化以来の特徴として、原子化の現れであると考えられる、選挙における浮動票の拡大があることが再認識されている。原子化仮説は、少なくともある程度の妥当性を持っていると考えられる。

以上をまとめれば、相互に関連するいくつかの変化が、発展途上国で民主主義が維持されやすくなったことを説明する。人々が選ぶ政権が強い再分配を追求しなくなったこと、再分配が大きくなる可能性が出た場合に資本逃避が容易に行えるようになったこと、資本逃避が経済悪化を招いても民主主義を重視する人々が激しい反対を控える傾向が強くなったこと、不満が抗議運動や暴動になるとしてもそれを革命運動として指導する勢力が登場せず、政党／政権も改良的な政策で対応する傾向が強くなったこと、などである。地域全体として民主主義が維持される傾向が強いラテンアメリカは、この世界的変化が顕著にみられる地域であろう。

ここで述べた議論には重要な帰結（コロラリー）がある。強い所得再分配政策が採られるが、資本逃避の可能性によって民主主義が保たれる場合には、経済は悪化する。民主主義のもとでは、そのような経済の悪化により、そのときの政権に反対する票を投じる人が多くなり、政権が交代して、通例は、再分配を控える保守派が勝利するであろう（筆者は、この仮説の厳密な検証を現在試みているところである）。ベネズエラの例が示すように[7]、経済の悪化によって選挙での勝利が困難になる中で、強く再分配的・左派的な政策を採る政権を維持し続けようとするならば、非民主主義化が必要になる（ベネズエラの場合、石油収入が支持低下を大きく遅らせた要因も決定的に重要だったが）。

人々がより強い再分配や変革を求め、それに応える政権が登場した場合に民主主義が困難になる点では、ベネズエラの事例は、一九八〇年代以後の発展途上国の政治経済が、第一節で扱った七〇年代までのそれと同様であることを示している。七〇年代までの発展途上国で民主主義と資本主義の両立が困難であったことと、八〇年代以来そ

5　以下に述べる理由で、新自由主義政策への転換は、自分たちの利益に反する政策に抵抗する力を失った労働運動の弱さを示していると同時に、新自由主義政策の進展が労働運動を弱めることにもなる。

6　ここでは、早期に発表され、政治的文脈を重視したドレイクの文献（Drake）と、原子化仮説の代表的な議論とされることの多いカーツの文献（たとえばKurtz）を挙げておきたい。

7　一九九九年にチャベスが政権に就いた後のベネズエラは、一方で、反対派によるクーデタ未遂を経験し、他方では、非民主主義の性格を強くしていき、少なくともチャベスの死後の後継政権の時期（二〇一三年から）には明確な非民主主義体制に転じた。

の状況が大きく変わったこととは、同じ論理で説明できる。ラテンアメリカは、世界の中でもその論理が非常に見えやすい地域なのである。同時に、経済は人々の認識と選択を媒介にして政治を規定するという前提が、第一節と第二節を統合できる議論の根底にあることも確認してほしい。

三　民主主義と資本主義の関係に関する世界史的な実験の場としてのラテンアメリカ

第二節では、一九八〇年代以降のラテンアメリカの民主主義の時代を、所得再分配政策が弱まったために民主主義が維持される場合として、ネガティブな形で紹介した。しかし、先進国ほど豊かではなく、不平等も大きいのに民主主義が維持されるようになったラテンアメリカ地域には、ポジティブな意味もある。おそらく前節で述べた理由によって、発展途上国的な経済であるにもかかわらず民主主義が維持されるようになった結果、ラテンアメリカの中でも経済的に豊かな国々は、〈民主主義を保ったままで、発展途上国から先進国へと変わる「壁」を越えられるのか〉という世界史的な実験の場になっているのである。

その意味を知るためには、現在の世界的な傾向が「民主主義の後退」であることを押さえておくことが重要である。一度民主化した発展途上国の少なからぬところで明確な非民主主義への転換が起こっている。発展途上国における民主主義と資本主義の両立の困難さの現れであろう。それに対し、ラテンアメリカでは多くの国で民主主義が維持されている。本章が述べる論理において、再分配要求と資本の要請とが何とか両立しうるほどには豊かである国（ベネズエラのように、その妥協を選ばない指導者が選出され政権を維持する場合を除けば）が多いことを示していると考えられる。それは、民主主義を維持する中で発展途上国から先進国に移行するという課題を果たすかもしれない諸国がラテンアメリカに存在していることを示す。以下で、その考察を試みたい。

先進国になることの困難（発展途上国がある程度の経済発展は遂げても高所得国には達しえないこと）は、専門的には「中所得国の罠」と呼ばれる。経済学者のシュナイダーは、広く参照される議論の中で、中所得国の罠を、古い体質を持つ企業や多国籍企業が支配的で、教育の充実による労働力の高度化が図られず、大きな経済的不平等と連結して労働市場が分断化しているなどの特性を持つ発展途上国の資本主義が、諸特性の相互補完性ゆえに再生産されている状態としてとらえている（Schneider）。

おそらく、第二次世界大戦後の発展途上国――ハーシュマンなどの表現を用いれば、ドイツや日本など、国家が重要な役割を果たす形で経済発展に成功して先進国となった後発工業化国（"late industrializer"）に対して、さらに後発の工業化国（"late late industrializer"）――の間で、中所得国の罠を脱したごく少数の事例は韓国と台湾であろう。しかし、両者は、非民主主義のうちにその転換をなしたとも考えうる。それとは異なり、世界で初めてか、少なくとも非常に例外的に、民主化後に、民主主義を維持しつつ中所得国の罠を脱する可能性のある複数の国が存在する地域がラテンアメリカである（なお、中東欧諸国、とくにそのうちでも工業化が進んだ諸国は、平等重視で工業化も進めた体制から民主化した場合であり、異なるだろう）。

その実験に成功しつつあるかもしれない国があるとすればチリであろう（チリは、二〇一〇年にOECDの加盟国となった）。**図2**は、ラテンアメリカのうちで豊かな諸国と韓国の、一人当たり実質国内総生産（GDP）の推移である。韓国の豊かさには大きく及ばないが、チリ――そして、チリよりもやや低い程度にウルグアイ――が、安定的な経済成長を続けてきた（なお、ベネズエラの一人当たりGDPが従来から高いのは石油収入による）。加えて、紙幅の制約上詳述はできないが、民政移管後のチリが継続的に経済的不平等を縮減してきたことも、多くの研究が示している。チリは「先進国化」へのルートに乗っているようにもみえる。シュナイダーも、先に言及した研究で、チリとブラジルを、中所得国の罠を脱出しつつある事例として検討している。なお、一九年後半からの抗議運動の高まりが示す政治的不安定化は、経済成長の不十分さを示してはいるものの、そのことは必ずしもチリが先進国化の途上にあることと矛盾しない。経済成長を進めていた日本でも、論点は経済ではなかったが、一九六〇

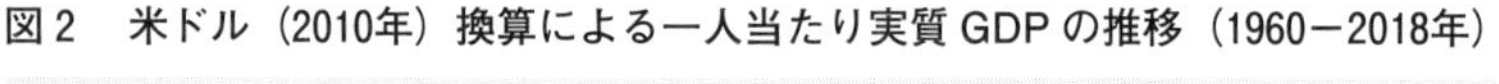
図2　米ドル（2010年）換算による一人当たり実質GDPの推移（1960－2018年）

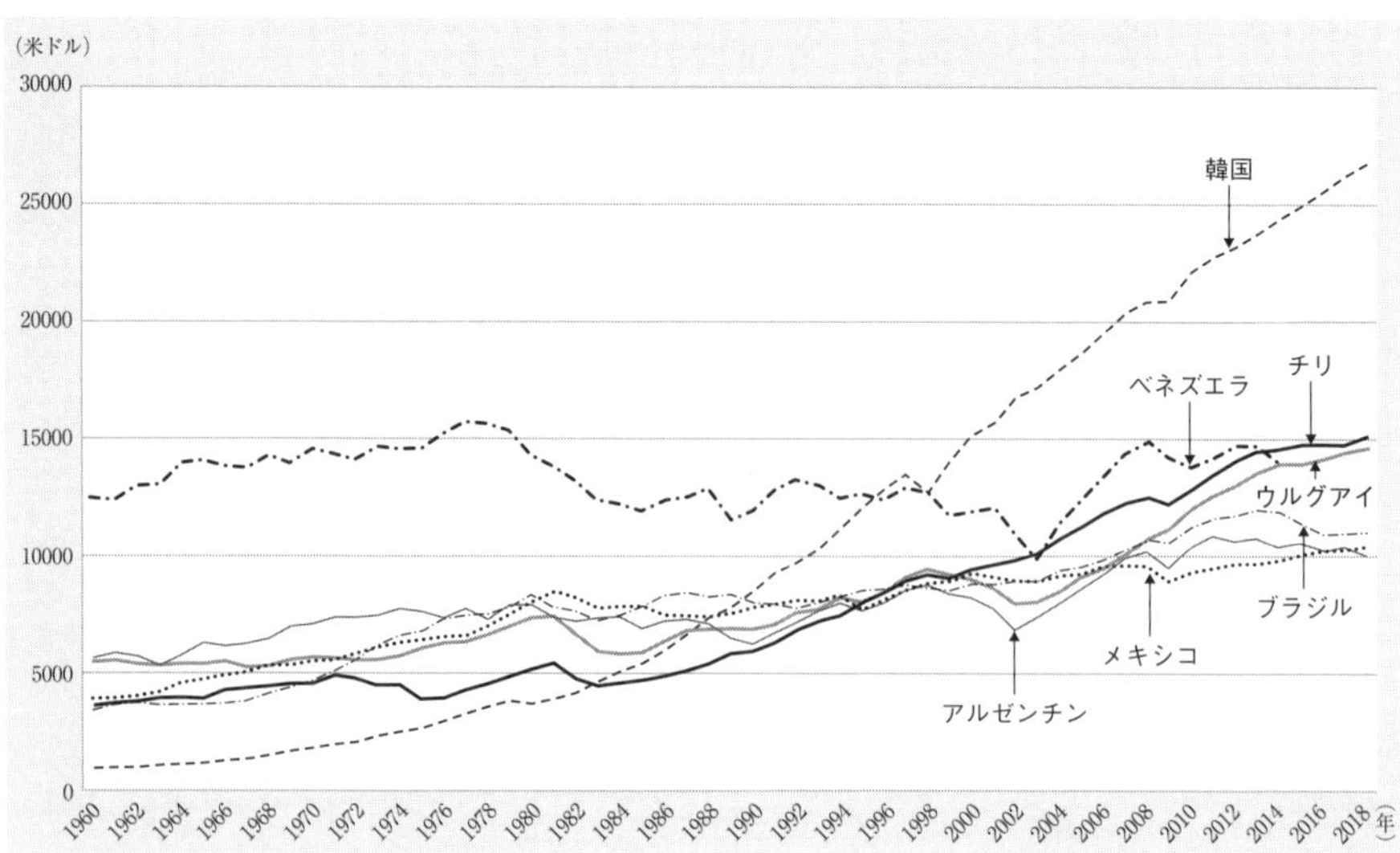

（出所）世界銀行のウェブサイト（https://databank.worldbank.org/reports.aspx?source=2&series=NY.GDP.PCAP.KD 最終閲覧日2019年9月30日）からダウンロードしたデータを筆者が処理。

年や六〇年代末の抗議運動による政治的混乱は大きかった。チリにおけるそれ以前の最大の抗議運動が学生たちによるものだったことの延長線上に、二〇一九年からの抗議運動も「中間層の反乱」とも呼ばれる特徴を持っており、他のラテンアメリカ諸国の多くにおける低所得層を中心とする抗議運動と異なっていることも示唆的たりうる。もっとも、中間層が重要な役割を果たす抗議運動の盛り上がりそれ自体が、先進国化しつつあることの証左でもないことは明らかではあるが。

他方で、チリにおける軍政期と民主化後の経済成長の連続性からは、韓国と同様チリも、非民主主義下ですでに発展途上国から先進国への「壁」を越えていたとの議論も可能である。少なくとも、「壁」を越えるための条件がすでに非民主主義下で用意されていたのではないか、という疑問は提出しうるだろう。たしかに**図2**が示すカーブは、チリが韓国と同様に、非民主主義時代に転換点に達していたことを示しているようにも思える。しかし、民主化時点でのチリの経済的不平等——絶対的なレベルで、また、おそらくは韓国や台湾と比べて――は高かった。多くの研究者が述べるように、軍政下の経済成長は労働者階級などの利益を害して行われた。その後に平等化が進んだこともそれを傍証している。シュナイダーも、先の研究を発表した二〇一三年時点の状況を指して、チリは中所得国の罠を脱出しつつあるかもしれない国だと分析している。

また、チリにおいては、民政移管以前に、農村の伝統的な構造からの脱却や、それにもとづく地方での伝統的な政治からの脱却が成し遂げられていたことを重視する議論も提出しうる。チリでは一九七三年からの軍政の前に大規模な農地改革が進んでおり、軍政下での農地改革の逆転でも、農村における社会関係の近代化は逆転していない（たとえばYasui）。シュナイダーがチリとともに中所得国の罠を脱しつつあるかもしれないとしたブラジルが、チリよりも大きな困難を経験しているのは、地方に伝統的支配層が残存している（それを示す諸文献を紹介したものとして、出岡）からかもしれない。しかし、農村構造の近代化は、その後の持続的な経済発展をどの国にも保証するとは限らない。二〇世紀初頭からの革命で伝統的大土地所有制が解体していたメキシコは、ある程度近代的だが不平等な農村構造を持つ点ではチリと共通していると考えられ、非民主主義の時代に工業化も進め、新自由主義改革も遂行していたが、先進国化の進展には成功していない[8]。また、元来伝統的な農村構造を持たなかったという異なる文脈ではあるが、国土の重要な部分では伝統的な農村構造が存在しないアルゼンチンの場合も、先進国化の道を進んでいるとはいえないだろう。台湾や韓国の場合は、非民主主義下の工業化による経済発展のずっと以前に農地改革が終わっていたことも指摘しておきたい（なおそれは、ラテンアメリカ諸国に比べて平等であったことの基盤的要因でもあろう）。

以上みてきたチリの事例を成功例と判断するのは明らかに早計だが、もし先進国化に成功しつつあるとすれば、成功の鍵はどこにあるだろうか。前節で述べた論理からは、それには、多くの人々を豊かにする所得再分配を、投

8　タイクマン（Teichman）は、チリを、韓国とともに、国民の広い部分を豊かにする「包摂的発展」（inclusive development）の成功例、メキシコをその失敗例の代表としている。

資による経済発展を阻害しない形で行うバランスの取れた政治が継続することが前提になろう。この点で、フェアフィールドの単著（Fairfield）および彼女がガライと共著した研究（Fairfield and Garay）が重要であろう。筆者なりにまとめれば、次のようになる。豊かでない人々の票を争う政党間の競争があり、とくに左派政党が強力である場合（また、社会運動が強力である場合）は、保守政権も、とくに社会政策の形で所得再分配を行う。他方で、組織の強さや政党への影響力などによるビジネス界の政治的発言力が大きければ、とくにその税制への影響を通して、各政権の再分配は穏健なものになる。左派政権の再分配が穏健なものになる理由としては左派の経済運営のあり方が重視されてきたが、これらの研究ではビジネス界の政治力の重要性も示唆されている。すなわち、有力な左派政党が存在し、企業家たちが政治的発言力を持つ場合は、左派も保守派も穏健な再分配を行い、実質的だが急進的ではない再分配政策が継続することになる。左派政党の政権獲得力と資本の政治的発言力（保守政党の政権では強化される）との均衡、そして経済成長の大きくはない変動の中で、有権者が左派政権と保守政権を政権交代させうる、安定した政党システム、これらが表裏一体で存在するため、資本が容認する程度の所得再分配をともなった経済成長が継続する過程で、政策的合意がさらに促進され、転換が起こるのかもしれない。

なお、人口が少ないため単純な比較は困難だが、三五〇万ほどの人口を有するウルグアイも中所得国の罠を脱しつつある候補かもしれない。隣国アルゼンチンの経済危機の影響を受けた二〇〇〇年代初頭を除けば、成長が継続してきた。保守政党（連合）と左派政党（連合）の間の政権交代が予想できる安定した政党システムを持ち、新自由主義改革後に登場した再分配重視の左派政権（二〇〇五―二〇年）の政策が穏健なものであった点は、チリと共通する（ただし、ウルグアイでは、チリと異なり、新自由主義改革も穏健な性格のものだった）。なお、ウルグアイは、アルゼンチンの中心地域と同様、全土的に伝統的な農村構造を持たない国であったことを付言したい。

以上は、ラディカルな政策を良しとする立場からは保守的だと批判される仮説であるが、おそらく、ここに示されるのが、資本主義が課す構造的制約であろう。

おわりに

以上述べてきたように、発展途上国における民主主義と資本主義の関係についての論理を、世界的な状況の変化の各局面でとてもよく示してきたのがラテンアメリカ地域である。一九六〇年代以降の発展途上地域における非民主主義化を分析した理論でも、原子化仮説でも、ラテンアメリカ研究が世界の社会科学をリードしたことは、その現れであろう。〈民主主義を維持した上での発展途上国から先進国への移行はいかに行いうるか〉が試されている事例が存在することは、現在進行形であり、世界史上例外的であると考えられ、とくに重要であろう。以上の議論はもちろん仮説である。しかし、そのような仮説を提出したくなるほど、ラテンアメリカに学べることは大きいのである。

参考文献

出岡直也［二〇一〇］「ブラジルとアルゼンチンにおける政党政治の変容と民主主義―州レベルの「伝統政治」という視角からの考察」佐藤章編『新興民主主義国における政党の動態と変容』アジア経済研究所、二四五―二八八頁。
Boix, Carles [2003] *Democracy and Redistribution*, Cambridge: Cambridge University Press.
Drake, Paul W. [1996] *Labor Movements and Dictatorships: The Southern Cone in Comparative Perspective*, Baltimore: The Johns Hopkins University Press.
Fairfield,Tasha [2015] *Private Wealth and Public Revenue in Latin America: Business Power and Tax Politics*, New York: Cambridge University Press.
Fairfield, Tasha, and Candelaria Garay [2017] "Redistribution under the Right in Latin America: Electoral Competition and Organized Actors in Policymaking," *Comparative Political Studies* Vol.50, No.14, pp.1871-1906.
Hirschman, Albert O. [1979] "The Turn to Authoritarianism in Latin America and the Search for Its Economic Determinants," in David Collier, ed., *The New Authoritarianism in Latin America*, Princeton: Princeton University Press.

Kaufman, Robert R. [1979] "Industrialization and Authoritarian Rule in Latin America: A Concrete Review of the Bureaucratic-Authoritarian Model," in Collier, ed., *op. cit.*.

Kurtz, Marcus J. [2004] "The Dilemmas of Democracy in the Open Economy: Lessons from Latin America," *World Politics* Vol.56, No.2, pp.262-302.

O'Donnell, Guillermo A. [1979] *Modernization and Bureaucratic-Authoritarianism: Studies in South American Politics*, text ed., Berkeley: Institute of International Studies, UCB（英語初版は一九七三年、スペイン語初版は七二年）。

Schneider, Ben Ross [2013] *Hierarchical Capitalism in Latin America: Business, Labor, and the Challenges of Equitable Development*, Cambridge: Cambridge University Press.

Teichman, Judith A. [2016] *The Politics of Inclusive Development: Policy, State Capacity, and Coalition Building*, Basingstoke: Palgrave Macmillan.

Weyland, Kurt [2019] *Revolution and Reaction: The Diffusion of Authoritarianism in Latin America*, Cambridge: Cambridge University Press.

Yasui, Shin [2000] "El proceso político y transformación agraria: balance histórico de la reforma y contrarreforma agrarias en Chile, 1964-1980"（『ラテンアメリカ研究年報』二〇号、二七―五六頁）。

日本語文献案内

浦部浩之［二〇一九］「二〇一七年チリ大統領・国会議員・州議会議員選挙―国会議員選挙制度の改革とチリ政治刷新の展望」『マテシス・ウニウェルサリス』二〇巻二号、一―二六頁。本章で重視したチリの政治経済の変容については、浦部の一連の分析が重要だが、これはそのうちで現時点で最新のもの。

恒川惠市［二〇〇八］『比較政治―中南米』放送大学教育振興会。教科書ではあるが、比較政治学的にラテンアメリカ政治を分析した結果をまとめた文献であり、この地域で民主主義が維持される傾向が強くなったことに関しても、また新自由主義と民主主義の関係に関しても、精緻な議論を展開している。本章の仮説と異なる部分もあるが、それゆえにこそ最もお薦めしたい文献である。

松下洋・乗浩子編［二〇〇四］『ラテンアメリカ　政治と社会［全面改訂版］』新評論。本章内で述べた理由で、新自由主義が政治に及ぼした効果についての考察は重要であり続けている。本書は読みやすい形でその考察を行った諸論考が収録された文献であり、より専門的な文献への導入としても重要。

千代勇一（せんだい　ゆういち）　帝京大学外国語学部准教授。ラテンアメリカ地域研究専攻。主要著作：「コロンビア革命軍との和平合意の背景とインパクト」（『ラテンアメリカ・レポート』第34巻1号　2017年），「コロンビアにおけるアブラヤシの生産形態と土地所有制度の関係」（『アジア経済』第57巻2号　2016年），「違法作物に翻弄される人々—コロンビアにおけるコカ栽培の実践とその政治性」（池谷和信編『生き物文化の地理学』2013年），「ラ・ビオレンシア」ほか（二村久則編『コロンビアを知るための60章』2011年）。

田村梨花（たむら　りか）　上智大学外国語学部教授。社会学・ブラジル地域研究専攻。主要著作：「ブラジルにおける地域連携に基づく多様な教育空間の創造と課題」（『比較教育学研究』58巻　2019年），『抵抗と創造の森アマゾン—持続的な開発と民衆の運動』（共編著　現代企画室　2017年），『ブラジルの人と社会』（共編著　上智大学出版　2017年），「『もう一つの世界』のための教育—世界社会フォーラムと世界教育フォーラム」ほか（丸山英樹・太田美幸編『ノンフォーマル教育の可能性—リアルな生活に根ざす教育へ』新評論　2013年）。

畑惠子（はた　けいこ）　編者紹介を参照。

舛方周一郎（ますかた　しゅういちろう）　東京外国語大学世界言語社会教育センター特任講師。博士（国際関係論・上智大学）。国際関係論・ブラジル現代政治専攻。主要著作：「気候変動政策の形成における政策ネットワークの役割—ブラジルとメキシコの比較分析」（『イベロアメリカ研究』41巻2号　2020年），「ラテンアメリカの大統領制下における大連立—ブラジルの事例分析を通じて」（『アジア経済』60号2巻　2019年），ブラジル・サンパウロ市環境審議会の制度変容と実践的権威」上谷直克編『「ポストネオリベラル期」ラテンアメリカの政治参加』アジア経済研究所　2014年）。

山本昭代（やまもと　あきよ）　慶応義塾大学他非常勤講師。博士（学術・東京外国語大学）。社会人類学・ラテンアメリカ地域研究専攻。主要著作：“Género y cambio social: El caso de las mujeres y la construcción de viviendas en una comunidad rural de la Huasteca” (Ruvalcaba Mercado, Jesús, cood. *La terca realidad. La Huasteca como espejo cultural.* CIESAS, 2013)，『メキシコ・ワステカ先住民農村のジェンダーと社会変化—フェミニスト人類学の視座』（明石書店　2007年），「ナワ（ワステカ地方）—社会変化のなかの女性たち」（綾部恒雄監修『講座　世界の先住民族—ファースト・ピープルズの現在08 中米・カリブ海，南米』明石書店　2007年），「家を建てる女たち—メキシコ・ワステカ農村における社会変化とジェンダー」（『文化人類学』69(1)号　2004年）。

渡部奈々（わたべ　なな）　獨協大学非常勤講師。宗教社会学専攻。博士（学術・早稲田大学）。主要著作：「アルゼンチンの『国民的和解』とカトリック教会—誰が誰を赦すのか」（『宗教と社会』第26号　2020年），『アルゼンチンカトリック教会の変容—国家宗教から公共宗教へ』（成文堂　2017年），「現代に継承される『第三世界のための司祭運動』—アルゼンチンにおける市民組織マドレ・ティエラの事例から」（『イベロアメリカ研究』67号　2013年）

執筆者紹介（50音順）

新木秀和（あらき　ひでかず）　神奈川大学外国語学部教授。ラテンアメリカ地域研究専攻。主要著作：「エクアドル・アンデス高地における連帯経済の実践―サリナス．グループの事例を中心に」（幡谷則子編『ラテンアメリカの連帯経済―コモン・グッドの再生をめざして』上智大学出版　2019年），「エクアドル―コレア政権と市民革命」（村上勇介編『「ポピュリズム」の政治学―深まる政治社会の亀裂と権威主義化』国際書院　2018年），『先住民運動と多民族国家―エクアドルの事例研究を中心に』（御茶の水書房　2014年），『エクアドルを知るための60章』（第２版）（編著　明石書店　2012年）。

出岡直也（いづおか　なおや）　慶應義塾大学法学部教授。ラテンアメリカ政治専攻。主要著作：「ラテンアメリカ穏健左派支持における経済投票―ウルグアイの拡大戦線の事例」（仙石学編『脱新自由主義の時代？』京都大学学術出版会　2017年），「オルタナティヴ通貨はどのような『社会運動』なのか」（『法学研究（慶應義塾大学法学会）』第83巻第３号　2010年）。

宇佐見耕一（うさみ　こういち）　同志社大学グローバル地域文化学部教授。博士（学術・筑波大学）。ラテンアメリカ社会政策論専攻。主要著作：『新世界の社会福祉10ラテンアメリカ』（編著　旬報社　2020年），『新興諸国の現金給付政策―アイディアと言説の視点から』（共編著　IDE-JETRO アジア経済研究所　2015年），『アルゼンチンにおける福祉国家の形成と変容―早熟な福祉国家とネオ・リベラル改革』（旬報社　2011年），『新興福祉国家論』（編著　アジア経済研究所　2003年）。

牛田千鶴（うしだ　ちづる）　南山大学外国語学部教授。博士（教育学・名古屋大学）。教育開発論・ラテンアメリカ地域研究専攻。主要著作：『ラティーノのエスニシティとバイリンガル教育』（明石書店　2010年），『南米につながる子どもたちと教育―複数文化を「力」に変えていくために』（編著　行路社　2014年），「メキシコにおける大学教育の質保証―私立大学激増に伴う質保証システムの整備と学習成果アセスメントの取組」（深堀聰子編著『アウトカムに基づく大学教育の質保証―チューニングとアセスメントにみる世界の動向』東信堂　2015年）。

浦部浩之（うらべ　ひろゆき）　編者紹介を参照。

子安昭子（こやす　あきこ）　上智大学外国語学部教授。国際関係論・ブラジル地域研究専攻。主要著作：『現代ブラジル論―危機の実相と対応力』（共著　上智大学出版　2019年），『新版　現代ブラジル事典』（共編著　新評論　2016年），『ポルトガル語圏世界への50のとびら』（共編著　上智大学出版　2015年），「外交におけるグローバル・プレーヤーへの道」（近田亮平編『躍動するブラジル―新しい変容と挑戦』アジア経済研究所　2013年）。

杉山知子（すぎやま　ともこ）　愛知学院大学総合政策学部教授。Ph.D.（政治学・コロンビア大学）。国際関係論専攻。主要著作：『国家テロリズムと市民』（北樹出版　2007年），『移行期の正義とラテンアメリカの教訓』（北樹出版　2011年），「真実と正義を求めるグローバルな動き」（細谷広美・佐藤義明編『グローバル化する〈正義〉の人類学』昭和堂　2019年）。

編者紹介

畑惠子（はた　けいこ）

早稲田大学名誉教授。メキシコ現代史，ラテンアメリカ地域研究専攻。主要著作：「メキシコの社会保障―社会扶助政策をめぐる政治」（宇佐見耕一編『新世界の社会福祉10：ラテンアメリカ』旬報社　2020年）。「性的マイノリティと人権―国際社会，日本，ラテンアメリカ」（大曾根寛他編集委員『福祉社会へのアプローチ』下巻　成文堂　2019年），「キューバ―平等主義と自由化の狭間を生きる女性たち」（国本伊代編『ラテンアメリカ　21世紀の社会と女性』新評論　2015年），『ラテンアメリカ・オセアニア』（共編著　ミネルヴァ書房　2012年），「女性のエンパワーメントと開発―メキシコの民衆組織，NGO，政府機関」（篠田武士・宇佐見耕一編『安心社会を創る』新評論　2009年），『ラテンアメリカ世界のことばと文化』（共編著　成文堂　2009年）。

浦部浩之（うらべ　ひろゆき）

獨協大学教授。ラテンアメリカ地域研究，ラテンアメリカ政治・国際関係専攻。主要著作：『世界地誌シリーズ10：中部アメリカ』（共編著　朝倉書店　2018年），「石油をてことした外交戦略と新しい地域統合の模索」（坂口安紀編『チャベス政権下のベネズエラ』アジア経済研究所　2016年），「チリにおける政党システムの硬直化と政治不信―『二名制』選挙制度がもたらす『駆け引き政治』の落とし穴」（村上勇介編『21世紀ラテンアメリカの挑戦―ネオリベラリズムによる亀裂を超えて』京都大学学術出版会　2015年），「地域機構と地域協力」（ラテン・アメリカ政経学会編『ラテン・アメリカ社会科学ハンドブック』新評論　2014年），「軍―政治介入の論理と行動」（松下洋・乗浩子編『ラテンアメリカ 政治と社会［全面改訂版］』新評論　2004年）。

ラテンアメリカ　地球規模課題の実践　（検印廃止）

2021年2月20日　初版第1刷発行

編　者　畑　惠子
　　　　浦部浩之

発行者　武市一幸

発行所　株式会社 新評論

〒169-0051 東京都新宿区西早稲田3-16-28
http://www.shinhyoron.co.jp
TEL 03（3202）7391
FAX 03（3202）5832
振替 00160-1-113487

定価はカバーに表示してあります
落丁・乱丁本はお取り替えします

装幀　山田英春
印刷　フォレスト
製本　中永製本所

ISBN978-4-7948-1168-4
Printed in Japan